수능까지 연결되는
초등

디딤돌 독해력

이 책을 쓰신 선생님들

김세동 유신고등학교

나태영 국어 전문 저자

박성희 국사봉중학교

정송희 고려대학교 사범대학 부속중학교

안찬원 서울창도초등학교

유한아 세원고등학교

윤구희 서울대학교 사범대학 부속중학교

디딤돌 독해력[초등국어] 고학년 IV

펴낸날 [초판 1쇄] 2019년 2월 25일 [초판 7쇄] 2024년 3월 1일
펴낸이 이기열
펴낸곳 (주)디딤돌 교육
주소 (03972) 서울특별시 마포구 월드컵북로 122 청원선와이즈타워
대표전화 02-3142-9000
구입문의 02-322-8451
내용문의 02-325-6800
팩시밀리 02-338-3231
홈페이지 www.didimdol.co.kr
등록번호 제10-718호

※ (주)디딤돌 교육은 이 책에 실린 모든 글의 출처를 찾기 위해
최선의 노력을 기울였습니다.
저작권자를 찾지 못해 허락을 받지 못한 글은 저작권자가 확인되는 대로
통상의 사용료를 지불하겠습니다.

고학년 IV

수능까지 연결되는
초등

디딤돌 독해력

디딤돌

어떻게 공부할까요?

1 본격적인 독해 훈련을 위한 필수 주제별 4개, 총 40지문

초등 고학년 디딤돌 독해력은 Level에 따라 수준별로 지문이 구성되어 있습니다.

단계별 지문 수준에 따라 인문, 철학, 사회, 경제, 과학, 기술, 언어, 문화, 예술, 환경 등 필수 주제별로 4개씩 지문을 읽다 보면, 독해 실력도 쑥쑥 오를 거예요!

어휘 수준 ★★★★★ 하 중 상
글감 수준 ★★★★★
글의 길이 1,290자

지문 수준은 지문 왼쪽의 별 표시로 확인하세요.

디딤돌 고학년 독해력, 어떻게 학습해야 할지 궁금하다면? **QR 코드를 검색해 보세요.**

2 독해 실력을 확인하는 실전 문제

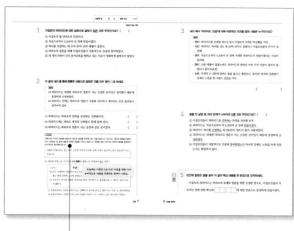

내용 이해/전개 방식/추론/비판/사례 적용/어휘/한줄 요약까지 지문에서 나올 수 있는 모든 문제가 빈틈없이 수록되어 있습니다.

지문을 읽은 후에는 문제를 풀며 자신이 지문을 제대로 읽었는지 확인해 보세요.

✚ 수능연결

'추론'이란 주어진 정보를 바탕으로 새로운 정보를 추리해 내는 것을 말합니다. 〈보기〉는 지문의 내용을 보충하거나 비판하는 등 글의 내용과 관련된 내용을 다루고 있습니다. 추론할 때는 〈보기〉와 지문의 정보를 종합하여 논리적으로 생각해야 합니다.

> 사물의 본질이라는 것은 단지 인간의 가치가 투영된 것에 지나지 않는다는 것이 반본질주의의 주장이다.

19. 윗글을 바탕으로 〈보기〉에 대해 **추론**한 내용으로 적절하지 않은 것은?

〈보기〉 추론
수능에는 지문과 〈보기〉의 자료를 연관 지어 논리적으로 내용을 추론하는 문제가 나와요.

(가) 금은 오랫동안 색깔이나 '밀도처럼 제는 현대 화학에 입각해 정의되고
(나) 누군가 사자와 바위와 컴퓨터를 묶어 '사바컴'으로 정의했지만 그 정의는 널리 쓰이지 않았다.

① 본질주의자는 (가)를 숨겨져 있는 정확하고 엄격한 본질을 찾아 가는 과정으로 해석하겠네.

✚ 수능연결

실전 문제에서 수능까지 연결되는 내용을 살펴보며 자신의 공부 방향이 맞는지 확인해 볼 수 있습니다.

3 독해력을 기르는 어휘

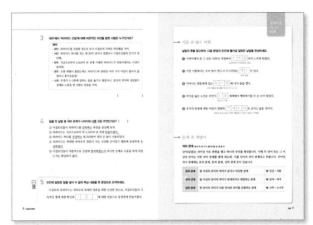

독해력의 기본은 어휘입니다. 실제 수능 문제에서도 어휘 문제가 꼭 출제됩니다.

빈칸 채우기, 연결하기 등 쉽고 간단한 어휘 문제를 통해 지문 속 어휘와 문제 속 개념어를 다시 짚고 넘어갈 수 있어요!

4 독해의 기본 원리를 익히는 독해력 특강

여러분이 평소에 궁금해하는 독해의 기본 개념, 독해의 과정, 독해의 방법 등 독해의 기본 원리를 부담 없이 익힐 수 있도록 구성하였습니다.

재미있는 퀴즈, 이미지 등 다채로운 내용으로 꾸며져 있으니, 꼭 읽어 보세요.

5 독해를 완성하는 정답과 해설

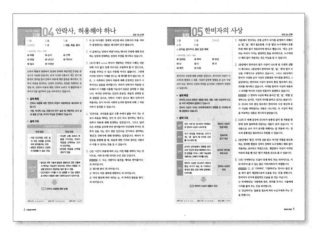

정답과 해설에는 지문의 핵심 내용과 실전 문제의 해설을 제시하였습니다.

내가 틀린 문제는 왜 틀렸는지를 해설을 통해 꼭 확인하고 가세요!

학습계획표

피라미드는 왜 만들어졌을까

12분 안에 풀어보세요.

이집트의 피라미드는 파라오의 무덤으로 잘 알려져 있다. 거대한 산처럼 우뚝 솟은 피라미드는 높이가 150m에 가깝다고 하니 보는 이들에게 경외감을 불러일으킬 정도이다. 피라미드 하나를 건설하는 데는 250만여 개의 큰 돌이 사용되는데, 이 돌은 피라미드가 건설되는 장소에서 수십 킬로미터가 떨어진 채석장에서 떼어 온 것이다. 돌 하나의 무게가 2~3톤에 달한다고 하니 피라미드의 무게는 600만 톤을 훌쩍 넘게 된다. 또 피라미드 하나를 건설하는 데에는 무려 20여 년이 걸린다. 이처럼 오랜 공사 기간에 걸쳐 지어진 대규모의 피라미드가 지금으로부터 4,500여 년 전에 만들어졌다는 사실을 생각하면 놀라움을 감출 수 없다.

이집트인들이 피라미드를 건축하는 과정을 상상해 보자. 우선 멀리 떨어진 채석장에서 돌을 캐내어 배를 이용하여 나르고 경사로를 따라 돌을 쌓았을 것이다. 피라미드의 규모를 고려한다면 2톤이 넘는 돌을 100m의 높이까지 끌어 올리는 과정이 얼마나 어려웠을지 짐작할 수 있다. 이집트인들이 자신들의 왕인 파라오의 영혼을 위해 자발적으로 건설에 참여하였는지 아니면 강제로 노동을 하게 되었는지는 확실하지 않다.

그렇다면 이집트인들은 왜 오랜 세월에 걸쳐 꾸준히 피라미드를 만들었을까? 그 이유는 이집트인들이 인간의 지속적인 생에 대한 확신을 가지고 있었기 때문이다. 그들은 사람이 죽으면 육체에서 영혼이 빠져나와 사후 세계로 가고, 사후 세계에서 다시 이 세상으로 돌아온다고 믿었다. 이 세상으로 돌아온 영혼은 다시 원래의 육체 속으로 들어가 새로운 삶을 시작하게 된다. 미라를 만든 것도 영혼이 깃드는 육체를 잘 보존하기 위함이었다.

특히 고대 이집트인들은 신에 의해 선택된 파라오가 신의 세계와 인간의 세계를 연결하는 존재라고 믿었다. 신과 같은 자격으로 소중한 이집트를 보호하는 것이 파라오의 임무였다. 파라오의 육체를 보존하여 영혼이 돌아올 수 있게 하고, 파라오의 영혼이 살아갈 장소를 만드는 일은 자신을 보호하는 일과 같았다. 피라미드는 위대한 파라오의 영혼이 사는 신성한 곳이었기 때문에 규모를 크게 하였고, 그 안에는 파라오의 영혼이 사용할 수 있는 온갖 물건을 갖추어 두었다.

그러나 피라미드는 여전히 불가사의한 비밀을 간직하고 있다. 피라미드 네 개의 측면이 각각 정확하게 동서남북을 바라보고 있는 이유가 무엇인지, 어떠한 이유로 건축물에 수학적 질서를 적용하였는지, 거대한 규모의 건축이 오랫동안 지속된 이유가 무엇인지 아직까지 명확하게 밝혀지지 않았다. 피라미드는 여러 비밀을 간직한 채 반만년이 지난 오늘날에도 굳건하게 사막 위를 버티고 있다.

● 경외감(敬 공경 경, 畏 두려워할 외, 感 느낄 감)
공경하면서 두려워하는 감정.

● 채석장(採 캘 채, 石 돌 석, 場 마당 장)
건축 재료로 쓸 돌을 캐거나 떠 내는 곳.

● 사후(死 죽을 사, 後 뒤 후)
죽고 난 이후.

● 불가사의(不 아닐 불, 可 옳을 가, 思 생각 사, 議 의논할 의)
사람의 생각으로는 미루어 헤아릴 수 없이 이상하고 야릇함.

1 이집트의 피라미드에 대한 설명으로 알맞지 <u>않은</u> 것은 무엇인가요? (   )

① 이집트의 왕 파라오의 무덤이다.

② 지금으로부터 4,500여 년 전에 만들어졌다.

③ 하나를 건설하는 데 무려 20여 년의 세월이 걸린다.

④ 파라오의 영혼을 위해 이집트인들이 자발적으로 건설에 참여하였다.

⑤ 네 개의 측면이 각각 동서남북을 향하고 있는 이유가 명확하게 밝혀지지 않았다.

2 이 글과 보기 를 통해 **추론**한 내용으로 알맞은 것을 모두 찾아 ○표 하세요.

> 보기
>
> ㉮ 피라미드는 위대한 파라오의 영혼이 사는 신성한 곳이라고 생각했기 때문에 웅장하게 조성하였다.
>
> ㉯ 피라미드 안에는 파라오의 영혼이 사용할 것이라고 생각되는 온갖 물건들이 갖추어져 있다.

(1) 피라미드는 파라오의 권력을 상징하는 건축물이다.   (   )

(2) 피라미드에는 파라오 생전의 신하들도 함께 묻혀 있다.   (   )

(3) 피라미드는 파라오의 영혼이 사는 궁전과 같은 곳이었다.   (   )

+ 수능연결

'추론'이란 주어진 정보를 바탕으로 새로운 정보를 추리해 내는 것을 말합니다. 〈보기〉는 지문의 내용을 보충하거나 비판하는 등 글의 내용과 관련된 내용을 다루고 있습니다. 추론할 때는 〈보기〉와 지문의 정보를 종합하여 논리적으로 생각해야 합니다.

> 사물의 본질이라는 것은 단지 인간의 가치가 투영된 것에 지나지 않는다는 것이 반본질주의의 주장이다.

19. 윗글을 바탕으로 〈보기〉에 대해 **추론**한 내용으로 적절하지 <u>않은</u> 것은?

> 추론
>
> 수능에는 지문과 〈보기〉의 자료를 연관 지어 논리적으로 내용을 추론하는 문제가 나와요.

> 〈보기〉
>
> ㉮ 금은 오랫동안 색깔이나 밀도처럼 ⋯⋯⋯ 제는 현대 화학에 입각해 정의되고 ⋯⋯
>
> ㉯ 누군가가 사자와 바위와 컴퓨터를 묶어 '사바컴'으로 정의했지만 그 정의는 널리 쓰이지 않았다.

① 본질주의자는 (가)를 숨겨져 있는 정확하고 엄격한 본질을 찾아 가는 과정으로 해석하겠네.

② 본질주의자는 (나)를 근거로 들어 본질은 사후적으로 구성되는 것이 아니라고 하겠네.

3 보기 에서 '피라미드 건설'에 대해 비판적인 의견을 말한 사람은 누구인가요?

> 보기
> • 정민: 피라미드를 건설할 정도로 당시 이집트의 국력은 막강했을 거야.
> • 서진: 피라미드 하나를 짓는 데 20여 년이나 걸렸다니 이집트인들의 끈기가 대단해.
> • 현주: 지금으로부터 4,500여 년 전에 거대한 피라미드가 만들어졌다는 사실이 놀라워.
> • 영우: 오랜 세월이 흘렀는데도 피라미드와 관련된 여러 가지 비밀이 풀리지 않았다니 흥미로운걸!
> • 소희: 무게가 2~3톤에 달하는 돌을 옮기고 쌓았다니, 본인의 의지와 상관없이 강제로 노동을 한 사람도 있었을 거야.

(   )

4 밑줄 친 낱말 중 의미 관계가 나머지와 <u>다른</u> 것은 무엇인가요? (   )

① 이집트인들이 피라미드를 <u>건축하는</u> 과정을 상상해 보자.
② 피라미드는 지금으로부터 약 4,500여 년 전에 <u>만들어졌다.</u>
③ 피라미드 하나를 <u>건설하는</u> 데 250만여 개의 큰 돌이 사용되었다.
④ 피라미드는 위대한 파라오의 영혼이 사는 신성한 곳이었기 때문에 웅장하게 <u>조성하였다.</u>
⑤ 이집트인들이 자발적으로 건설에 <u>참여하였는지</u> 아니면 강제로 노동을 하게 되었는지는 확실하지 않다.

한줄
요약

5 빈칸에 알맞은 말을 넣어 이 글의 핵심 내용을 한 문장으로 요약하세요.

이집트의 피라미드는 파라오의 육체와 영혼을 위한 신성한 장소로, 이집트인들의 지속적인 생에 대한 확신과 [   ][   ]에 대한 믿음으로 웅장하게 만들어졌다.

지문 속 필수 어휘

낱말의 뜻을 참고하여, 다음 문장의 빈칸에 들어갈 알맞은 낱말을 완성하세요.

❶ 가까이에서 본 그 산은 너무나 거대하여 ㄱ ㅇ 감 마저 느끼게 하였다.

공경하면서 두려워하는 감정.

❷ 이번 시합에서는 우리 팀이 반드시 이기리라는 확 ㅅ 이 있다.

굳게 믿음.

❸ 어머니는 윗동네에 있는 ㅊ ㅅ 장 에 나가 돌을 깼다.

건축 재료로 쓸 돌을 캐거나 떠 내는 곳.

❹ 부인을 잃은 노인은 부인이 ㅅ 후 세계에서 행복하기를 두 손 모아 빌었다.

죽고 난 이후.

❺ 우주의 탄생에 대한 비밀이 영원히 ㅂ 가 ㅅ 의 로 남지는 않을 것이다.

사람의 생각으로는 미루어 헤아릴 수 없이 이상하고 야릇함.

문제 속 개념어

의미 관계 意뜻 의, 味맛 미, 關관계할 관, 係맬 계

단어(낱말)는 의미상 서로 관련을 맺고 하나의 무리를 형성합니다. 이때 두 단어 또는 그 이상의 단어는 어떤 의미 관계를 맺게 되는데, 이를 단어의 의미 관계라고 부릅니다. 단어의 의미 관계에는 유의 관계, 반의 관계, 상하 관계 등이 있습니다.

유의 관계	둘 이상의 단어의 의미가 같거나 비슷한 관계	예 인간-사람
반의 관계	둘 이상의 단어의 의미가 반대되거나 대립하는 관계	예 남자-여자
상하 관계	한 단어의 의미가 다른 단어의 의미를 포함하는 관계	예 나무-소나무

음양오행설

어휘 수준 ★★★★★
글감 수준 ★★★★★
글의 길이 1,754자

'음양오행설'은 고대 중국에서부터 만들어진 사상으로, 중국뿐 아니라 우리나라와 일본에도 수천 년 간 큰 영향을 끼친 철학 사상이다. '음양(陰陽)'은 인간을 비롯한 우주의 모든 것과 모든 현상은 음과 양의 두 가지 성질로 되어 있으며, 세상이 변화하고 움직이는 모든 질서는 음과 양의 조화를 통해 이루어진다고 보는 사상이다. 밝은 낮이 양이라면 어두운 밤은 음에 해당하고, 낮에 뜬 해가 양이라면 밤에 뜬 달은 음에 해당하며, 낮의 따뜻함이 양이라면 밤의 차가움은 음에 해당한다. 그리고 낮에서 밤으로 바뀌고 밤에서 다시 낮으로 바뀌는 것은 양과 음이 서로 바뀌면서 조화를 이루는 것으로 보았다.

그런데 이렇게 음과 양 두 가지 요소만으로는 복잡한 자연과 세상을 설명하기에 부족하였다. 그래서 음양에 '화(火, 불), 수(水, 물), 목(木, 나무), 금(金, 쇠), 토(土, 흙)'의 다섯 가지 요소인 '오행(五行)'을 더해 '음양오행설'로 발전시켰다. 지금도 이 음양오행설의 영향으로 요일의 이름을 '일(日), 월(月), 화(火), 수(水), 목(木), 금(金), 토(土)'로 사용하고 있다.

오행에는 두 가지씩 짝을 이루어, 서로 성질이 맞아 조화를 이루는 상생(相生) 관계와 서로 성질이 맞지 않아 충돌하는 상극(相剋) 관계가 나타난다. 그림과 같이 '목-화', '화-토', '토-금', '금-수', '수-목'은 각각 상생 관계를 이룬다. 이는 성품이 온화하고 따뜻한 기운이 숨어 있는 나무[木]가 불[火]을 만들고, 불은 타서 흙[土]을 만들며, 흙은 단단해져서 금[金]이 되고, 금은 녹아 물[水]을 만들며, 물은 나무[木]가 성장하는 원천

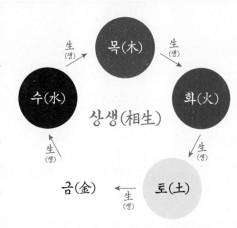

이 된다는 생각을 바탕으로 만들어졌다. 즉 상생 관계는 어떤 한 요소가 다른 요소를 만든다는 생각을 바탕으로 이루어진 것이다.

이와는 반대로 상극 관계는 한 요소가 다른 요소를 방해하거나 다른 요소에 나쁜 영향을 준다는 생각을 바탕으로 이루어진 것이다. 그래서 '목-토', '토-수', '수-화', '화-금', '금-목'은 각각 상극 관계를 이룬다. 이는 나무[木]는 땅 속에 뿌리를 뻗어서 흙[土]을 누르고 조이며, 흙은 물[水]이 흘러가는 것을 막고, 물은 불[火]을 꺼 버리며, 불은 단단한 쇠[金]를 녹이고, 쇠로 만든 도끼나 톱은 나무[木]을 벤다고 생각했기 때문이다.

이러한 음양오행설은 유교 사상이나 도교 사상 같은 학문은 물론, 사람들의 삶과 풍속에도 큰 영향을 주었다. 특히 동양의 전통 의학인 한의학에서는 몸에 병이 생긴 원인을 음양과 오행의 조화가 깨졌기 때문으로 보아, 음양의 조화와 오행의 상생 관계를 이용하여 병을 치료하였다. 나아가 사람이 먹는 음식이나 병을 치료하기 위한 약의 재료에도 음양의 조화와 오행의 기운이 있다고 생각하였다.

예를 들어 겨울에 감기에 걸린 것은 몸에 음의 기운이 강해 음양의 조화가 깨진 것으로 생각하여, 따뜻한 양의 기운이 강한 과일인 배나 귤을 먹는 것은 권하지만, 차가운 음의 기

● 철학(哲 밝을 철, 學 배울 학)
인간과 세계에 대한 근본 원리와 삶의 본질 따위를 연구하는 학문.

● 풍속(風 바람 풍, 俗 풍속 속)
옛날부터 그 사회에 전해 오는 생활 전반에 걸친 습관 따위를 이르는 말.

운이 강한 사과는 먹지 않는 것이 좋다고 보았다. 또한 일상적으로 먹는 밥은 가장 훌륭한 음식이라고 여겼다. 왜냐하면 사람의 몸은 오행의 기운이 합쳐져서 만들어진 것인데, 밥 또한 오행을 모두 갖추었다고 보았기 때문이다. 우선 쌀은 흙에서 생산되는 것이므로 토(土)의 기운이 있다. 밥을 짓는 가마솥은 쇠로 만들었기 때문에 금(金)의 기운이 있고, 밥을 할 때 물을 쓰므로 수(水)의 기운이 있으며, 나무에 불을 피워서 밥을 하므로 목(木)과 화(火)의 기운이 결합된다. 이처럼 밥은 오행을 모두 갖춘 것이라고 본 것이다.

정답과 해설 **2**쪽

1 **이 글을 통해 알 수 있는 내용으로 알맞은 것은 무엇인가요? (　　　)**

① 우리나라에서 만들어진 음양오행설은 중국뿐만 아니라 일본에도 영향을 주었다.
② 요일의 이름은 음양오행설이 아직도 우리의 삶에 영향을 끼치고 있다는 것을 보여 준다.
③ 오행만으로는 복잡한 자연을 설명하기가 어려워 음양을 추가하여 음양오행설이 성립되었다.
④ 한의학에서는 몸에 병이 생기는 이유를 음양과 오행이 조화를 이루기 때문이라고 설명한다.
⑤ 오행은 서로 성질이 맞아 조화를 이루는 '상극 관계'와 서로 충돌을 일으키는 '상생 관계'를 가지고 있다.

2 **이 글을 바탕으로 양과 음으로 나누어진 짝을 떠올려 보았을 때, 적절하지 않은 것은 무엇인가요? (　　　)**

	양	음
①	낮	밤
②	해	달
③	땅	하늘
④	배	사과
⑤	여름	겨울

[3~4] 보기 를 읽고 아래의 물음에 답하세요.

> **보기**
>
> 　과거를 시대적 배경으로 하는 전쟁 시뮬레이션 게임을 개발하던 민수는 군대의 종류를 어떻게 나눌까 고민하다가 오행의 상생 관계와 상극 관계를 떠올렸다. 그리고 이 아이디어를 바탕으로 군대의 종류를 다섯으로 나누었는데, 상생 관계는 게임으로 구현하기 힘들어서 적용하지 않았다. 민수는 다섯 종류의 군대의 특성을 가위바위보처럼 어느 하나의 군대는 특정 군대에 강하고 다른 종류의 군대에는 약하게 구성하였다. 그리고 각 군대에 오행의 속성을 부여하고, 오행 사이의 관계를 그대로 적용하였다.

군대의 종류	기병	창병	궁병	검병	포병
군대의 속성	화(火)	수(水)	목(木)	금(金)	토(土)

3 빈칸에 들어갈 알맞은 말을 이 글에서 찾아 쓰세요.

> 　**보기** 에서 전쟁 시뮬레이션 게임의 개발자는 오행에서의 ☐☐ 관계를 활용하여 군대의 종류를 만들었다.

4 **보기** 의 게임 상황에서 적군이 '기병'과 '궁병'으로 군대를 편성해 공격해 오고 있다고 할 때, 적군을 막기 위한 전략으로 가장 적절한 것은 무엇인가요? (　　　)

① '창병'과 '포병'을 중심으로 군대를 편성한다.
② '창병'과 '검병'을 중심으로 군대를 편성한다.
③ '궁병'과 '검병'을 중심으로 군대를 편성한다.
④ '기병'과 '궁병'을 중심으로 군대를 편성한다.
⑤ '포병'과 '기병'을 중심으로 군대를 편성한다.

한줄
요약

5 빈칸에 알맞은 말을 넣어 이 글의 핵심 내용을 한 문장으로 요약하세요.

> 　음양오행설은 우주 만물의 성질을 ☐☐과 ☐☐으로 나누고 각각의 관계를 고려하여 조화를 추구하려는 사상으로, 이후 학문뿐만 아니라 사람들의 삶과 풍속, ☐☐☐에 이르기까지 큰 영향을 주었다.

지문 속 필수 어휘

다음 문장을 읽고, ( ) 안에 공통으로 들어갈 낱말을 완성하세요.

❶

- 이제는 봄의 따스한 (   )이 완연하다.
- 어제부터 감기 (   )이 있는지 자꾸만 으슬으슬 춥다.

| 기 | 운 |

❷

- 그는 (   )이 어질지 못하다.
- 할머니는 너그러운 (   )을 가지고 계셔서 이웃 사람들이 모두 좋아한다.

| 성 | 표 |

❸

- (   )에서는 세상을 음과 양으로 나누어 이해한다.
- 공자는 (   ) 철학의 기초를 닦은 철학자라고 할 수 있다.

| 동 | ㅇ |

낱말의 뜻을 참고하여, 다음 문장의 빈칸에 들어갈 알맞은 낱말을 완성하세요.

❹ 사회를 유지하는 데 있어서 사람들이 서로 | ㅈ | 화 |를 이루는 것이 중요하다.

서로 잘 어울림.

❺ 그는 한의사였던 아버지를 이어 대학에서 | ㅎ | ㅇ | 학 |을 공부하게 되었다.

중국에서 전래되어 우리나라에서 독자적으로 발달한 전통 의학.

❻ 사람들은 자신의 지식과 경험에 따라 자기만의 | ㅊ | 학 |을 가지고 있다.

인간과 세계에 대한 근본 원리와 삶의 본질 따위를 연구하는 학문.

❼ 우리 민족의 | 표 | 속 |에는 자연의 변화에 맞추어 살아가던 조상들의 지혜가 담겨 있다.

옛날부터 그 사회에 전해 오는 생활 전반에 걸친 습관 따위를 이르는 말.

차별의 역사와 젠더

13분 안에 풀어보세요.

어휘 수준 ★★★★★
글감 수준 ★★★★★
글의 길이 1,466자

남자와 여자가 다르다는 것은 너무나 당연한 말로 ㉠보인다. 그런데 이 '다르다'는 표현을 찬찬히 살펴보면 다음 두 가지를 가리킨다는 것을 알 수 있다. 첫째는 생물학적인 차이이다. '남자는 대체로 덩치가 크다.'나 '여자는 출산을 한다.'와 같은 것을 들 수 있다. 둘째는 남녀에 대한 사회적 인식의 차이이다. '남자는 용감하고 대범하며, 여자는 소심하고 세심하다.'나 '남자는 나가서 돈을 벌어 오고, 여자는 가사를 돌보아야 한다.'는 생각이 이에 해당한다.

전자와 같이 신체적 차이에 의한 성(性)을 '생물학적 성[섹스(sex)]'이라고 하고, 후자와 같이 사회적으로 구분되는 성을 '사회적 성[젠더(gender)]'이라고 한다. 생물학적 성이 태어날 때부터 결정된 것이라면, '남성성' 혹은 '여성성'과 같이 말하는 '사회적 성'은 후천적, 사회·문화적으로 형성된 것이다. 그런데 '생물학적 성', 즉 '섹스(sex)'라는 용어에는 여성과 남성 사이의 차별적 관계가 자연적으로 정해진 것이라는 생각이 담겨 있다고 보고, 새로운 용어가 필요하다는 주장이 일었다. 그래서 1995년 베이징에서 열린 세계 여성 대회에서 남녀의 성적 구분을 '섹스(sex)'라는 말 대신에, 남녀의 신체적 차이는 인정하되 그 차이가 차별되지 않게 하자는 의미에서 '젠더(gender)'로 표현하자고 결정하였다.

성(性)과 관련된 역사를 보면, 구석기 시대는 어머니가 가족의 중심이 되고 어머니 쪽의 혈통이 이어지는 여성 중심 시대였다. 그런데 농사를 지으며 정착 생활을 하게 되고 계급이 발생하면서, 부(富)의 획득 수단인 농경과 전쟁에서의 남성 기여도가 여성보다 커지게 되었다. 그 결과 남성이 기득권을 차지하게 되면서 여성 차별의 시대가 시작되었다. 이후 남성 중심의 사회가 계속 이어졌으나 현대 과학 기술의 발전으로 사회적 변화가 일어나고, 이로 인해 남녀의 사회적 역할이나 지위에 변화가 생기면서 남녀에 대한 인식도 달라지게 되었다. 과거에는 전쟁에서 영웅적인 남성의 활약으로 수십 명의 적을 물리칠 수 있었다면, 현대에는 여성이든 남성이든 능력이 되는 사람이 좌표를 계산해서 미사일 발사 버튼을 한 번 누르면 전쟁을 끝낼 수 있게 되었다. 과거 남성의 기여도가 컸던 전쟁이 이제는 남성과 여성의 기여도가 다르지 않은 시대가 된 것이다. 이러한 사회적 변화 속에 모든 인간은 동등하다는 인권 의식이 널리 퍼지면서 남성과 여성에 대한 인식에도 변화가 생겨 점차 평등한 사회로 바뀌어 가고 있다.

'젠더'는 이러한 변화 속에서 등장한 말로, 유럽이나 미국 등 많은 나라에서 남성과 여성의 관계는 대등하며 모든 사회적 동등함을 실현해야 한다는 의미로 사용되고 있다. 그렇다고 모든 사람이나 국가들이 '젠더'라는 말로 남녀의 차이를 설명하는 데 동의하는 것은 아니다. 하지만 '남자다움', '여자다움'에서 알 수 있듯이, 성별의 구분이 자연적인 것이 아니라 사회적·문화적으로 만들어진 것임을 강조하는 데 '젠더'라는 말만큼 유용한 것은 없는 듯하다.

● **후천적**(後 뒤 후, 天 하늘 천, 的 과녁 적)
성질, 체질, 질환 따위가 태어난 후에 얻어진. 또는 그런 것.

● **혈통**(血 피 혈, 統 거느릴 통)
같은 핏줄의 계통.

● **기득권**(既 이미 기, 得 얻을 득, 權 권세 권)
특정한 자연인, 법인, 국가가 정당한 절차를 밟아 이미 차지한 권리.

1 이 글의 내용으로 알맞지 <u>않은</u> 것은 무엇인가요? (　　　)

① 성(性)에 대한 개념이 변해 가고 있다.

② 남자와 여자는 생물학적으로 차이가 있다.

③ 여성이 공동체의 중심이 되었던 때도 있었다.

④ 과거에 농경과 전쟁은 남성의 사회적 지위 상승에 기여했다.

⑤ 시대에 따라 여성의 사회적 지위는 변해도 사회적 역할은 변함이 없었다.

2 이 글에 사용된 설명 방법을 보기 에서 모두 찾아 기호를 쓰세요.

보기

ㄱ. 구체적인 예를 통해 독자의 이해를 돕고 있다.

ㄴ. 학자의 말을 인용하여 주장을 뒷받침하고 있다.

ㄷ. 다양한 이론에 대한 소개와 평가가 드러나 있다.

ㄹ. 대비되는 용어의 의미를 풀이하여 설명하고 있다.

(　　　　　　　　)

3 이 글과 보기 를 읽은 후 보인 반응으로 적절하지 <u>않은</u> 것은 무엇인가요? (　　　)

보기

　'구부러진 파이프를 곧게 펴려면 반대쪽으로 구부려야 한다.' 이는 양성이 평등 해지려면 여성에게 더 많은 혜택을 주어야 한다고 주장할 때 자주 사용되는 비유 이다. 이런 주장에 대해 남성들은 역차별이라며 반발하기도 한다.

① 서현: 양성평등을 이룬다는 것은 정말 어려운 일인 것 같아.

② 민수: 단순히 여성에게 혜택만 많이 준다고 해서 양성이 평등해질 수 있을까?

③ 채윤: 남성보다 여성이 사회의 중심이 되면 진정한 양성평등이 이루어질 거야.

④ 지용: 여성에게 더 많은 혜택이 주어지면 남성들의 불만이 높아질 수도 있겠어.

⑤ 혜원: 남녀의 사회적 동등함을 실현하기 위해 진정으로 필요한 것이 무엇인지 다 시 한번 생각해 보아야겠어.

4 이 글과 보기 를 통해 추론한 내용으로 알맞은 것에 ○표 하세요.

> **보기**
> • 예전에는 부(富)의 획득 수단인 농경과 전쟁에서 남성의 기여도가 여성보다 컸다.
> • 현대에는 여성이든 남성이든 능력이 되는 사람이 좌표를 계산해서 미사일 발사 버튼을 한 번 누르면 전쟁을 끝낼 수 있게 되었다.

(1) 양성평등을 위한 노력에도 불구하고 여전히 여성에 대한 차별은 존재한다.

(   )

(2) 과학 기술의 발달로 인한 사회적 변화가 남녀의 사회적 역할과 지위의 변화에도 영향을 미쳤다.

(   )

5 ㉠과 가장 유사한 의미로 쓰인 것은 무엇인가요? (   )

① 이번 사건의 결말이 보이기 시작했다.
② 가려진 창문 사이로 멀리 산이 보인다.
③ 그의 말에서 지금까지 없었던 희망이 보인다.
④ 그가 증언한 내용은 거짓말이 아닌 것으로 보인다.
⑤ 그녀는 새로 만든 작품을 그에게 선을 보이기로 결정했다.

6 빈칸에 알맞은 말을 넣어 이 글의 핵심 내용을 한 문장으로 요약하세요.

> **한줄 요약**

성(性)은 생물학적 성과 사회적 성으로 구분할 수 있는데, 사회적 성을 의미하는 '□□'라는 용어에는 남녀의 신체적 차이는 인정하되 그 차이는 □□하지 않는다는 의미가 담겨 있고, 이는 성의 구별이 사회·문화적으로 만들어진 것임을 설명하는 데 유용하다.

지문 속 필수 어휘

다음 문장을 읽고, (　　) 안에 공통으로 들어갈 낱말을 완성하세요.

❶
- 피부색에 따라 사람을 (　　　)해서는 안 된다.
- 도시와 농촌은 경제적으로 (　　　)이 존재하고 있다.

차 ㅂ

❷
- 그 정치인은 (　　　)을 지키기 위해 최선을 다했다.
- 회장은 직원들을 위해 (　　　)을 포기했다.

ㄱ 득 ㄱ

❸
- 그 아이는 겁도 없이 너무 (　　　)하게 행동한다.
- 만주 벌판을 달리던 고구려인의 (　　　)함과 기상을 배워야겠다.

대 ㅂ

❹
- 그 사람은 항상 다른 사람을 (　　　)하게 배려하였다.
- 글을 잘 쓰려면 주변을 (　　　)하게 관찰하는 습관이 필요하다.

ㅅ 심

다음 문장을 읽고, 두 낱말 중 알맞은 것을 찾아 ○표 하세요.

❺ 그의 얼굴을 ［ 찬찬이 / 찬찬히 ］ 살펴보니 그의 아버지와 많이 닮았다.

❻ 영희와 영수는 쌍둥이지만 서로 ［ 다르게 / 틀리게 ］ 생겼다.

❼ 그녀는 손을 들어 산등성이를 ［ 가리켰다 / 가르쳤다 ］.

❽ 확실한 근거가 있는 말에만 ［ 동이 / 동의 ］를 할 생각이다.

안락사, 허용해야 하나

어휘 수준 ★★★★★
글감 수준 ★★★★★
글의 길이 1,543자

말기 암 환자의 경우 극심한 통증을 겪을 때 짐승 같은 울부짖음을 토해 낸다고 한다. 그들의 입장에서 보면 인간다움, 나다움을 잃고 고통 속에서 삶을 이어 가는 것보다 죽음을 택하는 것이 더 나을 수도 있다. 하지만 죽음을 선택할 권리를 허용하면 그에 따른 부작용도 커질 수 있음을 들어 반대하는 사람들도 적지 않다. 예정된 죽음이 찾아올 때까지 생명의 신성함을 존중하여 극심한 통증을 겪으며 버텨야 할까? 아니면 죽음을 선택하여 극심한 고통에서 벗어나 인간다움을 지키는 것이 옳은 것일까?

㉠안락사를 반대하는 사람들은, 정말로 인간다운 것은 삶의 모든 과정을 순리에 따라 받아들이며 자신에게 주어진 최후의 길을 가는 것이라고 주장한다. 생명은 존엄하고 신성하며 침해할 수 없는 것이기 때문에, 인간이 자율적으로 죽을 권리 같은 것은 없으며 안락사를 법적으로, 제도적으로 허용해서는 안 된다고 본다.

그렇다면 과연 안락사는 허용되어서는 안 되는가? 만일 내가 루게릭병에 걸렸고, 병이 너무 진행되어 스스로 숨을 쉬는 것조차 어렵다고 가정해 보자. 의식은 또렷한데 손발과 장기를 비롯해 모든 신체가 굳어 간다면 얼마나 고통스러울까? 어떤 사람은 자신의 생명이 사라지는 그 순간까지 고통을 안은 채 자연스럽게 죽음을 ㉡맞겠다는 '선택'을 한다. 하지만 다른 누군가는 침대에 누워서 죽음을 기다리기보다 죽음을 '선택'하고자 한다. 만성 질환자, 말기 암 환자의 자살 시도 위험이 일반인보다 3배가 높은 것에서 이를 확인할 수 있다. 생명의 신성함을 내세워 불치병 환자들이 겪는 실제적인 고통을 견뎌 내야 하는 일이라고 주장하는 것은 어떤 의미에서 부도덕하고 비인간적인 일일 수 있다. 따라서 어쩌면 안락사의 허용은 당연한 것이며, 인간에게는 살 권리만큼 존엄한 죽음을 선택할 권리가 있다고 볼 수도 있다.

하지만 의학 기술이 발전하고 있는 현실을 돌아보면 안락사는 결코 허용해서는 안 되는 일이기도 하다. 질병으로 인한 극심한 고통을 겪으며 불치병 말기 환자들이 심각한 무력감을 느끼기도 한다. 하지만 이러한 현실이 미래에도 지속될지는 누구도 장담할 수 없다. 때때로 극적인 변화가 한순간에 일어나기 때문이다. 과거에는 불치병이었던 세균성 질환을 알렉산더 플레밍이 우연히 발견한 항생 물질로 해결한 것처럼 말이다. 또한 사고나 질병으로 척수가 손상된 사람들이 장애를 가지고 살아가고 있지만 이를 해결하기 위한 연구도 꾸준히 진행되고 있다. 손상된 신경계를 고쳐서 본모습과 같게 하기 위한 줄기세포 연구나, 생각하는 것만으로 조종할 수 있는 로봇 팔·다리 연구 등과 같이, 장애로 인해 삶의 질이 떨어지는 것을 막기 위한 연구가 지금 이 순간에도 많이 이루어지고 있다. 따라서 현재가 힘들다고 해서 자신의 생명을 쉽게 버릴 수 있도록 안락사를 법적으로 허용하는 것은 국가와 사회가 자살을 방조하고 권장하는 일이 될 수도 있다.

현재 유럽에서는 안락사 대상자가 점차 확대되는 추세이지만, 우리나라는 안락사를 허용하지 않는다. 과연 안락사는 허용될 수 있는 문제인가? 어떻게 하는 것이 인간다움의 가치를 더 잘 지켜 나갈 수 있는 것인지에 대한 사회적 논의가 좀 더 활발하게 이루어지길 기대해 본다.

● **루게릭병**
근육이 서서히 위축하는 질환을 통틀어 이르는 말. 미국의 야구 선수 게릭(Gehrig, L.)이 이 병으로 사망하였다고 하여 붙여진 이름임.

● **불치병**(不 아닐 불, 治 다스릴 치, 病 병 병)
고치지 못하는 병.

● **방조**(幇 도울 방, 助 도울 조)
형법에서, 남의 범죄 수행에 편의를 주는 모든 행위.

정답과 해설 **4쪽**

1 이 글에서 알 수 있는 내용으로 알맞지 <u>않은</u> 것은 무엇인가요? (   )

① 경제적 여건에 따라서 안락사의 허용을 결정하기도 한다.

② 안락사가 허용되는 나라도 있고 허용되지 않는 나라도 있다.

③ 말기 암 환자들이 일반인보다 자살할 위험성이 높은 편이다.

④ 안락사를 허용하는 것이 자살을 부추기는 일이 될 수도 있다.

⑤ 죽음이 예정되어 있는 경우 인간다운 삶을 누리지 못할 수도 있다.

2 이 글에 쓰인 내용 전개 방식으로 가장 적절한 것은 무엇인가요? (   )

① 앞으로 일어날 일에 대한 장점과 단점을 나열하여 밝히고 있다.

② 자신의 경험을 솔직하게 드러내어 독자의 관심을 유도하고 있다.

③ 하나의 주제에 대해 서로 대립하는 입장의 주장을 제시하고 있다.

④ 특정 대상에 대한 기존의 이론을 비판하고 새로운 이론을 소개하고 있다.

⑤ 시간의 흐름에 따라 변화되는 대상의 모습을 구체적으로 서술하고 있다.

3 ㉠이 보기 를 읽은 후 보일 수 있는 반응으로 적절하지 <u>않은</u> 것은 무엇인가요?

(   )

> 보기
>
> 영국의 신문 ○○○은 오스트레일리아의 △△△ 박사가 고통 없이 죽음에 이르게 하는 '안락사 기계'를 개발하고 있다고 보도했다. 이 기계는 시간과 장소에 구애받지 않고 조립이 가능하도록 설계되었다고 한다. 훗날 안락사 기계가 상용화되면 전문 의학 지식이 없어도 안락사가 가능하게 된다.

① 죽음을 너무 쉽게 생각하는 것 같아서 걱정이야.

② 안락사 기계가 자살을 부추기는 결과를 가져올 수도 있겠군.

③ 전문 의학 지식이 없어도 사용할 수 있다면 안락사 기계가 악용될 수도 있겠군.

④ △△△ 박사가 개발하고 있는 안락사 기계 덕분에 안락사를 허용하는 나라들이 더 많아지겠군.

⑤ 쉽게 죽음을 선택하는 것을 막기 위해서는 안락사 기계에 대한 철저한 법적 규제가 필요할 것 같군.

4 보기 의 두 입장을 종합하여 추론한 내용으로 알맞은 것에 ○표 하세요.

> **보기**
>
> • 현우: 인간다움, 나다움을 잃고 고통 속에서 삶을 이어 가는 것보다 죽음을 택하는 것이 더 낫다고 생각합니다.
> • 윤진: 정말로 인간다운 것은 삶의 모든 과정을 순리에 따라 받아들이며 자신에게 주어진 최후의 길을 가는 것이라고 생각합니다.

(1) 죽음에 대한 가치와 생각은 사람마다 다를 수 있다.   (   )

(2) 어떠한 경우에도 인간의 생명을 유지하는 것은 중요하다.   (   )

5 ⓛ과 가장 유사한 의미로 쓰인 것은 무엇인가요? (   )

① 아버지는 현관에서 손님을 <u>맞았다.</u>
② 누나는 올해로 20세 생일을 <u>맞는다.</u>
③ 유미는 국어 시험에서 100점을 <u>맞았다.</u>
④ 우리는 적군을 <u>맞아</u> 최선을 다해 싸워야 한다.
⑤ 갑자기 쏟아진 우박을 <u>맞아</u> 귤이 모조리 떨어졌다.

한줄
요약

6 빈칸에 알맞은 말을 넣어 이 글의 핵심 내용을 한 문장으로 요약하세요.

안락사 [|] 여부는 [|] 을 선택할 권리에 대한 입장 차이로 인해 많은 논

란이 있으나, 죽음을 앞에 두고 고통받는 [|] 들을 위해 지속적으로 논의해야 할

문제이다.

지문 속 필수 어휘

다음 문장을 읽고, ( ) 안에 공통으로 들어갈 낱말을 완성하세요.

❶
- 그 장난감에는 발암 물질이 ( ) 기준치보다 높게 들어 있다.
- 이번 재판은 방송국의 촬영이 ( )되었다.

ㅎ	용

❷
- 겨울이 지나면 봄이 오는 것이 자연의 ( )이다.
- 올바른 지도자가 되려면 ( )를 받아들일 줄 알아야 한다.

순	ㄹ

❸
- 너의 ( )에 따라 이번 여행지가 결정된다.
- 자기 생각을 잘 표현하려면 알맞은 단어의 ( )이 중요하다.

ㅅ	택

❹
- 인간은 인격을 가진 ( )한 존재이다.
- 모든 국민은 인간으로서의 ( )과 가치를 가진다.

존	ㅇ

다음 문장을 읽고, 두 낱말 중 알맞은 것을 찾아 ○표 하세요.

❺ 아무리 덥다고 해도 나는 겨울보다 여름이 더 [낫다고 / 낳다고] 생각한다.

❻ 연예인에 대한 관심이 [적어서 / 작아서] 그 사람이 유명한 사람인 줄 몰랐다.

❼ 정수는 밥은 먹지 [안고 / 않고] 군것질만 하려고 한다.

❽ 과거에는 모든 일에 소극적 [이었던 / 이였던] 삼촌이 지금은 적극적으로 변하였다.

국어를 잘하면
다른 공부도 잘한다

우리는 학교에서 다양한 과목을 공부합니다. 국어, 사회, 과학, 영어, 수학 등 과목에 따라 공부하는 내용이 조금씩 다르지요. 그런데 이런 과목들을 얼마나 잘 공부했는지 확인하는 시험에는 공통점이 있어요. 아래 두 문제를 통해 그 공통점이 무엇인지 알아볼까요?

● **수학 문제**

> 지원이네 가족은 자동차를 타고 경주 불국사에 가려고 합니다. 지원이네 집에서 불국사까지의 거리는 300km이고, 자동차는 1L의 휘발유로 12km를 갈 수 있습니다. 집에서 불국사까지 가는 데 필요한 휘발유의 양은 몇 L입니까?
>
> 답 _____

여러분은 이 문제를 읽으면서 다음과 같이 정보를 정리했을 거예요.

지원이네 집에서 불국사까지의 거리: 300km
1L의 휘발유로 갈 수 있는 거리: 12km
즉, 300 ÷ 12 = ?

이 문제를 단순 계산식으로 표현하면 '300 ÷ 12 = '라고 할 수 있어요. 그런데 출제자가 이 문제를 계산식이 아니라 굳이 이렇게 긴 서술형 문제로 출제한 이유는 무엇일까요?

바로 구체적인 상황에서 문제를 해결할 수 있는 힘, 즉 사고력을 측정하기 위해서예요. **이 문제를 풀기 위해서는 우선 주어진 상황을 이해한 다음 구하려는 것이 무엇인지 파악해야 해요.** 수학에서도 독해력이 필요한 이유이지요.

● **과학 문제**

다음 중 그래프의 의미를 바르게 해석한 것을 고르세요. (   )

① 산에 올라 정상에서 쉬다가 빨리 내려왔다.
② 앞으로 점점 빨리 갔다가 뒤로 되돌아왔다.
③ 목적지를 향해 가다가 중간에 방향을 바꿨다.
④ 속력을 점점 높인 뒤 일정하게 유지하다가 줄여서 멈췄다.

그래프는 국어와 관련이 없다고 생각했나요?
하지만 그래프의 의미를 해석할 때도 독해력이 필요합니다.
이 그래프에서 가로축은 시간, 세로축은 속력을 나타내요. 그러므로 이 그래프는 시간과 속력의 관계를 보여 주고 있습니다. 처음에는 시간의 흐름에 따라 속력이 점점 높아지다가, 어느 지점부터 속력이 일정하게 유지되더니, 갑자기 속력이 줄어 아예 멈추었군요. 따라서 정답은 ④번이 됩니다.

이처럼 과학 문제에서도 그래프를 보고 '시간'과 '속력'의 관계를 글로 정리할 수 있어야 문제를 해결할 수 있어요.

지금까지 수학, 과학 문제를 하나씩 풀어보면서 공통점을 찾았나요?
네, 그렇습니다. 두 문제는 모두 여러분의 사고력을 묻고 있어요!

우리는 생각을 할 때 우리말, 즉 국어로 생각을 하지요.
이런 점에서 **국어는 사고력과 밀접한 관련이 있답니다.** 그런데 **모든 공부는 기본적으로 사고력이 바탕이 되어야 하지요.** 그래서 국어 공부를 잘하면 다른 과목 공부도 잘하게 되는 거예요. 여러분들의 '생각하는 힘'이 그만큼 중요하다는 뜻입니다.

> **국어 능력은 생각하는 힘인 사고력과 밀접한 관련이 있으며,
> 국어 공부를 통해 생각하는 힘을 기르면
> 다른 과목 공부도 잘할 수 있습니다!**

한비자의 사상

어휘 수준 ★★★★★
글감 수준 ★★★★★
글의 길이 1,390자

본격 독해 훈련

한비자(韓非子)는 전국 시대 한(韓)나라 사람으로, 중국 철학사에서 법가(法家)의 집대성자로 알려져 있다. 전국 시대 말 진나라가 한나라를 공격했는데 이로 인해 한나라가 겪어야 했던 전쟁은 매우 비참했다. 이런 상황에서 한비자는 국가 간의 힘의 균형을 통한 평화가 아니라 통일에 의한 평화를 기대했다. 그는 하나의 강력한 국가가 생겨난다면 더 이상 전쟁이 일어나지 않을 것이고, 강력한 국가가 되려면 강력한 힘을 가진 전제 군주가 필요하다고 생각했다. 나아가 전제 군주가 국가를 운영하기 위해서는 '법(法)', '술(術)', '세(勢)'가 필요하다고 주장했다.

▲ 법가 사상을 집대성한 한비자

한비자가 주장한 '법'은 군주와 신하, 백성이 반드시 따라야 할 강력한 규칙으로, 지키면 상을 받고 어기면 처벌을 받도록 하는 엄격한 형법의 성격이 강하다. 또한 '법'은 구체적이고 현실적이어야 하며, 귀한 자이든 낮은 자이든 누구에게나 공평하게 예외 없이 적용되어야 한다고 보았다. '술'은 군주가 신하를 지배하는 방법으로, 군주가 재능에 따라 신하에게 관직을 주고 직책을 맡기되, 사람을 죽이고 살리는 권한은 군주가 가지고 신하들의 능력을 시험하는 것이다. 이때 한비자는 '술'의 구체적인 방법으로 군주가 자신의 감정을 최대한 감추고 신하들의 인물됨을 살피거나 신하의 반응을 떠보는 등의 다양한 방법을 제시하기도 하였다. 마지막으로 '세'는 '법'과 '술'을 자유자재로 시행하기 위해 군주가 반드시 가지고 있어야 할 것으로, 군주라는 자리가 가지는 절대적인 힘을 의미한다. 한비자는 군주가 이 '법', '술', '세'를 단단히 쥐고 다스려야 국가가 부유해지고 강해질 수 있다고 보았다.

한비자의 이러한 생각은 스승인 순자가 주장한 성악설의 영향을 받은 것이다. 순자는 인간의 성품은 악하며, 선한 것은 태어나면서부터 가지고 나오는 것이 아니라 후천적, 인위적으로 만들어진 것이라고 보았다. 그리고 인간의 본성은 동물과 다를 바가 없지만, 인간은 생각을 할 수 있기 때문에 '예(禮)'를 가르치면 선한 행동을 할 수 있다고 주장했다. 한비자도 인간의 본성에 대해서는 순자와 동일하게 생각했지만, 인간의 본성은 변할 리가 없다며 인간의 행동이 나아질 수 있는 가능성은 없다고 주장했다. 그 때문에 인간을 '법'으로 엄히 다스려야 한다고 주장했다.

[A] ⌈ 한비자의 사상은 진나라가 중국 최초의 통일 국가가 되는 데 크게 기여를 하였다. 하지만 진나라는 너무 융통성 없이 '법'을 적용해 일찍 몰락하게 되었다. 전국 시대처럼 전쟁이 계속되던 시절에는 '법', '술', '세'로써 부국강병을 이루는 것이 필요했지만, 진나라 이후의 통일 왕조에서는 나라를 다스리는 데에 한비자의 사상 대신 유가 사상을 택했다. 하지만 유가 사상이 적용된 이후에도 한비자의 법치주의의 영향은 지속되어, ⌊ 중국의 통일 왕조에서 강력한 중앙 집권 체제를 유지하고 발전시키는 데 ㉠기여하였다.

● **법가**(法 법 법, 家 집 가)
법치주의를 주장한 중국의 정치 사상가들에 대한 총칭.

● **전제**(專 오로지 전, 制 지을 제)
국가의 권력을 개인이 장악하고 그 개인의 의사에 따라 모든 일을 처리함.

● **부국강병**(富 부유할 부, 國 나라 국, 强 강할 강, 兵 병사 병)
나라를 부유하게 만들고 군대를 강하게 함.

1 이 글의 내용과 일치하지 <u>않는</u> 것은 무엇인가요? (   )

① 전국 시대 말 한나라는 매우 어려운 상황에 처해 있었다.
② 한비자의 통치 철학은 순자가 주장한 성악설의 영향을 받았다.
③ 한비자는 '법'과 '세'는 누구에게나 예외 없이 적용해야 한다고 여겼다.
④ 한비자는 강력한 국가의 탄생으로 전쟁이 일어나지 않을 것이라 생각했다.
⑤ 한비자는 국가의 부강을 위해 군주가 '법', '술', '세'를 가지고 있어야 한다고 주장했다.

2 이 글에 대한 설명으로 가장 알맞은 것은 무엇인가요? (   )

① 한비자 사상의 핵심 용어를 사전적 의미와 관련지어 소개하고 있다.
② 한비자가 전제 군주의 국가를 건설하기 위해 한 업적들을 나열하고 있다.
③ 순자에서 한비자로 이어지는 '성악설'의 발전 과정을 시간 순서대로 설명하고 있다.
④ 한비자가 주장한 법가 사상의 내용과 의의를 역사적 사실과 연결지어 제시하고 있다.
⑤ 한비자 사상과 유가 사상의 특징을 비교한 후, 한비자 사상의 중요성을 강조하고 있다.

3 [A]를 읽고 추론한 내용으로 알맞은 것에 ○표 하세요.

(1) 국가 유지를 위해서는 법 적용에 어느 정도의 융통성이 필요하다.   (   )
(2) 진나라 이후의 통일 왕조에는 법치주의가 필요하지 않았다.   (   )
(3) 유가 사상의 도입으로 한비자의 사상은 그 의미를 완전히 잃었다.   (   )

4 이 글을 바탕으로 보기 를 이해한 내용으로 알맞은 것은 무엇인가요? (　　　)

> **보기**
>
> 　제갈량이 위나라를 공격할 무렵, 위나라가 사마의를 보내 방어하도록 하자 제갈량은 누구를 보내 사마의를 막아야 할지 고민한다. 이에 제갈량이 매우 아끼던 장수 '마속'이 사마의를 막겠다며 자원한다. 제갈량이 만류했지만, 마속은 실패하면 목숨을 내놓겠다는 각오로 출전하게 된다. 그러나 마속은 제갈량이 알려 준 전략이 아닌, 다른 전략을 썼다가 전쟁에서 크게 패하고 만다. 결국 제갈량은 군사들에게 군율(軍律)이 살아 있음을 알리기 위해 마속의 목을 벨 수밖에 없었다.

① 제갈량이 마속의 목을 벤 것은 '법'에 해당한다.
② 제갈량이 위나라를 공격한 것은 '세'에 해당한다.
③ 위나라 군주가 사마의를 보낸 것은 '법'에 해당한다.
④ 제갈량이 군사들에게 군율이 살아 있음을 알린 것은 '술'에 해당한다.
⑤ 마속이 목숨을 내어 놓겠다는 각오로 전장에 나간 것은 '세'에 해당한다.

5 ㉠과 바꾸어 쓸 수 있는 말로 가장 적절한 것은 무엇인가요? (　　　)

① 기부하였다
② 기증하였다
③ 부여하였다
④ 공급하였다
⑤ 이바지하였다

6 빈칸에 알맞은 말을 넣어 이 글의 핵심 내용을 한 문장으로 요약하세요.

한줄
요약

　순자의 ☐☐☐ 에 영향을 받은 한비자는 나라의 부강을 위해 '법', '세', '술'에 기반을 둔 ☐☐☐☐ 를 주장하였으며, 이는 중국의 통일 왕조에서 강력한 ☐☐☐☐☐ 를 유지하고 발전시키는 데에 기여하였다.

지문 속 필수 어휘

낱말의 뜻을 참고하여, 다음 문장의 빈칸에 들어갈 알맞은 낱말을 완성하세요.

❶ 이 소설은 한국 고전 문학의 역사를 ㅈ ㄷ 성 한 것이라고 볼 수 있다.

여러 가지를 모아 하나의 체계를 이루어 완성함.

❷ 왕은 장군에게 전장에서 필요한 일을 할 수 있는 힘을 부 ㅇ 하였다.

사람에게 권리·명예·임무 따위를 지니도록 해 주거나, 사물이나 일에 가치·의의 따위를 붙여 줌.

❸ 오랜 굶주림에 지친 사자는 먹이를 보자 맹수의 ㅂ 성 을 드러냈다.

사람이 본디부터 가진 성질, 사물이나 현상에 본디부터 있는 고유한 특성.

주어진 단어와 의미를 바르게 연결하세요.

❹ 비참하다 •

• ⓐ 재물을 풍부하게 가지고 있다.

❺ 채택하다 •

• ⓑ 더할 수 없이 슬프고 끔찍하다.

❻ 부유하다 •

• ⓒ 작품, 의견, 제도 따위를 골라서 다루거나 뽑아 쓰다.

다음 문장을 읽고, 두 낱말 중 알맞은 것을 찾아 ○표 하세요.

❼ 대상을 바르게 이해하려면 대상을 여러 [층면 / 측면]에서 보려는 노력이 필요하다.

❽ 정보를 [수집 / 채집]할 때에는 해당 정보가 정확한지, 믿을 만한지 확인해야 한다.

맹자의 '인'과 '의'

어휘 수준 ★★★★★
글감 수준 ★★★★★
글의 길이 1,552자

지금으로부터 약 2,500여 년 전 중국이 수많은 나라로 나뉘었던 시기를 춘추 전국 시대라고 부른다. 각 나라들은 서로 강한 나라가 되기 위해 경쟁하였으며, 뛰어난 사상가를 뽑아 그의 사상으로 나라를 발전시키고자 하였다. 이때 등장한 다양한 사상들 중에서 맹자의 유가 사상은 한나라 이후의 중국은 물론 조선에도 널리 퍼졌다.

흔히 유학 또는 유교라고 불리는 '유가 사상'은, 위로는 왕에서부터 아래로는 이름 없는 백성에 이르기까지 모든 사람들이 인격을 수양하고 도덕적인 행위를 실천함으로써 이상적인 사회를 만들어야 한다는 철학이다. 유가 사상에서는 왕과 신하처럼 지배 계급이 먼저 훌륭한 인격을 갖춘 뒤 백성을 위한 도덕적인 정치를 베풀어야 한다고 보았다. 그리고 나아가 백성들을 교화함으로써 평화롭고 이상적인 사회를 만들어야 한다고 보았다.

맹자는 공자보다 훨씬 후대의 학자로 공자를 직접 스승으로 모신 것은 아니지만, 공자의 사상을 계승하고 더욱 체계적으로 발전시켜 유가 사상을 세운 사람이다. 맹자의 사상은 『맹자』라는 책에 잘 드러나 있는데, 이 책에는 맹자가 여러 나라의 왕에게 펼친 주장, 맹자가 그의 제자들과 나눈 대화, 맹자가 다른 사상가와 벌였던 논쟁 등이 실려 있다. 『맹자』는 총 7편으로 구성되어 있으며, 그중 첫 번째 편인 「양혜왕」은 맹자가 위나라의 혜왕을 만나 대화를 나누면서 자신의 주장을 펼친 내용을 담고 있다.

「양혜왕」의 시작은 맹자를 맞이한 양혜왕이 "어르신께서 천 리(千里)를 멀다 않고 예까지 오셨으니, 역시 장차 내 나라를 이롭게 함이 있을는지요?"라고 인사말을 건넨 것이다. 이에 맹자는 "왕은 하필 이(利)를 말하십니까? 인(仁)과 의(義)가 있을 뿐입니다."라고 대답한다. 인사말에 너무 쌀쌀맞게 반응한 것처럼 보일 수도 있지만, 맹자는 비록 상대가 왕일지라도 기죽지 않고 왕의 잘못된 생각을 바로 잡으려는 기개를 보여 준다. 여기서 '이(利)'는 이익을 의미하며, 양혜왕은 맹자에게 자신의 나라에 이익이 될 만한 것이 무엇이 있는지를 물은 것이다. 이에 대해 맹자가 제시한 '인(仁)'과 '의(義)'는 각각 '어진 마음'과 '옳음'을 의미하며, 맹자는 이익보다 어진 마음과 옳음이라는 도덕적 가치를 내세운 것이다.

맹자는 계속해서 "왕의 말대로 일단 나라 사람들이 모두 자신의 이익만을 최고로 여긴다고 가정해 봅시다. 그렇다면 당연히 적게 가진 사람들은 더 많이 가진 사람들에게 덤벼들어 서로가 서로를 공격하는 혼란 상태가 되겠지요. 그렇다면 나라의 기강이 바로 설 수 있겠습니까? 기강이 무너지면 나라도 없게 되지요."라고 말한다. 여기서 맹자는 왕이 말한 대로 이익만 추구하는 상황을 가정한 뒤, 그로 인해 나타나게 될 부정적인 상황을 제시함으로써 자신의 주장을 뒷받침한 것이다. 이어서 맹자는 "따라서 어진 사람이 제 부모를 버리는 법이 없고, 의로운 사람이 제 왕을 버린 적은 일찍이 없었습니다. 그러니 왕께서도 역시 인의(仁義)를 말해야 할 뿐, 하필 이(利)를 말하겠습니까?"라고 왕에게 '인(仁)'과 '의(義)'에 기초한 어질고 바른 정치가 필요함을 다시 강조한다. 이처럼 맹자는 왕부터 먼저 현실적인 이익보다 도덕적인 가치를 중요하게 여겨야 한다고 생각하였다.

● **교화**(敎 가르칠 교, 化 될 화)
가르치고 이끌어서 좋은 방향으로 나아가게 함.

● **기개**(氣 기운 기, 槪 대개 개)
씩씩한 기상과 굳은 절개.

1 이 글의 내용과 일치하지 <u>않는</u> 것은 무엇인가요? (   )

① 『맹자』에는 맹자의 주장뿐만 아니라 대화와 논쟁도 실려 있다.

② 유가 사상에서는 모든 사람들이 인격을 수양해야 한다고 보았다.

③ 춘추 전국 시대에 각 나라들은 뛰어난 사상가를 등용하려고 하였다.

④ 맹자는 공자에게 유가 사상을 직접 배운 후 이를 계승·발전시켰다.

⑤ 유가 사상에서는 지배 계급이 먼저 훌륭한 인격을 갖추어야 한다고 보았다.

2 양혜왕과 맹자가 각각 중시하는 가치가 무엇인지 이 글에서 찾아 쓰세요.

양혜왕	맹자
( )	( ), ( )

[3~5] 다음은 『맹자』의 「양혜왕」에 나오는 대화를 정리한 것입니다. 잘 읽고 아래의 물음에 답하세요.

양혜왕	"장차 내 나라를 이롭게 함이 있을는지요?" ↓
맹자	"왕이 이로움을 말한 것은 옳지 않습니다." ↓ "모든 사람들이 자신의 이익만을 최고로 여긴다고 가정해 보십시오." [A] ↓ [B] ↓ [C] ↓ ㉮ "어진 사람은 부모를 버리지 않고, 의로운 사람은 왕을 버리지 않습니다." ↓ "왕께서는 이(利)를 말하지 말고 인의(仁義)를 말해야 합니다."

3 보기 에서 [A], [B], [C]에 들어갈 내용으로 알맞은 것을 골라 기호를 쓰세요.

> **보기**
> ㉠ 나라가 없어지게 됩니다.
> ㉡ 서로가 서로를 공격하는 혼란 상태가 됩니다.
> ㉢ 나라의 기강이 바로 서지 못합니다.

· [A]: (   )   · [B]: (   )   · [C]: (   )

4 양혜왕의 질문을 들은 맹자가 왕에게 대답하기 전에 생각한 말하기 전략으로 가장 적절한 것은 무엇인가요? (   )

① 왕은 이로움을 중시하고 있군. 나도 그의 말에 동의함을 알려 주어야겠어.
② 왕은 아직 '인의'가 무엇인지 모르고 있군. '인'과 '의'의 뜻을 설명해 주어야겠어.
③ 왕은 이미 '인의'의 중요성을 알고 있군. 그러나 '인의'만으로는 나라를 강하게 할 수 없음을 지적해야겠어.
④ 왕은 '인'과 '의'의 차이를 알지 못하는군. '인'과 '의'가 지니는 공통점을 말한 다음 차이점을 강조하여 말해야겠어.
⑤ 왕은 오직 이로움만 추구하고 있군. 이로움만 추구했을 때 생기는 문제점을 지적하여 '인의'가 더 중요함을 알려 주어야겠어.

5 맹자가 ㉮와 같이 말한 이유를 바르게 짐작한 것은 무엇인가요? (   )

① '인'과 '의'에 기초한 정치가 필요하다는 것을 말하기 위해서이다.
② '인'과 '의'를 가진 사람들이 일으키는 문제점을 말하기 위해서이다.
③ '인'과 '의'를 따른다면 왕에게 이로움이 있다는 것을 말하기 위해서이다.
④ '인'과 '의'는 왕에게는 더 이상 필요하지 않다는 것을 말하기 위해서이다.
⑤ '인'과 '의'를 실천하지 않으면 왕이 될 수 없다는 점을 말하기 위해서이다.

6 빈칸에 알맞은 말을 넣어 이 글의 핵심 내용을 한 문장으로 요약하세요.

한줄
요약

유가 사상의 대표적인 학자인 ☐☐ 의 책 『맹자』의 첫 번째 편인 「양혜왕」에서 맹자는 양혜왕에게 '이'가 아니라 '☐☐'가 중요하다고 강조했다.

지문 속 필수 어휘

낱말의 뜻을 참고하여, 다음 문장의 빈칸에 들어갈 알맞은 낱말을 완성하세요.

❶ 그의 책에는 우리나라 고유의 　사　│　ㅅ　과 문화가 담겨 있다.

　　　　　　어떠한 사물에 대하여 가지고 있는 구체적인 사고나 생각.

❷ 같은 잘못을 또 저지르지 않도록 　ㄱ　│　화　하는 것은 중요하다.

　　　　　　가르치고 이끌어서 좋은 방향으로 나아가게 함.

❸ 학자들은 서로 　논　│　ㅈ　을 하면서 각자의 이론이 옳다고 주장한다.

　　　서로 다른 의견을 가진 사람들이 각각 자기의 주장을 말이나 글로 논하여 다툼.

문제 속 개념어

말하기 전략 戰 싸울 전, 略 다스릴 략

말을 할 때 자신의 생각을 효과적으로 전달하기 위해 사용하는 방법을 말하기 전략이라고 합니다. 예를 들어 어떤 대상을 설명할 경우, 그림이나 도표 같은 시각적인 자료를 활용하거나 상대방이 잘 아는 내용에 빗대어 설명할 수 있습니다. 또한 상대방을 설득할 경우, 상대방의 주장이 지닌 문제점을 지적하거나 근거가 적절하지 않음을 증명할 수 있습니다. 이처럼 미리 말하기 전략을 세우면 하고자 하는 말을 논리적으로 전달할 수 있습니다.

❹ **다음은 위에서 설명한 말하기 전략들을 정리한 것입니다. 빈칸에 들어갈 알맞은 말을 쓰세요.**

설명하는 말하기의 효과적인 전략	설득하는 말하기의 효과적인 전략
• 그림이나 도표 같은 시각적 자료를 활용함. • 상대방이 잘 아는 내용에 빗대어 설명함.	• 상대방의 주장이 지닌 문제점을 지적함. • 상대방이 든 (　　　)가 적절하지 않음을 증명함.

베이컨의 귀납법과 네 가지 우상

13분 안에 풀어보세요.

어휘 수준 ★★★★★
글감 수준 ★★★★★
글의 길이 1,442자

본격 독해 훈련

영국의 대표적인 근대 철학자인 프란시스 베이컨은 1620년에 『노붐 오르가논』을 출간하였다. 그는 이 책을 통해 연역법을 비판하고 귀납법이라는 새로운 과학적 사고 방법을 제시하였다. '귀납법'은 구체적인 사례들 또는 현상들에서 일정한 원리를 찾아내는 생각의 방법을 의미한다. 베이컨이 주장한 귀납법은 이후에 대표적인 과학 연구 방법이 되어 근대 서양 과학이 발전하는 데 큰 기여를 하였다.

귀납법에서는 우선 실험과 관찰을 통해 어떤 현상이 발생하는 사례들을 모은다. 그리고 그것이 일반적인 현상이라고 판단되면, 이성적인 사고의 과정을 거쳐 그 현상을 설명할 수 있는 원리를 만든다. 이때의 원리는 아직 확실한 것이 아니라 임시적인 것이기 때문에 가설이라고 부른다. 가설을 만든 다음에는 실험과 관찰을 반복하여 그것이 옳은지를 확인한다. 수많은 실험과 관찰을 통해 가설에 맞는 사례들만 확인되면 가설은 이론으로 인정되지만, 가설에 어긋나는 사례나 현상이 발견되면 그 가설은 포기하게 된다.

베이컨이 귀납법을 제시하기 전까지 서양에서는 고대 그리스의 철학자 아리스토텔레스가 학문 연구 방법으로 제시한 연역법을 활용했다. 그러니까 베이컨은 무려 2,000년 동안이나 유일하게 존재했던 학문 연구의 사고 방법을 비판하고 새로운 사고의 방법을 제시한 셈이다. 베이컨은 연역법을 부정하기 위해 사람들이 가진 네 가지 우상(偶像)을 제시하였는데, 연역법은 이 네 가지 우상에 모두 해당한다고 주장했다. 베이컨은 사람들이 가지고 있는 우상을 종족의 우상, 동굴의 우상, 시장의 우상, 극장의 우상으로 구분했다.

'종족의 우상'은 인간 이성의 한계나 감정, 욕망 때문에 인간 중심적으로 사물을 규정하는 선입견을 의미한다. 흔히 지구가 우주의 중심이라고 생각하거나, 모든 생명체 중에서 인간이 가장 뛰어나다고 생각하는 것이 그 예에 해당한다.

'동굴의 우상'은 새로운 지식을 받아들일 때 자신의 경험만을 기준으로 세상을 판단하는 선입견을 의미한다. 동굴의 우상은 개인마다 다르다는 점에서 다른 우상들과 차이가 있다. 자신이 알고 있는 것이 세상의 모든 것이라고 여기는 '우물 안 개구리' 식의 생각이 동굴의 우상에 해당한다.

'시장의 우상'은 대상의 실제 모습을 알지 못하면서 대상에 붙여진 이름만으로 선입견을 가지는 것을 의미한다. 예를 들어 사람들은 해바라기 꽃이 이름 때문에 항상 해를 향하고 있다고 생각하는데, 사실은 줄기와 잎만 해 방향으로 움직일 뿐 꽃이 항상 해를 향하는 것은 아니다.

'극장의 우상'은 스스로 비판적이고 논리적으로 생각하지 않은 채 기존의 권위나 전통을 무비판적으로 받아들일 때 생기는 선입견을 의미한다. 베이컨은 연극배우들이 무대 위에서 연극을 할 때 대본에 있는 대사를 그대로 말하는 것처럼, 기존의 권위나 전통을 그대로 받아들인다는 점 때문에 이를 극장의 우상이라고 이름 붙였다. 예를 들어 특정 분야의 권위자가 한 말이나 어릴 때 어른들에게서 들은 말은 모두 옳다고 믿는 것이 극장의 우상에 해당한다.

● 우상(偶 짝 우, 像 모양 상)
어떤 대상에 대해 이미 마음속에 가지고 있는 선입견.

1 이 글의 내용과 일치하는 것은 무엇인가요? (   )

① 베이컨은 프랑스의 대표적인 근대 철학자이다.
② 귀납법은 이후에 근대 서양 과학이 발전하는 데 기여하였다.
③ 베이컨은 연역법을 발전시켜 귀납법이라는 사고 방법을 만들었다.
④ 베이컨이 제시한 사고 방법은 2,000년 동안 유일하게 존재해 왔다.
⑤ 베이컨이 네 가지 우상을 제시한 것은 연역법을 긍정하기 위해서이다.

[2~3] 보기 는 귀납법의 과정입니다. 잘 읽고 아래의 물음에 답하세요.

보기

실험과 관찰 → 사례(현상) 수집 → 일반적인 현상으로 판단 → ☐☐ 설정

→ 실험과 관찰의 반복 ⟨ ☐☐ 에 맞는 사례들만 확인 → 이론으로 인정
                         ☐☐ 에 어긋나는 사례 발견 → ☐☐ 포기

2 보기 의 빈칸에 공통으로 들어갈 알맞은 말을 이 글에서 찾아 쓰세요.

(   )

3 이 글을 참고하여 다음을 읽은 후의 반응으로 적절하지 않은 것은 무엇인가요?

(   )

고대부터 유럽에서는 백조가 모두 흰색으로 관찰되었다. 따라서 오랜 세월 동안 관찰한 결과를 바탕으로 유럽인들은 '모든 백조는 흰색이다.'라고 규정했다. 그런데 유럽인들이 오스트레일리아에 갔을 때, 그들은 검은색 백조를 발견하게 되었다. 그 후 유럽인들은 '모든 백조는 흰색이다.'라고 규정한 것이 잘못되었음을 알게 되었고, 더 이상 모든 백조를 흰색이라고 말하지 않았다.

① 유럽인들은 고대부터 오랜 세월 동안 백조의 색깔을 관찰했구나.
② 백조가 흰색이라는 것은 유럽인들에게 일반적인 현상으로 여겨졌겠네.
③ '모든 백조는 흰색이다.'라는 규정은 충분한 관찰의 결과이므로 확실한 이론이군.
④ 검은색 백조를 발견한 이후 '모든 백조는 흰색이다.'라는 가설을 포기하게 되었군.
⑤ 만일 검은색 백조가 발견되지 않았다면 '모든 백조는 흰색이다.'라는 규정이 이론으로 인정되었겠네.

4 이 글에서 설명한 '네 가지 우상'과 그 의미를 바르게 연결하세요.

(1) 시장의 우상 •

(2) 동굴의 우상 •

(3) 극장의 우상 •

(4) 종족의 우상 •

• ㉠ 인간 중심적 사고로 인해 갖게 되는 선입견

• ㉡ 대상에 붙여진 이름으로 대상을 판단하여 생기는 선입견

• ㉢ 개인적인 경험을 기준으로 판단하여 생기는 선입견

• ㉣ 권위나 전통을 무비판적으로 수용하여 생기는 선입견

5 이 글을 바탕으로 빈칸에 들어갈 알맞은 말을 쓰세요.

1900년대 초반, 일본은 우리나라를 포함한 동아시아 일대를 식민지 지배를 목적으로 침략했다. 그러면서 이를 '아시아의 평화를 지키기 위한 전쟁'이라고 선전했다. 만약 일본의 실상을 모른 채 그들의 말만 듣고 일본이 아시아의 평화를 지키려 했다고 생각한다면, 이는 '☐☐의 우상'에 빠진 것이라고 할 수 있다.

6 빈칸에 알맞은 말을 넣어 이 글의 핵심 내용을 한 문장으로 요약하세요.

한줄
요약

베이컨이 연역법을 비판하고 제시한 새로운 사고의 방법인 ☐☐은 이후에 대표적인 과학 연구 방법이 되었는데, 베이컨은 연역법을 비판하기 위해 '네 가지 ☐☐'을 제시했다.

지문 속 필수 어휘

낱말의 뜻을 참고하여, 다음 문장의 빈칸에 들어갈 알맞은 낱말을 완성하세요.

❶ 우리 반 담임 선생님은 | 일 | ㅂ | ㅈ | 인 선생님과는 다르다.

　　　　일부에 한정되지 아니하고 전체에 걸치는. 또는 그런 것.

❷ 그 과학자는 자신이 세운 | ㄱ | 설 | 을 증명하기 위해 실험을 진행했다.

　　　　어떤 사실을 설명하려고 임시로 세운 이론.

❸ 상대를 제대로 이해하려면 | 선 | ㅇ | ㄱ | 을 버리고 있는 그대로 보아야 한다.

　　　　어떤 대상에 대하여 이미 마음속에 가지고 있는 고정적인 관념이나 관점.

다음 문장을 읽고, (　　) 안에 공통으로 들어갈 낱말을 완성하세요.

❹
- 이 논문은 의학 발전에 커다란 (　　　)를 했다.
- 그는 팀 승리에 결정적인 (　　　)를 한 선수이다.

| ㄱ | 여 |

❺
- 김 선생님은 물리학 분야에서 (　　　) 있는 학자이다.
- 그녀는 항상 기존의 (　　　)에 도전하는 자세를 가지고 살아왔다.

| 권 | ㅇ |

❻
- 과학은 자연 (　　　)에 대한 관찰에서 출발한다.
- 지구 온난화로 인해 기후에 이상 (　　　)이 일어나고 있다.

| ㅎ | 상 |

진짜를 모방하라, 미메시스 ─────

어휘 수준 ★★★★★
글감 수준 ★★★★★
글의 길이 1,568자

통일 신라 시대의 화가 솔거는 어찌나 그림을 잘 그렸던지 황룡사 벽에 늙은 소나무를 그렸더니 새가 날아들어 부딪혔다고 한다. 이와 비슷한 이야기가 고대 그리스에서도 전해진다. 고대 그리스의 화가 제욱시스는 포도송이를 바구니에 담아 운반하는 소년을 그렸는데, 그 포도송이가 얼마나 진짜 같았던지 날아가던 새들이 달려들었다고 한다. 이런 사례를 통해 볼 때, 그림은 화가가 의도한 대로 형태를 그리고 색을 입히는 과정인 동시에, 그림 바깥에 있는 세상의 한 조각을 있는 그대로 화가의 그림으로 옮기는 일이라고 볼 수 있다.

이를 고대 그리스 사람들은 '㉠미메시스(mimesis)'라 했다. 우리는 흔히 '㉡모방(模倣)'이라 한다. 그림에 그려진 포도는 그림 바깥의 실제 포도를 모방한 가짜이며, 미메시스의 결과다. 그림 바깥의 포도가 진짜 포도라면, 그림 속의 포도는 아무리 진짜같이 보여도, 끝내 가짜 포도일 수밖에 없다. 이처럼 미메시스란 진짜를 원본으로 삼아 진짜처럼 보이는 가짜를 만들어 내는 일이라 할 수 있다. 그림뿐만이 아니라 조각, 음악, 시, 모든 예술은 진짜처럼 보이는 가짜를 만드는 일이라고도 볼 수 있는 것이다.

고대 그리스 철학자인 아리스토텔레스는 미메시스의 가치를 높게 평가했다. 그는 사람들이 미메시스를 하는 것, 즉 모방을 하는 것에서 기쁨을 느끼기도 하고, 미메시스가 된 결과인 예술을 통해서도 기쁨을 느낀다고 생각했다. 그는 이렇게 미메시스에서 기쁨을 느끼는 것을 인간의 본성으로 보았다. 이뿐만 아니라 그는 인간이 미메시스를 통해 학습을 시작하고 세상을 배운다고 생각했다. 동물과 인간이 다른 이유도 동물은 미메시스를 통해 학습을 하지 못하지만, 인간은 미메시스를 통해 학습을 하기 때문이라고도 주장했다. 어린아이들은 어른들의 말을 흉내 내고 따라 하면서 말을 배운다. 인사를 배우는 것도, 숟가락질, 젓가락질을 배우는 것도 다 모방에서 비롯된다. 이렇게 아리스토텔레스는 미메시스가 아무것도 모르는 인간이 뭔가를 배워 나가는 방법이라고 하였다.

아리스토텔레스는 더 나아가 미메시스를 통해 예술의 창작 과정을 설명했다. 그는 미메시스의 결과인 예술이 진짜 대상과 100% 똑같다고 생각하지 않았다. 그림을 예로 들면, 실제 모습을 있는 그대로 보여 주는 사진과 그림은 다른 것으로 생각한 것이다. 만일 아리스토텔레스가 지금까지 살아 있다면, 그는 아마 사진을 예술이 아니라고 말할 것이다. 그는 예술은 진짜처럼 보이지만 진짜와는 다른 차이점이 있다고 생각했다. 그 차이점은 바로 예술가가 표현한 대상의 본질, 즉 그 대상만이 본래부터 가지고 있는 변하지 않는 성질이다. 그는 예술가가 어떤 대상을 보고 그 대상의 본질을 파악한 다음, 그 본질을 표현함으로써 예술 작품을 창작한다고 보았다. 이렇게 예술 작품이 창작되는 미메시스의 과정에서 대상의 본질이 드러나기 때문에, 예술 작품이 진짜처럼 보인다고 생각했다.

아리스토텔레스는 이 세상에 존재하는 모든 것들에는 본질이 있다는 믿음을 가지고 있었고, 이 믿음을 바탕으로 예술은 미메시스를 통해 대상의 본질을 드러내는 것이며, 우리에게 즐거움을 주는 것이라고 생각했다. 이러한 그의 생각은 이후 오랫동안 서양에서 예술을 바라보는 기본적인 관점이 되었다.

● **본성**(本 근본 본, 性 성품 성)
사람이 본디부터 가진 성질.

1 이 글로 보아, '미메시스'의 의미를 가장 잘 설명한 것은 무엇인가요? (   )

① 진짜 대상을 모방하여 진짜처럼 보이는 가짜를 만드는 것

② 진짜 대상을 모방하여 가짜처럼 보이는 진짜를 만드는 것

③ 가짜 대상을 모방하여 진짜처럼 보이는 가짜를 만드는 것

④ 가짜 대상을 모방하여 가짜처럼 보이는 진짜를 만드는 것

⑤ 실제 없는 대상을 상상하여 진짜처럼 보이는 가짜를 만드는 것

2 이 글에 대한 설명으로 알맞지 <u>않은</u> 것은 무엇인가요? (   )

① 특정 철학자의 관점에서 미메시스를 설명하고 있다.

② 미메시스의 종류를 나누어 각각의 특징을 제시하고 있다.

③ 두 대상의 차이점을 바탕으로 예술에서의 미메시스를 설명하고 있다.

④ 미메시스와 의미가 비슷한 우리말을 제시하여 독자의 이해를 돕고 있다.

⑤ 미메시스와 관련된 옛이야기를 제시하여 독자의 관심을 이끌어 내고 있다.

3 밑줄 친 단어들의 관계가 '㉠-㉡'과 같은 것은 무엇인가요? (   )

① 예로부터 '<u>개</u>'와 '<u>고양이</u>'는 서로 사이가 좋지 않다고 알려져 있다.

② 손으로 쓴 글자는 '<u>손 글씨</u>'라고 하고, 인쇄한 글자는 '<u>활자</u>'라고 한다.

③ '<u>모니터</u>'는 '<u>컴퓨터</u>'가 어떤 작업을 처리했는지 눈으로 볼 수 있게 한다.

④ 우리나라에서는 '<u>선생님</u>'이라고 하고, 영어로는 '<u>티쳐(teacher)</u>'라고 한다.

⑤ 우리말에서는 '<u>삼촌</u>'과 '<u>외삼촌</u>'을 구분하지만, 영어에서는 이를 구분하지 않는다.

4 이 글과 보기 를 통해 추론할 수 있는 '미메시스의 가치'로 알맞은 것은 무엇인가요?
( )

> **보기**
> • 어린아이들은 어른들의 말을 흉내 내고 따라 하면서 말을 배운다.
> • 인사를 배우는 것도, 숟가락질, 젓가락질을 배우는 것도 다 모방에서 비롯된다.

① 사람들은 미메시스를 추구하며 기쁨을 느낀다.
② 미메시스는 대상의 본질을 찾아내는 과정이다.
③ 미메시스의 결과로 예술 작품을 창작할 수 있다.
④ 인간은 미메시스를 통해 학습하며 세상을 배운다.
⑤ 미메시스는 인간과 동물을 구분해 주는 기준이 된다.

5 다음 중 아리스토텔레스가 말한 '예술 작품이 창작되는 미메시스의 과정'을 순서대로 바르게 제시한 것은 무엇인가요? ( )

① 대상을 바라봄. → 대상의 본질을 표현함. → 대상의 본질을 파악함.
② 대상을 바라봄. → 대상의 본질을 파악함. → 대상의 본질을 표현함.
③ 대상의 본질을 파악함. → 대상을 바라봄. → 대상의 본질을 표현함.
④ 대상의 본질을 파악함. → 대상의 본질을 표현함. → 대상을 바라봄.
⑤ 대상의 본질을 표현함. → 대상을 바라봄. → 대상의 본질을 파악함.

6 빈칸에 알맞은 말을 넣어 이 글의 핵심 내용을 한 문장으로 요약하세요.

한줄
요약

'미메시스'란 대상을 [ ][ ]하는 것으로, 아리스토텔레스는 미메시스의 과정을 거쳐 탄생한 예술 작품은 대상의 [ ][ ]을 드러내어 우리에게 즐거움을 준다고 생각했다.

지문 속 필수 어휘

낱말의 뜻을 참고하여, 다음 문장의 빈칸에 들어갈 알맞은 낱말을 완성하세요.

❶ 외국 문화를 무조건 모 ㅂ 하는 것은 바람직하지 않다.

　　　　　　　다른 것을 본뜨거나 본받음.

❷ 이 둘은 형태는 다르지만 그 ㅂ 질 은 같다.

　　　　　　　본디부터 가지고 있는 사물 자체의 성질이나 모습 .

❸ 어떤 현상을 바라보는 사람들의 관 ㅈ 은 다를 수 있다.

　　　　　　　사물이나 현상을 관찰할 때, 그 사람이 보고 생각하는 태도나 방향 또는 처지.

❹ 선생님들은 ㅎ 습 태도가 바른 학생을 좋아한다.

　　　　배워서 익힘.

문제 속 개념어

순서 順 따를 순, 序 차례 서

'순서'는 '정하여진 기준에서 말하는 전후, 좌우, 상하 따위의 차례 관계'를 의미하는 말입니다. 글에서 다루는 내용이 어떤 대상이나 사건, 현상이 이루어지는 과정인 경우, 그 과정을 어떤 순서로 제시하고 있는지 확인하는 문제가 종종 나옵니다. 따라서 글을 읽으면서 사건이나 현상이 이루어지는 과정을 순서에 맞게 정확하게 이해하고 정리해 둘 필요가 있습니다.

❺ **다음 글을 바탕으로 수영하기의 과정을 순서에 맞게 차례대로 쓰세요.**

> 수영을 하기 위해서는 우선 본격적인 수영에 앞서 반드시 '준비 운동'을 해야 한다. 그렇지 않으면 수영 도중 다리에 쥐가 날 수 있기 때문이다. 준비 운동을 마치고 난 다음에는 본격적으로 '수영'을 한다. 이때 너무 무리하게 해서는 안 되고, 자신의 체력에 맞게 적당하게 해야 한다. 수영이 끝나고 나면 '정리 운동'을 하며 근육을 풀어 주는 것이 좋다.

(　　　　　　) → (　　　　　　) → (　　　　　　)

왜 유명인들이 패션 리더가 될까

어휘 수준 ★★★★★
글감 수준 ★★★★★
글의 길이 1,631자

본격 독해 훈련

⏱ 12분 안에 풀어보세요.

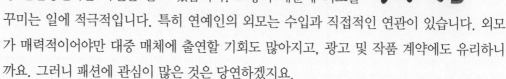

유명인의 패션을 대중 소비자가 따라 하는 것은 자연스러운 현상입니다. 그런데 왜 항상 유명인들만이 패션의 선도자 역할을 하는 걸까요? 태어날 때부터 아주 뛰어난 패션 감각을 가지고 있기 때문일까요? 아닙니다. 패션 감각을 떠나 그들이 패션 혁신자, 혹은 패션 리더 역할을 할 수 있는 유리한 조건들이 있습니다. 패션에서 매우 중요한 세 가지 요소인 '관심', '정보와 노하우' 그리고 '경제력'이 그것입니다.

우선 '관심'이라는 요소를 살펴봅시다. 유명인들은 자신이 항상 관찰당한다는 사실을 알고 있습니다. 그렇기 때문에 외모를 꾸미는 일에 적극적입니다. 특히 연예인의 외모는 수입과 직접적인 연관이 있습니다. 외모가 매력적이어야만 대중 매체에 출연할 기회도 많아지고, 광고 및 작품 계약에도 유리하니까요. 그러니 패션에 관심이 많은 것은 당연하겠지요.

두 번째 요소는 '정보와 노하우'입니다. 여기서 말하는 정보란 무엇이 최신 유행인지를 아는 것을 말합니다. 특히 연예인들은 디자이너, 코디네이터, 스타일리스트 등 패션 전문가와 접촉할 기회가 많기 때문에 최신 유행에 대해서 알 수 있는 기회가 많습니다. 보통 사람들은 매체에서 다루기 전에는 올해 디자인의 동향이 어떤지, 어떤 옷이 유행할지 짐작하기가 힘듭니다. 하지만 연예인들은 패션 관련 정보를 바로바로 얻을 수가 있지요. 게다가 그 유행을 적용해 외모를 꾸미는 능력 또한 보통 사람들보다 뛰어납니다. 코디네이터, 메이크업 아티스트, 헤어 스타일리스트 등 수많은 전문가들의 도움을 받아 항상 최신 패션으로 자신을 꾸미니 유행에 뒤떨어진 옷을 입으려 해도 입기가 힘듭니다.

마지막 요소는 '경제력'입니다. 최신 유행 패션 제품은 가격이 비쌉니다. 유행의 초기 단계, 즉 '패션 혁신자'들이 입는 옷들은 소량 생산된 디자이너의 작품인 경우가 많기 때문에 매우 높은 가격에 판매됩니다. '패션 리더'들에게 입혀질 때쯤이면 많은 브랜드들이 제작에 참여하지만 대부분이 명품 브랜드라서 여전히 가격대가 높습니다.

유행이 '패션 리더'에서 '대중 소비자'로 넘어가는 단계가 되면, 그제야 대량 생산이 이루어지면서 가격이 낮아지기 시작합니다. 의류 회사들 간의 경쟁도 치열해져서 제품의 가격이 떨어지는 것이지요. 예를 들어 겨울마다 많은 사람들이 찾는 오리털 점퍼를 생각해 봅시다. 유행 초기에는 외국에서 수입한 브랜드 제품밖에 없습니다. 그러다 보니 오리털 점퍼 한 벌이 백만 원을 훌쩍 넘어갑니다. 하지만 '대중 소비자 집단'이 오리털 점퍼 유행에 참여하기 시작하면 어떻게 될까요? 국내의 많은 업체들이 생산에 뛰어들어 비슷한 오리털 점퍼를 만들어 냅니다. 그 제품들의 가격은 몇 십만 원 수준으로 낮아집니다.

이 유행이 지속되면 어떻게 될까요? 이제 회사들은 오리털 점퍼의 유행이 끝날 때를 대비해 다음에 유행할 제품을 기획합니다. 그러면서 이미 생산된 오리털 점퍼를 남김없이 판매하기 위해 가격 마케팅을 시작하지요. 바로 할인 판매가 시작되는 것입니다. 결국 유행이

● **선도자**(先 먼저 선, 導 인도할 도, 者 사람 자)
앞에 서서 인도하는 사람.

● **동향**(動 움직일 동, 向 향할 향)
사람들의 사고, 사상, 활동이나 일의 형세 따위가 움직여 가는 방향.

완전히 지나 버리면 옷은 생산 원가에도 못 미치는 가격으로 판매되거나 폐기 처분됩니다.

결론적으로 [㉠   ] 따라서 경제적인 여유가 있는 사람들이 높은 비용에 구애받지 않고 이른 시기에 유행에 참여할 수 있는 가능성이 크고, 유명인들은 대부분 경제력을 가진 사람들이 많기 때문에 자연스럽게 패션 혁신자나 패션 리더 계층에 들어가게 됩니다.

정답과 해설 9쪽

1 이 글에 나타난 글쓴이의 생각과 일치하는 것은 무엇인가요? (   )

① 유명인들의 주변에는 패션 전문가가 드물다.
② 유명인들은 일반인들에 비해 패션 리더가 되기 어렵다.
③ 유명인들은 일반인들보다 외모를 꾸미는 일에 관심이 적다.
④ 유명인들이 가지고 있는 패션 정보는 대부분 잘못된 것이다.
⑤ 유명인들은 일반들인보다 경제적으로 여유가 있음을 **전제**한다.

2 유명인이 '패션 리더'가 될 수 있는 이유로 적절하지 <u>않은</u> 것은 무엇인가요? (   )

① 대중보다 먼저 유행을 접할 수 있다.
② 패션 정보에 관심이 많고 유행에 민감하다.
③ 뛰어난 패션 감각을 태어날 때부터 가지고 있다.
④ 의류 구입에 있어 남들보다 많은 비용을 지출한다.
⑤ 정보를 활용하여 자신의 외모를 꾸미는 노하우가 뛰어나다.

3 이 글을 바탕으로 할 때, '패션 혁신자'와 '대중 소비자'를 구분하는 기준으로 알맞은 것은 무엇인가요? (   )

① 명품 브랜드의 옷만 구입하는 것
② 저렴한 가격에 좋은 옷을 구입하는 것
③ 대중보다 먼저 패션의 유행을 앞서 나가는 것
④ 소량 생산된 옷을 구입하지 않는 합리성을 가지는 것
⑤ 유행을 지난 옷도 입을 수 있는 패션 감각을 가지는 것

4 이 글을 읽고 '유행 단계에 따른 옷 가격'을 그래프로 나타낸 것으로 알맞은 것은 무엇인가요? (　　)

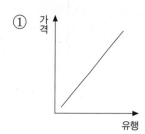

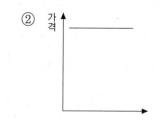

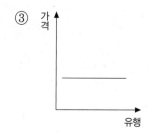

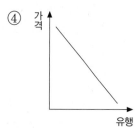

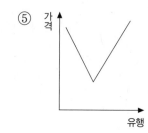

5 ㉠에 들어갈 말로 알맞은 것은 무엇인가요? (　　)

① 유행을 따르는 것은 어리석은 일입니다.

② 유행에 뒤처질수록 사람들로부터 멀어집니다.

③ 유행을 좇을수록 부담해야 할 비용이 증가합니다.

④ 유행을 따른다고 누구나 패션 리더가 되는 것은 아닙니다.

⑤ 유행 못지않게 자신만의 개성을 드러내는 것이 중요합니다.

한줄요약

6 빈칸에 알맞은 말을 넣어 이 글의 핵심 내용을 한 문장으로 요약하세요.

　　유명인들이 패션 리더가 될 수 있는 이유는 첫째, 직업의 특성상 외모와 패션에 대한 ☐☐ 이 많고, 둘째, 주변에 패션 관련 전문가가 많아 패션에 대한 ☐☐ 와 ☐☐☐ 를 쉽게 습득할 수 있으며, 셋째, 일반인들에 비해 상대적으로 높은 ☐☐ 을 갖고 있기 때문이다.

지문 속 필수 어휘

낱말의 뜻을 참고하여, 다음 문장의 빈칸에 들어갈 알맞은 낱말을 완성하세요.

❶ 자료가 부족해서 글을 쓰는 데 | 구 | ㅇ | 를 받았다.

거리끼거나 얽매임.

❷ 잘못된 것을 고치기 위해서는 | ㅅ | 도 | ㅈ | 의 노력이 필요하다.

앞에 서서 인도하는 사람.

❸ 선거철이 다가오자 정치인들은 여론의 | ㄷ | 향 | 에 촉각을 곤두세웠다.

사람들의 사고, 사상, 활동이나 일의 형세 따위가 움직여 가는 방향.

❹ 기계의 발달로 상품의 | ㄷ | 량 | ㅅ | 산 | 이 가능하게 되었다.

기계를 이용하여 동일한 제품을 대량으로 만들어 내는 일.

문제 속 개념어

전제 | 前 앞설 전, 提 끌 제

논리적인 생각을 하거나 추리를 할 때, 어떤 결론을 이끌어 내는 데 필요한 기초가 되는 판단을 '전제'라고 합니다. 전제는 결론을 뒷받침하는 역할을 하며, 만약 전제가 잘못되었다면 결론도 틀리게 됩니다.

〈전제 1〉 모든 사람은 잠을 잔다.   +   〈전제 2〉 나는 사람이다.

〈전제 1, 2〉는 결론을 이끌어 내는 데 필요함.

〈결론〉 나는 잠을 잔다.

예를 들어 〈전제 2〉의 '나'가 '로봇'이어서 〈전제 2〉의 내용이 틀리게 된다면, '나는 잠을 잔다.'라는 〈결론〉도 틀린 것이 됩니다.

위키피디아와 집단 지성

13분 안에 풀어보세요.

어휘 수준 ★★★★★
글감 수준 ★★★★☆
글의 길이 1,535자

백과사전은 일반적으로 학문, 예술, 문화, 사회, 경제 등 자연과 인간의 활동에 관련된 모든 지식을 압축하여 일정한 순서로 배열하고 풀이한 책을 말한다. 그러나 백과사전은 지면이 한정되어 있기 때문에, 인류 역사에 나타난 모든 지식과 정보를 총체적으로 담겠다는 이상은 현실적으로 실현이 불가능하다. 영어권에서 가장 오래되었다고 잘 알려진 '브리태니커 백과사전'도 240여 년간 세상의 지식을 모두 담아내기 위해 애쓰다가, 결국 2012년 발행을 중단한다고 선언하였다. 브리태니커와 같은 인쇄형 백과사전이 사라지게 된 데에는 인터넷 백과사전인 위키피디아의 영향이 크다.

'위키피디아(wikipedia)'는 하와이어로 '빠르다'를 뜻하는 '위키(wiki)'와 영어로 '백과사전'을 뜻하는 '인사이클로피디아(encyclopedia)'가 합쳐진 말로, 중립적이고 검증 가능한 자유 콘텐츠를 제공하는 웹 기반의 다언어(多言語) 백과사전이다. 위키피디아의 특징은 누구나 참여하여 문서를 수정하고 발전시킬 수 있다는 점이다. 이에 따라 위키피디아의 모든 문서는 복사, 수정, 배포가 자유롭고 상업적 목적의 사용도 가능하다. 네트워크를 기반으로 한 위키피디아는 전문가뿐만 아니라 일반 사용자 누구나 백과사전의 내용을 서술할 수 있도록 하였기 때문에, 참여자들의 자발적인 협업을 통해 백과사전의 내용이 계속해서 확장되고 있는 집단 지성 프로젝트라고 할 수 있다. 실제로 위키피디아는 집단 지성을 기반으로 한 협업의 가장 성공적인 모델로 평가되고 있다.

'집단 지성'이란 다수의 사람이 서로 협력 혹은 경쟁의 결과로 얻은 집단적 능력을 말한다. 집단 지성은 소수의 우수한 사람이나 전문가의 능력보다, 다양성과 독립성을 가진 집단의 통합된 지성이 더 올바른 결론에 가깝다고 믿는다. 대중의 지혜, 협업 지성, 공생적 지능이라고도 불리는 집단 지성은 사람들의 경험이나 알고 있는 지식에 가치를 부여하고 이를 조직하여 활용하는 것이다. 개인이 갖고 있는 지식은 한계가 있지만, 많은 사람의 지식을 동원하면 더 넓고 깊이 있는 지식을 구할 수 있기 때문이다.

● **공생**(共 함께 공, 生 살 생)
서로 도우며 함께 삶.

● **시의성**(時 때 시, 宜 마땅할 의, 性 성질 성)
당시의 상황이나 사정과 딱 들어맞는 성질.

● **고착화**(固 굳을 고, 着 붙을 착, 化 될 화)
어떤 상황이나 현상이 굳어져 변하지 않는 상태가 됨.

새로운 디지털 기술의 발달은 집단 지성이 확장되는 결과를 낳았다. 웹을 기반으로 하여 규모가 큰 집단의 조직이 가능하고, 전문가들의 소유였던 정보와 지식이 대중에게 개방되고 공유되면서 많은 일반인이 지식 생산에 참여할 수 있는 환경이 마련되었다. 이에 따라 보통 사람들이 지닌 지적 능력을 결합함으로써 직면한 문제에 함께 대처할 수 있게 되었다.

집단 지성은 사회적으로 여러 가지 장점을 가진다. 기존에 제공하지 않은 다양한 정보를 비교적 쉽게 전달할 수 있으며, 정보를 둘러싸고 여러 사람의 수정과 추가가 가능하므로 시의성을 갖춘 정보 제공이 가능하다. 이는 지식이 빠르게 생성되고 변화하는 현시대에 적합한 특성이다. 그러나 누구나 자유롭게 참여할 수 있다는 개방성은 부정확한 내용이나 근거가 없는 개인의 의견을 선별하기 어렵게 만든다는 단점이 있다. 또한 여러 사람의 의견이 충돌하여 모순된 내용이 고착화될 수도 있다. 집단 지성은 민주적이고 평등한 지식 활용을 가능하게 하지만, 전문가의 지식을 무시할 수 없는 이유가 여기에 있다.

정답과 해설 **10쪽**

1 **이 글의 내용과 일치하지 <u>않는</u> 것은 무엇인가요? (   )**

① 집단 지성이 반영된 성공적인 모델로 위키피디아를 꼽을 수 있다.
② 디지털 기술의 발달이 뒷받침되지 않으면 집단 지성은 불가능하다.
③ 집단 지성은 지식이 빠르게 생성되고 변화하는 현시대에 적합한 특성을 지녔다.
④ 인쇄형 백과사전이 지식과 정보를 총체적으로 담겠다는 이상은 현실적으로 실현 불가능하다.
⑤ 집단 지성은 소수의 우수한 사람보다 다양성과 독립성을 가진 집단의 통합된 지성이 올바른 결론에 가깝다고 본다.

2 **빈칸에 들어갈 말로 적절하지 <u>않은</u> 것은 무엇인가요? (   )**

> _____(이)란 다수의 사람이 서로 협력 혹은 경쟁의 결과로 얻은 집단적 능력을 밀한다.

① 집단 지성
② 협업 지성
③ 공생적 지능
④ 대중의 지혜
⑤ 전문가 지식

3 **위키피디아의 특징과 거리가 <u>먼</u> 것은 무엇인가요? (   )**

① 중립적이고 검증 가능한 자유 콘텐츠를 제공한다.
② 누구나 참여하여 문서를 수정하고 발전시킬 수 있다.
③ 정확한 정보를 제공해야 하므로 내용이 계속해서 확장되기 어렵다.
④ 전문가뿐만 아니라 일반 사용자 누구나 스스로 내용을 서술할 수 있다.
⑤ 모든 문서의 복사, 수정, 배포가 자유롭고 상업적 목적의 사용도 가능하다.

4 보기 와 같이 '정의'의 설명 방법이 쓰인 문장은 무엇인가요? (   )

> **보기**
>
> '인쇄형 백과사전'은 학문, 예술, 문화, 사회, 경제 등 자연과 인간의 활동에 관련된 모든 지식을 압축하여 일정한 순서로 배열하고 풀이한 책을 뜻한다.

① 집단 지성은 사회적으로 여러 가지 장점을 가진다.

② 새로운 디지털 기술의 발달은 집단 지성이 확장되는 결과를 낳았다.

③ 많은 사람의 지식을 동원하면 더 넓고 깊이 있는 지식을 얻을 수 있다.

④ 위키피디아는 집단 지성을 기반으로 한 협업의 가장 성공적인 모델로 평가받는다.

⑤ 위키피디아는 불특정 다수가 협업을 통해 내용을 수정할 수 있는 웹 기반의 다언어 백과사전을 뜻한다.

5 이 글을 읽은 독자의 반응으로 알맞지 <u>않은</u> 것은 무엇인가요? (   )

① **소라**: 웹 기반 환경은 집단 지성이 확장되는 데 유리하겠어.

② **민수**: 소수의 전문가가 만든 백과사전은 한계가 있기 마련이야.

③ **혜빈**: 나도 위키피디아의 내용을 수정하거나 첨가해 보고 싶어.

④ **찬우**: 집단 지성의 장점이 많으니 이제 전문가의 지식은 쓸모가 없겠군.

⑤ **루나**: 위키피디아의 정보를 인용할 때에는 내용에 모순이 없는지 확인해야겠어.

한줄 요약

6 빈칸에 알맞은 말을 넣어 이 글의 핵심 내용을 한 문장으로 요약하세요.

집단 지성은 소수의 우수한 사람이나 전문가의 능력보다 다양성과 독립성을 가진 ☐☐의 통합된 지성을 중시하며, 집단 지성을 기반으로 한 위키피디아는 ☐☐☐을 갖춘 다양한 정보를 비교적 쉽게 전달한다.

지문 속 필수 어휘

낱말의 뜻을 참고하여, 다음 문장의 빈칸에 들어갈 알맞은 낱말을 완성하세요.

❶ 우리 출판사는 올해 학생들을 위한 교육 잡지를 [ㅂ | 행]할 예정입니다.

　　　　　　　　　　　　　　　　　　　출판물이나 인쇄물을 찍어서 세상에 펴냄.

❷ 생산 과정을 [ㅎ | 업]의 형태로 바꾸면 생산력이 크게 증대될 것이다.

　많은 노동자들이 협력하여 계획적으로 노동하는 일.

❸ 두 회사는 [공 | ㅅ] 관계를 유지하기 위해 서로 돕기로 했다.

　　　　　서로 도우며 함께 삶.

❹ 그 방송사의 시사 토론 프로그램은 [ㅅ | 의 | ㅅ]이 좀 떨어진다는 지적을 받는다.

　　　　　　　　　　　　당시의 상황이나 사정과 딱 들어맞는 성질.

❺ 잘못된 표현을 지속적으로 사용하면 자신도 모르게 [고 | ㅊ | ㅎ]되어 고치기 어려워진다.

　　　　　　　　　　　　어떤 상황이나 현상이 굳어져 변하지 않는 상태가 됨.

다음 문장을 읽고, 두 낱말 중 알맞은 것을 찾아 ○표 하세요.

❻ 길이 비좁아서 도로 [확장 / 확정] 공사를 하였다.

❼ 힘이 닿는 데까지 당신들에게 [협업 / 협력] 하겠으니 부탁할 일이 있으면 말하십시오.

❽ 과일을 팔기 위해서는 흠집이 없는 과일과 그렇지 않은 과일을 [선별 / 선정] 하는 작업이

필요하다.

글 읽기는
독(讀)이 아니라 해(解)!

이 그림은 조선 시대 화가 김득신이 그린 〈파적도〉라는 풍속화입니다. 이 그림에는 재미있는 요소들이 담겨 있는데 그 내용을 한번에 알아내기는 어려워요. 그래서 단계를 나누어 그림의 내용을 차근차근 이해해 보도록 해요.

• 1단계: 그려진 대로 이해하기

그림 왼쪽에는 병아리를 물고 달아나는 고양이를 어미 닭이 쫓아가고 있군요. 중앙의 남자는 긴 담뱃대를 휘두르며 공중 부양을 하고 있어요. 남자의 뒤로 보이는 여자도 다급해 보이는 몸짓입니다.

• 2단계: 그림 속 소재와 인물에 대해 이해하기

이번에는 각 소재와 인물의 행동을 좀 더 꼼꼼하게 살펴볼까요? 어미 닭이 날개를 펼치고 공격하듯 고양이를 쫓고 있는 것으로 보아 고양이는 갑작스레 마당에 침입한 것 같아요. 남자가 망건도, 돗자리 짜는 기구도 떨어트린 채 담뱃대를 휘두르고 있는 모습을 보니, 아마도 남자는 마루에서 돗자리를 짜고 있다가 병아리를 물고 가는 고양이를 발견하곤 뛰쳐나온 것 같네요.

·3단계 : 그림의 구도 이해하기

다음으로 이 그림에 나타난 각 소재들이 어떻게 배치되어 있는지 살펴볼게요. 먼저 고양이, 어미 닭, 남자, 여자는 ㉮와 같이 배치되어 있어요. 여기에 각 소재들의 시선의 방향을 고려해 보면 ㉯와 같이 어미 닭, 남자, 여자의 시선이 모두 고양이를 향하고 있어요. 즉 이 그림은 '고양이'에 초점을 두고 있다는 것을 알 수 있지요.

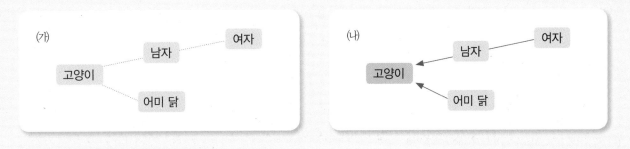

·4단계 : 전체적인 의미를 종합해서 이해하기

마지막으로 그림의 전체적인 의미를 종합해서 이해해 보죠. 어느 날 집주인 부부는 마루에서 돗자리를 짜고, 어미 닭은 마당에서 병아리들과 함께 평화로운 시간을 보내고 있었어요. 그런데 난데없이 도둑고양이 한 마리가 침입해 병아리 한 마리를 물고 달아나자, 병아리들은 혼비백산 도망치고 어미 닭은 병아리를 구하기 위해 필사적으로 고양이를 뒤쫓았어요. 이를 본 남자는 다급한 마음에 짜고 있던 돗자리도 내팽개치고 반사적으로 몸을 날려 고양이를 잡으려 했고, 여자는 "어머나! 이걸 어째!"라고 소리를 질렀어요. 이 그림은 바로 그 안타까운 순간을 그림으로 나타낸 것이에요.

어때요? 이렇게 그림을 단계별로 나누어서 이해하니 훨씬 재미있지 않나요?
여기서 중요한 건 처음부터 모든 걸 한꺼번에 이해한 것이 아니라, 단계별로 차근차근 나눠서 이해했다는 점이에요.
독해를 할 때도 이와 마찬가지예요. 우리는 글을 읽을 때 1단계로 단어와 단어를 연결하여 글에 어떤 정보가 있는지 있는 그대로 이해합니다. 이것을 한자로 표현하면 '독(讀)'이라고 해요. 그리고 2단계로 글의 부분적인 내용들을 하나하나 꼼꼼히 이해한 다음, 3단계로 전체적인 글의 구조를 파악하고, 마지막 4단계에서 글 전체의 내용을 종합해서 이해합니다. 이렇게 적극적으로 사고하며 내용을 이해하는 것을 '해(解)'라고 해요. 독해에서 중요한 것은 '읽는 것'이 아니라 바로 '이해하는 것'이랍니다.

> **독해의 정수는 단순히 글자의 뜻을 아는
> '독(讀)'이 아니라, 종합적으로 이해하는
> '해(解)'에 있다는 사실을 기억하세요!**

고려인의 삶

12분 안에 풀어보세요.

어휘 수준 ★★★★★
글감 수준 ★★★★★
글의 길이 1,391자

　　고려인은 러시아, 우즈베키스탄, 카자흐스탄, 키르기스스탄, 타자키스탄 등 옛 소련의 독립 국가 연합 내에 거주하는 한민족을 통틀어 이르는 말이다. 이들은 본래 중국, 일본에 사는 동포들과 마찬가지로 조선인이라고 불렸으나, 1988년 서울 올림픽이 열릴 때쯤 자신들을 스스로 고려인이라고 부르기 시작하였다. 이후 1993년 모스크바에서 열린 소련 조선인 대표자 회의에서 정식으로 옛 소련 땅에 사는 조선인의 명칭을 '고려인'이라고 정했다. 고려인이라는 명칭에는 그들이 북한 사람도 아니고 대한민국 사람도 아니며, 자신들의 언어와 문화도 일 세기 이상 지나는 동안 다른 민족과 구분되는 특성을 이어왔다는 의도가 담겨 있다.

　　고려인은 주로 중앙아시아에 거주하고 있는데, 여기에는 가슴 아픈 과거가 숨어 있다. 본래 고려인들이 살았던 곳은 연해주를 중심으로 하는 조선 접경 지역이었다. 연해주는 러시아의 동남쪽 끝에 있는 지방으로, 두만강을 사이로 우리나라와 국경을 이루고 있다. 시베리아 횡단 철도의 동쪽 종착점인 블라디보스토크가 바로 연해주의 중심 도시이다. 19세기 후반부터 한반도 북부 지방에 살던 주민들은 두만강을 넘어 연해주 지역으로 이주하였다. 연해주의 조선인들은 황무지를 일구어 자리를 잡았고, 해를 거듭하며 더 많은 인구가 이주하였다. 그리고 1910년 일제 강점기가 시작되자 일본을 피해 온 이주민들이 더욱 증가하였다.

　　그러나 국경 근처에서 조선인들이 집단으로 거주하는 것을 우려하였던 소련 당국은 이들을 강제 이주시키기로 결정하였다. 일본이 조선인을 첩자로 사용하여 소련 침략에 이용할 가능성이 높다는 것이 공식적인 이유였다. 연해주에 살던 사람들은 살을 에는 듯한 시베리아의 추운 겨울 속에서 화물 열차와 가축 운반차를 고쳐 만든 열악한 열차에 갈 곳 없는 몸을 실었다. 추위와 배고픔을 참고 한 달을 달려 도착한 곳은 중앙아시아의 황량한 반사막 지대였다. 중앙아시아의 매서운 추위와 황량한 사막과 벌판에 내버려진 고려인들은 목숨을 걸고 황무지를 일구어 농사를 지을 수 있는 땅으로 만들었다. 논밭에 물을 대는 시설을 만들고, 쌀을 재배하였으며, 우리 민족 고유의 근면함으로 서서히 삶의 방식을 회복하였다. 그러나 수십 년간 한국어가 금지되었기 때문에 그다음 세대는 한국어를 잘 사용하지 못하게 되었다.

　　개인적으로 차이가 있기는 하지만 고려인 젊은이들은 한국을 '할아버지의 나라' 정도로 여기고 있으며, 러시아에 완전히 동화되어 한국어를 전혀 하지 못하는 경우가 많다. 하지만 그들은 우리와 같은 민족이라고 생각하고 있다. 척박한 땅에서 살아남기 위하여 한국어를 잃었지만, 중앙아시아로 내쫓긴 것은 그들의 의지가 아니었다. 우리는 역사의 희생자로 어려운 삶을 살아온 고려인들 역시 한민족임을 기억해야 한다.

● **첩자**(諜 염탐할 첩, 者 놈 자)
한 국가나 단체의 비밀이나 상황을 몰래 알아내어 경쟁 또는 대립 관계에 있는 국가나 단체에 제공하는 사람.

● **황량**(荒 거칠 황, 凉 서늘할 량)
거칠고 쓸쓸함.

● **척박**(瘠 여윌 척, 薄 엷을 박)
땅이 기름지지 못하고 몹시 메마름.

1 고려인에 대한 설명으로 알맞은 것은 무엇인가요? (   )

① 고려인은 일제 강점기 때 일본인 첩자로 활동하였다.

② 고려인이라는 명칭에는 왕건이 세운 고려를 계승한다는 의미가 담겨 있다.

③ 고려인은 옛 소련의 독립 국가 연합 내에 거주하는 한민족들이 스스로 만든 이름
이다.

④ 고려인 중에는 한반도 북부 지방에 살다가 죄를 지어 연해주 지방으로 쫓겨난 사
람들이 많다.

⑤ 고려인은 척박한 연해주 지방에서 벗어나 새로운 삶을 도모하기 위해 중앙아시
아로 이주하였다.

2 이 글과 보기 를 통해 알 수 있는 내용으로 알맞은 것에 모두 ○표 하세요.

> **보기**
> • 옛 소련의 독립 국가 연합 내에 거주하는 한민족은 본래 '조선인'이라고 불렸으
> 나, 1988년 서울 올림픽이 열릴 때쯤 자신들을 스스로 '고려인'이라고 부르기 시
> 작하였다.
> • '고려인'이라는 명칭에는 그들이 북한 사람도 아니고 대한민국 사람도 아니라는
> 의도가 담겨 있다.

(1) 조선인에서 고려인으로 바꾸어 부른 것은 스스로의 의지보다는 타인의 시선을
의식한 판단일 것이다.   (   )

(2) 고려인은 한반도 북부 지방에 살던 주민들이기 때문에 북한에 대해 나쁜 감정을
가지고 있지 않았을 것이다.   (   )

(3) 대한민국이 서울 올림픽을 개최하며 세계적으로 알려지자 조선인이라는 명칭을
사용하기가 조심스러웠을 것이다.   (   )

3 ㉠～㉤을 고려인의 삶의 순서대로 나열하세요.

> ㉠ 한반도 북부 지방에서 연해주 지역으로 이주하였다.
> ㉡ 소련의 강제 이주 정책에 의해 중앙아시아로 이주하였다.
> ㉢ 일제 강점기가 시작되자 연해주의 이주민들이 증가하였다.
> ㉣ 자신들 스스로 '조선인'에서 '고려인'으로 명칭을 바꾸어 불렀다.
> ㉤ 중앙아시아의 황무지를 일구어 농사를 짓고 삶의 방식을 회복하였다.

(   ) → (   ) → (   ) → (   ) → (   )

4 보기 의 지도를 참고하여, 아래의 빈칸에 들어갈 알맞은 말을 이 글에서 찾아 쓰세요.

보기

- 고려인의 집중 분포지
- 시베리아 횡단 철도
- 고려인의 강제 이주 방향(1937년)

모스크바
카자흐스탄
우즈베키스탄
투르크메니스탄
타지키스탄
키르기스스탄
러시아
이르쿠츠크
하바롭스크
연해주
블라디보스토크
대한민국
서울
중국

고려인은 소련 당국에 의해 [　][　]에서 카자흐스탄, 우즈베키스탄, 키르기스스탄 등 [　][　][　][　] 지역으로 강제 이주하였다.

5 다음 설명에 해당하는 의미 관계로 짝지어진 것을 모두 골라 ○표 하세요.

뜻이 서로 비슷한 낱말들이다.

(1) 거주 – 이주 ( )
(2) 종착점 – 도착지 ( )
(3) 척박하다 – 황량하다 ( )

한줄
요약

6 빈칸에 알맞은 말을 넣어 이 글의 핵심 내용을 한 문장으로 요약하세요.

옛 소련의 독립 국가 연합 내에 거주하는 [　][　]은 가슴 아픈 역사로 인해 어려운 삶을 살아온 [　][　]이다.

지문 속 필수 어휘

낱말의 뜻을 참고하여, 다음 문장의 빈칸에 들어갈 알맞은 낱말을 완성하세요.

❶ 외국에 ㄱ 주 하고 있는 동포들이 우리나라를 찾아 왔다.
　　　일정한 곳에 머물러 삶.

❷ 여러 민족의 ㅇ 주 나 정복은 문화의 교류를 촉진하였다.
　본래 살던 지역을 떠나 다른 지역으로 이동하여 정착함.

❸ 프랑스와 이탈리아는 국 ㄱ 이 접해 있다.
　　　　나라와 나라의 영역을 가르는 경계.

❹ 전쟁으로 수많은 마을이 폐허가 되고 농토는 ㅎ ㅁ 지 로 변하였다.
　　　　　　　　손을 대어 거두지 않고 내버려 두어 거친 땅.

❺ 시골로 이사 온 나는 차츰 자연에 ㄷ 화 되어 갔다.
　　　성질, 양식, 사상 따위가 다르던 것이 서로 같게 됨.

주어진 단어와 의미를 바르게 연결하세요.

❻ 열악 •

• ⓐ 거칠고 쓸쓸함.

　　예 전쟁으로 사람들이 모두 떠난 마을은 무척 ☐☐
해 보였다.

❼ 척박 •

• ⓑ 땅이 기름지지 못하고 몹시 메마름.

　　예 토양이 ☐☐ 해서 식물이 잘 자라지 않는다.

❽ 황량 •

• ⓒ 능력, 시설 따위가 매우 떨어지고 나쁨.

　　예 아이들은 ☐☐ 한 교육 환경 속에서도 열심히
공부했다.

디지털 맵, 새로운 세계의 탄생

(13)분 안에 풀어보세요.

어휘 수준 ★★★★★
글감 수준 ★★★★★
글의 길이 1,332자

현대 사회에는 지도가 두루 널리 퍼져 있다. 우리는 지도를 '맵(map)'이라고 부르며, 그 존재를 더욱 친숙한 것으로 만들어 왔다. 그런데 이러한 지도는 주변에 널리 존재하기 때문에 의식하지 못할 때가 많다. 길가에 설치된 지도 안내판, 역 매표소에 걸려 있는 철도 노선도, 여행지에서 무료로 배포하는 관광 지도 등 주변을 조금만 둘러보면 쉽게 지도를 발견할 수 있다.

그런데 스마트폰용 '디지털 맵'은 이러한 지도의 상식을 바꾸는 획기적인 도구로 등장해, 지금은 사람들의 일상에 녹아들어 (㉠   ). 과연 디지털 맵은 지도가 일상화된 사회를 사는 우리에게 실제로 얼마나 의미가 있을까? 이에 대한 대답은 어렵지 않다. 지리에 약한 사람이 스마트폰에 내장된 디지털 맵을 가지고 있는 것만으로 안도감을 느끼고 경쾌하게 현실의 도시를 이동하는 것에서, 디지털 맵이 실생활에 얼마나 많은 도움을 주고 큰 의미로 다가오는지 짐작할 수 있는 것이다.

디지털 맵의 출현으로 공간 표현과 사회 인식의 새로운 지평이 열린 것은 분명해 보인다. 디지털 맵만 있으면 세계가 자신의 손 안에 있는 것처럼 느껴지기도 하고, 사회를 자세히 볼 수도 있게 되기 때문이다. 또한 지도와 스마트폰의 만남으로 이루어진 디지털 맵은 그 사용자들이 계속 늘어나면서 인간과 지도의 관계를 더욱 새로운 모습으로 발전시켰다. 디지털 맵은 지도를 보는 방법을 개인화시켜서 사용자의 조작에 따라 화면에 비치는 모습을 다양하게 변화시키는데, 손가락으로 화면을 늘리거나 줄이는 것만으로도 세계는 넓어지기도 하고 좁아지기도 한다. 즉 디지털 맵을 사용하는 주체에 의해 새로운 세계가 열릴 것인지 닫힐 것인지가 결정된다. 결국 어느 쪽으로 향할지는 사용자 개인이 디지털 맵을 어떻게 사용하느냐에 달려 있다.

또한 디지털 맵은 스마트폰과 연결되어 지도를 '신체화'시켰다. 디지털 맵이 스마트폰 안으로 들어가 있어, 사용자는 특정 장소를 나타내는 한 장의 지도가 아닌, 다양한 장소의 지도 정보가 담긴 검색 가능한 지도를 항상 몸에 지니고 다닐 수 있게 된 것이다. 또 스마트폰용 디지털 맵이 사용자의 신체에 밀착되어 현재 위치를 자동으로 인식한 후, 내비게이션과 같이 지

▲ 디지털 맵 덕분에 낯선 장소에서도 쉽게 길을 찾을 수 있게 되었습니다. 특히 해외여행에서도 디지털 맵은 유용하게 사용되고 있지요.

도에 그 위치를 표시해 주며 사용자의 신체적인 이동을 돕는다. 이러한 '신체화'는 사용자가 디지털 맵을 사용하고 있다는 사실 자체도 크게 인식하지 못하는 상황을 만들고 있다.

앞으로 이러한 디지털 맵은 인터넷의 다양한 웹 프로그램들과 연결되어 여러 가지 사회 활동에 광범위하게 활용되는 거대한 플랫폼이 될 것으로 보인다. 디지털 맵이 제공하는 정

● **지평**(地 땅 지, 平 평평할 평)
사물의 전망이나 가능성 따위를 비유적으로 이르는 말.

● **플랫폼**(platform)
정보 시스템 환경을 구축하고 개방하여 누구나 다양하고 방대한 정보를 쉽게 활용할 수 있도록 제공하는 기반 서비스.

보를 어떻게 활용할 것인지는 우리 손에 달려 있다. 또한 그것을 통해 세계를 어떻게 열어 갈지도 우리의 상상력에 달려 있다.

정답과 해설 12쪽

1　이 글을 통해 알 수 있는 내용이 <u>아닌</u> 것은 무엇인가요? (　　　)

① 디지털 맵은 사회 인식의 새로운 지평을 열어 주었다.

② 디지털 맵의 출현은 지도를 보는 방법을 개인화시켰다.

③ 우리는 주변에 있는 지도를 의식하지 못하고 살 때가 많다.

④ 디지털 맵에서는 간단한 조작만으로도 화면을 바꿀 수 있다.

⑤ 지리에 밝지 않은 사람은 디지털 맵을 가지고 있어도 불안해한다.

2　이 글에 사용된 설명 방법이 <u>아닌</u> 것은 무엇인가요? (　　　)

① 대상의 의의를 인과적으로 설명하고 있다.

② 물음의 형식을 통해 독자가 내용에 집중하게 한다.

③ 구체적인 예를 들어 내용에 대한 이해를 돕고 있다.

④ 대상의 특징을 구성 요소별로 나누어 소개하고 있다.

⑤ 대상의 전망과 기대를 드러내며 글을 마무리하고 있다.

3　㉠에 들어갈 내용으로 가장 알맞은 것은 무엇인가요? (　　　)

① 사라지게 되었다

② 당연시하게 되었다

③ 의미를 잃게 되었다

④ 이용할 수 없게 되었다

⑤ 궁금증을 유발하게 되었다

4 이 글을 바탕으로 보기 를 분석한 내용 중 알맞은 것에 ○표 하세요.

보기

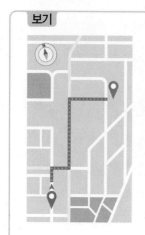

　　스마트폰용 '디지털 맵'에 지도를 자유롭게 회전시킬 수 있는 기능이 추가되면서, 지도를 180° 회전시켜 남북을 거꾸로 놓이게 하는 것이 가능해졌다. 또한 사용자의 위치를 나타내는 아이콘에는 사용자가 향하는 방향을 나타내는 화살표가 표시되기 때문에, 그 화살표 방향으로 지도를 회전시키면 사용자의 신체와 지도의 방향을 일치시킬 수 있다. 여기에 3차원 표시를 더하면 지도의 이미지는 개인이 실제로 직접 경험하는 현실에 더 가까워진다.

(1) 위치를 나타내는 아이콘이 향하는 방향은 디지털 맵을 제작한 주체가 정한 것이다. 　　　　　　　　　　　　　　　　　　　　　　　　　　　　　　　　(　　)

(2) 사용자의 신체와 지도의 방향을 일치시킨 것은 디지털 맵의 '신체화'에 해당한다. 　　　　　　　　　　　　　　　　　　　　　　　　　　　　　　　　(　　)

5 다음 낱말들의 관계로 알맞은 것에 ○표 하세요.

| 좁다 | | 넓다 |

(1) 뜻이 서로 비슷한 낱말이다. 　　　　　　　　　　　　　　　　　　(　　)

(2) 뜻이 서로 반대되는 낱말이다. 　　　　　　　　　　　　　　　　　(　　)

(3) 한 낱말의 뜻이 다른 낱말에 포함된다. 　　　　　　　　　　　　　(　　)

6 빈칸에 알맞은 말을 넣어 이 글의 핵심 내용을 한 문장으로 요약하세요.

한줄요약

'□□□□□'은 지도가 일상화된 현대 사회에 공간 표현과 사회 인식의 새로운 지평을 열어 주었으며, 앞으로 인터넷의 웹 프로그램들과 연결되어 다양한 사회 활동에 활용되는 거대한 □□□이 될 것으로 보인다.

지문 속 필수 어휘

다음 문장을 읽고, (　) 안에 공통으로 들어갈 낱말을 완성하세요.

❶

- 두 나라는 서로 협력적 외교 (　　　)를 맺고 있다.
- 문학은 우리의 현실 생활과 분리할 수 없는 (　　　)에 있다.

| ㄱ | 계 |

❷

- 나는 아직 초보 운전자여서 자동차의 핸들 (　　　)이 서투르다.
- 새로 산 기계는 간단한 버튼 (　　　)으로 이용할 수 있다.

| 조 | ㅈ |

다음 문장을 읽고, 두 낱말 중 알맞은 것을 찾아 ○표 하세요.

❸ 남의 시선을 ⎡ 의식 / 인식 ⎤한다면 행동에 제약이 따를 수밖에 없다.

❹ 화분을 햇빛이 잘 ⎡ 비치는 / 빛치는 ⎤ 장소로 옮기는 것이 좋겠다.

낱말의 뜻을 참고하여, 다음 문장의 빈칸에 들어갈 알맞은 낱말을 완성하세요.

❺ 그는 권태로운 | ㅇ | 상 |에서 벗어나기 위해 여행을 떠났다.
　　　　매일 반복되는 보통의 일.

❻ 그 기자는 진실을 밝히기 위해 불법 단체를 | ㅁ | 착 | 취재하였다.
　　　　빈틈없이 단단히 붙음.

전망 이론

13분 안에 풀어보세요.

어휘 수준 ★★★★★
글감 수준 ★★★★★
글의 길이 1,665자

본격 독해 훈련

대부분의 경제학 이론에서는 사람들이 경제적인 의사 결정을 내릴 때, 자신의 이익과 손해를 철저하게 계산하여 항상 합리적인 결론을 내린다고 생각했다. 그래서 어떤 일이 일어날지 모르는 상황에서 의사 결정을 내려야 하는 경우, 사람들은 어떤 일이 일어날 확률을 계산한 다음 이 확률에 근거해 자신에게 유리한 방향으로 합리적으로 판단한다고 보았다. 이러한 의사 결정에 대한 이론을 '기대 효용 이론'이라고 한다. 예를 들어 A를 선택하든 B를 선택하든 같은 이익을 얻을 수 있을 때, A의 발생 확률이 50%이고 B의 발생 확률이 30%라면 사람들은 A를 선택한다는 것이다. 또한 A와 B의 발생 확률이 같거나 비슷할 경우, 이익이 많은 쪽이나 손해가 적은 쪽으로 선택한다는 것이다.

그런데 '기대 효용 이론'과는 다른 '전망 이론'이 등장했다. '전망 이론'은 사람들이 위험이 따르는 선택을 할 경우에 항상 합리적으로만 판단하는 것은 아니라고 주장하였다. 전망 이론을 만든 대니얼 카너먼은 위험이 따르는 상황에서 사람들이 어떤 선택을 하는지를 밝히는 실험을 하였다. 실험은 사람들에게 두 가지 질문을 차례대로 제시하고 사람들이 어떤 선택을 하는지를 분석하였다. 질문은 모두 두 가지 중 하나를 선택하도록 구성되었다.

첫 번째 질문은 'A를 선택하면 80%의 확률로 400만 원을 받을 수 있고, B를 선택하면 100%의 확률로 300만 원을 받을 수 있다. 당신은 A와 B 중 어떤 것을 선택하겠는가?'이다. 이 질문에 대해 실험 참가자들의 80%가 B를 선택했다. A를 선택하든 B를 선택하든 이익을 볼 경우, 차라리 100만 원을 덜 받더라도 확실하게 300만 원을 받을 수 있는 B를 선택한 것이다. 대부분의 사람들은 A를 선택할 경우 돈을 못 받을 확률이 20%가 있기 때문에 A를 선택하지 않은 것이다. 이렇게 이익을 볼 수 있는 경우에 사람들은 위험을 피하는 선택을 한다. 이 결과는 사람들이 합리적인 선택을 한다는 '기대 효용 이론'의 관점과 같다.

두 번째 질문은 'C를 선택하면 20%의 확률로 400만 원을 잃을 수 있고, D를 선택하면 25%의 확률로 300만 원을 잃을 수 있다. 당신은 C와 D 중 어떤 것을 선택하겠는가?'이다. 이 질문에 대해서는 실험 참가자들의 65%가 C를 선택했다. C를 선택하든 D를 선택하든 손해를 볼 경우, 100만 원이나 더 큰 손해를 보더라도 확률이 조금이라도 더 낮은 C를 선택하는 비율이 더 높게 나타난 것이다. 이것은 사람들이 손해를 볼 경우에는 더 많은 손해를 입을 수 있는 위험을 감수하고서라도, 조금이라도 확률이 더 낮은 선택을 한다는 것을 보여 준다. 그런데 이러한 결과는 기대 효용 이론의 관점으로는 해석할 수 없는 것이다. 기대 효용 이론의 관점에서 보면 C와 D가 발생할 확률이 각각 20%와 25%로 비슷하므로, 100만 원만큼의 손해가 적은 D를 선택하는 것이 더 합리적이기 때문이다.

이렇게 실험에 참여한 사람들의 대답을 분석한 결과, 사람들은 이익을 볼 수 있는 경우에는 위험을 피하려고 하고, 손해를 볼 수 있는 경우에는 위험을 기꺼이 감수하는 선택을 한다는 결론을 얻게 되었다. 이를 통해 전망 이론에서는 사람들이 경제적인 선택을 할 때 항상 합리적으로만 선택을 하는 것은 아님을 보여 주었다. 전망 이론은 경제학에 심리학을 접목함으로써 이후 '행동 경제학'이라는 새로운 경제학 연구의 흐름을 만드는 데 기여하였다.

● **접목**(接 접붙일 접, 木 나무 목)
둘 이상의 다른 현상 따위를 알맞게 조화하게 함을 비유적으로 이르는 말.

1 이 글을 바탕으로 할 때, '기대 효용 이론'과 관련 <u>없는</u> 내용은 무엇인가요? (　　)

① 대부분의 경제학에서 받아들이고 있는 이론이다.

② 경제적인 선택이 어떻게 이루어지는지를 다룬다.

③ 어떤 일의 발생 확률을 계산하는 과정이 필요하다.

④ 행동 경제학 연구의 흐름을 만드는 데 영향을 주었다.

⑤ 발생 확률이 비슷하면 사람들은 손해가 적은 쪽을 선택한다고 본다.

[2~3] 보기 는 대니얼 카너먼이 실험에서 사용한 설문지입니다. 잘 읽고 아래의 물음에 답하세요.

보기

〈질문 1〉 A와 B의 발생 확률과 이익이 다음과 같을 때 당신은 어떤 선택을 하겠습니까?

	A	B
발생 확률	80%	100%
이익	400만 원	300만 원

〈질문 2〉 C와 D의 발생 확률과 손해가 다음과 같을 때 당신은 어떤 선택을 하겠습니까?

	C	D
발생 확률	20%	25%
손해	400만 원	300만 원

2 이 글을 바탕으로, 보기 의 질문에 대한 실험 참가자들의 선택 결과를 바르게 이해하지 <u>못한</u> 것은 무엇인가요? (　　)

① 〈질문 1〉에 A라고 답한 사람들은 전체 실험 참가자들 중에서 20%이다.

② 〈질문 1〉에 B라고 답한 사람들이 많은 것은 '기대 효용 이론'에 맞아 떨어진다.

③ 〈질문 2〉에 C라고 답한 사람들은 전체 실험 참가자들 중에서 80%이다.

④ 〈질문 2〉에 C보다 D라고 답하는 것이 '기대 효용 이론'에서 볼 때 더 합리적이다.

⑤ 〈질문 2〉에 대한 실험 참가자들의 선택 결과는 '기대 효용 이론'의 관점으로는 해석할 수 없다.

3 보기 의 설문지에 대해 추론한 내용으로 가장 적절한 것은 무엇인가요? (　　　)

① 만일 이익이 발생한다면 B를 선택하는 것이 A를 선택하는 것보다 이익이 더 크다.

② 만일 이익이 발생하지 않았다면 그것은 A를 선택하지 않고 B를 선택했기 때문이다.

③ 만일 손해가 발생한다면 C를 선택하는 것이 D를 선택하는 것보다 손해가 더 크다.

④ 만일 손해가 발생하지 않는다면 C를 선택하는 것이 D를 선택하는 것보다 손해가 더 크다.

⑤ 만일 이익과 손해가 모두 발생한다면 A~D 중 어떤 것도 선택하지 않는 것이 바람직하다.

4 대니얼 카너먼의 실험 결과를 통해 다음과 같은 결론을 내렸다. ㉠과 ㉡에 들어갈 알맞은 말을 이 글에서 찾아 쓰세요.

> 사람들은 이익을 볼 수 있는 경우에는 (　㉠　)을 피하려고 하고, 손해를 볼 수 있는 경우에는 위험을 기꺼이 (　㉡　)하는 선택을 한다.

· ㉠: (　　　　　　　　)　　　　· ㉡: (　　　　　　　　)

한줄 요약

5 빈칸에 알맞은 말을 넣어 이 글의 핵심 내용을 한 문장으로 요약하세요.

'□□□□ 이론'에서는 사람들이 경제적인 선택을 할 때 항상 합리적인 선택을 한다고 보지만, '□□ 이론'에서는 사람들이 경제적인 선택을 할 때 항상 합리적인 선택만 하는 것은 아니라고 본다.

지문 속 필수 어휘

낱말의 뜻을 참고하여, 다음 문장의 빈칸에 알맞은 낱말을 완성하세요.

❶ 생강차나 유자차는 감기를 낫게 하는 데 큰 ｜ㅎ｜용｜이 있다.

> 보람 있게 쓰거나 쓰임. 또는 그런 보람이나 쓸모.

❷ 경기가 앞으로 더 좋아질 것이라는 ｜전｜ㅁ｜이 나왔다.

> 앞날을 헤아려 내다봄. 또는 내다보이는 장래의 상황.

❸ 그는 서양 음악과 우리 고유의 음악을 ｜ㅈ｜목｜하려고 시도했다.

> 둘 이상의 다른 현상 따위를 알맞게 조화하게 함을 비유적으로 이르는 말.

다음 문장을 읽고, ( ) 안에 공통으로 들어갈 낱말을 완성하세요.

❹
- 가족과의 생이별은 어린 나이에 ( )하기 어려운 고통이었다.
- 그 회사는 당장의 손해를 ( )하더라도 장기적인 신뢰를 지키는 것이 더 중요하다고 생각했다.

｜ㄱ｜수｜

❺
- 그 문장은 두 가지 뜻으로 ( )된다.
- 이 실험 결과에 대한 박 교수의 ( )은 상당한 설득력이 있다.

｜해｜ㅅ｜

❻
- 네가 원하는 일이라면 ( ) 도와주겠다.
- 그는 우리의 결정을 ( ) 따르겠다고 하였다.

｜ㄱ｜ㄲ｜이｜

위험에 대비하는 보험

어휘 수준 ★★★★★
글감 수준 ★★★★★
글의 길이 1,842자

보험은 미래에 발생할 수 있는 위험에 대비하기 위해 일정 정도의 돈을 거두어 두었다가 실제로 그 위험이 발생했을 때 금전적으로 보상해 주는 제도를 말한다. 사람이 살아가면서 평생 아무런 위험이 발생하지 않으면 보험이 필요하지 않겠지만, 누구도 예상하지 못한 큰 일이 생겼을 때 경제적으로 도움을 받기 위해서는 보험이 필요하다. 물론 어떤 큰 사고를 당한 사람에게 물질적인 보상을 해 준다고 해서 그 사람이 겪은 정신적 상처를 모두 치유●해 줄 수는 없다. 하지만 사고를 당한 사람이 경제적 능력을 잃게 될 경우, 보험은 사고를 당한 사람이나 그의 가족이 적어도 생계를 유지할 수 있도록 도움을 줄 수 있다.

보험은 크게 국가에서 운영하는 '사회 보험'과 민간에서 운영하는 '보통 보험'으로 나누어진다. 사회 보험은 국가가 모든 국민들의 안정적인 삶을 보장하기 위해 실시하므로, 모든 국민이 법에 의해 자신의 의사와 상관없이 가입되는 특징이 있다. 이에 비해 보통 보험은 특정한 위험에 대비하기 위해 사람들이 자발적●으로 가입하는 것이다. 그래서 사회 보험과 달리 강제성이 없다. 보통 보험은 '민간 보험'이라고도 하는데, 대표적인 것으로 생명 보험, 자동차 보험, 화재 보험을 들 수 있다. '생명 보험'은 보험에 가입하는 사람이 갑자기 생명을 잃게 되었을 때 일정 금액을 주는 보험이고, '자동차 보험'은 자동차 사고가 발생했을 때의 금전적 손해를 보상해 주는 보험이며, '화재 보험'은 화재가 발생했을 때 이로 인한 피해를 금전적으로 보상해 주는 보험이다.

위험에 대비하기 위해 보험에 가입하는 사람을 '보험 가입자'라고 하며, 보험을 운영하는 회사 또는 기관을 '보험자'라고 한다. 보험 가입자는 보험자와 계약을 맺고 보험에 가입하게 되는데, 이때의 계약을 '보험 계약'이라고 한다. 대부분 보험의 경우 보험 계약에 따라 보험 가입자는 매달 일정 정도의 돈을 보험자에게 내고, 보험자는 실제로 위험이 발생했을 때 위험을 당한 사람에게 계약에 따라 금전적인 보상을 한다. 이때 보험 가입자가 매달 내는 돈을 '보험료'라고 하고, 보험자가 위험을 당한 보험 가입자에게 지급하는 돈을 '보험금'이라고 한다. 예를 들어 부모님이 자동차 사고에 대비해 자동차 보험에 가입했다면, 부모님이 '보험 가입자'가 되고, 부모님이 보험에 가입한 보험 회사는 '보험자'가 되며, 부모님과 보험 회사 사이에는 '보험 계약'이 성립한 것이다. 또한 부모님이 보험 회사에 내는 돈은 '보험료'이고, 자동차 사고가 나게 되었을 때 부모님이 보험 회사로부터 받는 돈은 '보험금'이 된다.

보험 계약에는 보험 가입자가 받는 보험금의 최대 금액이 정해져 있는데, 이 금액을 '보험 가입 금액'이라고 한다. 그리고 사고가 났을 때 보험 가입자가 입을 수 있는 피해의 최대 금액 역시 미리 정해 두는데, 이 금액을 '보험 가액'이라고 한다. 실제로 사고가 났을 때 보험 가입자에게 지급되는 보험금은 '비례 보상 원칙'에 따라 지급한다. 비례 보상 원칙은 '보험 가액'에 대한 '보험 가입 금액'의 비율에 따라 정해지는 원칙을 의미하는데, 실제 보험금은 '보험 가입 금액'을 '보험 가액'으로 나눈 값을 구하고, 이를 실제 손해액에 곱해서 구한다. 즉 '실제 보험금 = (실제 손해액) × $\dfrac{\text{보험 가입 금액}}{\text{보험 가액}}$'인 것이다. 화재 보험의 경우를 예로

● **치유**(治다스릴 치, 癒병 나을 유)
치료하여 병을 낫게 함.

● **자발적**(自 스스로 자, 發 쏠 발, 的 과녁 적)
남이 시키거나 요청하지 않아도 자기 스스로 나아가 행하는. 또는 그런 것.

들어 보자. 10,000원짜리 물건을 화재 보험에 가입한다면 피해를 입을 수 있는 최대 금액은 물건이 모두 타서 없어져 버리는 경우이므로, '보험 가액'은 10,000원이다. 그리고 보험을 계약할 때 보험금의 최대 금액인 '보험 가입 금액'을 7,000원으로 정했다. 이때 실제 화재가 발생해서 5,000원의 손해가 발생했다면 '5,000원 $\times \dfrac{7,000원}{10,000원}$ =3,500원'을 보험금으로 받게 된다.

정답과 해설 14쪽

1 이 글을 읽고 '보험'에 대해 이해한 내용으로 가장 적절한 것은 무엇인가요? (   )

① 모든 보험은 법에 의해 자신의 의사와 상관없이 강제로 가입된다.
② 예상하지 못한 미래의 위험이 생길 때를 대비해서 미리 가입한다.
③ 경제적으로 도움을 주며 정신적인 상처까지도 치유할 수 있게 한다.
④ 사고를 당했지만 경제적 능력이 있는 경우에는 보상을 하지 않는다.
⑤ 평소에 한꺼번에 돈을 내고 사고가 생겼을 때 조금씩 되돌려 받는다.

2 보험의 종류를 다음과 같이 분류했을 때, ⓐ에 들어갈 알맞은 말을 이 글에서 찾아 쓰세요.

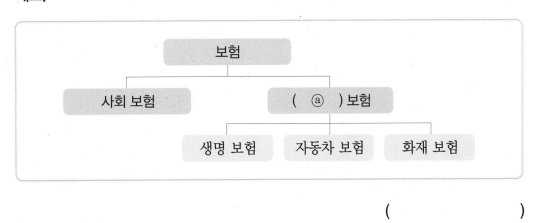

(   )

3 이 글을 바탕으로 주어진 단어와 의미를 알맞게 연결하세요.

(1) 보험 가입자 •   • ㉠ 보험 가입자가 매달 내는 돈.

(2) 보험자   •   • ㉡ 보험에 가입하는 계약.

(3) 보험 계약   •   • ㉢ 보험에 가입하는 사람.

(4) 보험료   •   • ㉣ 보험을 운영하는 회사 및 기관.

(5) 보험금   •   • ㉤ 보험자가 위험을 당한 보험 가입자에게 지급하는 돈.

[4~5] 보기 를 읽고 다음 물음에 답하세요.

> **보기**
>
> 　짱구는 4,000만 원을 주고 자동차를 산 후, 자동차 사고에 대비하여 자동차 보험에 가입하였다. 짱구는 보험에 가입하면서 '보험 가액'을 자동차를 산 가격 전체로 정했고, '보험 가입 금액'은 2,000만 원으로 정했다. 그러던 어느 날, 짱구는 자동차 사고를 당했는데, 다행히 몸은 다치지는 않았지만 부서진 자동차를 수리하는데 1,000만 원이 들었다.

4 이 글을 바탕으로 보기 의 상황을 이해한 내용으로 적절하지 <u>않은</u> 것은 무엇인가요?

(　　　)

① 짱구가 자동차 사고로 인해 입은 실제 손해액은 수리비인 1,000만 원이다.

② 짱구가 자동차 사고로 받을 수 있는 보험금의 최대 금액은 2,000만 원이다.

③ 짱구의 자동차 사고로 인해 보험 가액과 보험 가입 금액을 다시 계산해야 한다.

④ 짱구가 이 자동차 사고로 받게 되는 보험금은 '비례 보상 원칙'에 따라 계산된다.

⑤ 짱구는 자동차 사고로 입을 수 있는 피해의 최대 금액을 4,000만 원으로 정했다.

5 짱구가 실제로 받는 보험금은 얼마인가요? (　　　)

① 500만 원　　　　② 700만 원　　　　③ 1,000만 원

④ 2,000만 원　　　⑤ 4,000만 원

한줄 요약

6 빈칸에 알맞은 말을 넣어 이 글의 핵심 내용을 한 문장으로 요약하세요.

　사람들은 미래에 발생할 수 있는 위험에 대비하기 위해 ☐☐ 에 가입하며, 실제 사고가 났을 때 보험자가 보험 가입자에게 지급하는 보험금은 ☐☐ ☐☐ 에 따라 정해진다.

지문 속 필수 어휘

낱말의 뜻을 참고하여, 빈칸에 알맞은 낱말을 넣어 문장을 완성하세요.

➊ 자연은 일상에 지친 사람들의 마음을 ㅊ 유 하는 데 도움이 된다.

　　　　　　　　　　　　　　　치료하여 병을 낫게 함.

➋ 누가 시키지 않아도 봉사 활동에 자 ㅂ ㅈ 으로 참여하는 학생들이 많다.

　　　　　　　　　남이 시키거나 요청하지 않아도 자기 스스로 행하는. 또는 그런 것.

➌ 그는 아무런 보 ㅅ 을 바라지 않고 나를 도와주었다.

　　　　어떤 것에 대한 대가로 갚음.

문제 속 개념어

분류 分 나눌 분, 類 무리 류

'분류'란 비슷한 성질을 가진 것끼리 묶거나 나누는 것을 말합니다.

예를 들어 '개, 고양이, 참치, 고등어, 악어, 도마뱀'이 있다고 할 때, 비슷한 성질을 가진 것 끼리 묶어 '개, 고양이'는 '포유류', '참치, 고등어'는 '어류', '악어, 도마뱀'은 '파충류'로 분류 할 수 있습니다. 그리고 '포유류', '어류', '파충류'는 다시 '동물'로 묶을 수 있지요. 또 반대로 '동물'에 속하는 대상을 비슷한 성질을 가진 것끼리 나누어 '포유류', '어류', '파충류', '양서 류', '조류' 등으로 분류할 수도 있습니다.

묶어 팔기

어휘 수준 ★★★★★ (하 중 상)
글감 수준 ★★★★★
글의 길이 1,302자

14분 안에 풀어보세요.

'묶어 팔기'는 2개 이상의 서로 다른 상품을 한꺼번에 묶어 파는 것을 말한다. 판매자가 이러한 묶어 팔기를 시도하는 이유는 이윤을 극대화하기 위해서이다. 그렇다면 여러 상품들을 따로 팔 때보다 묶어 팔 때 ㉠판매자의 이윤이 더 커지는 이유가 무엇일까?

어떤 카페에서 커피와 케이크 두 상품을 ㉡판매하고 있는데 A와 B 두 소비자가 있다고 가정해 보자. 소비자가 각 상품을 사기 위해 낼 마음이 있는 최대한의 가격을 '유보 가격'이라 부르는데, A와 B가 생각하는 유보 가격이 아래의 표와 같다고 해 보자.

	커피	케이크	총합
A의 유보 가격	5,000원	7,000원	12,000원
B의 유보 가격	8,000원	4,000원	12,000원

만약 커피가 7,000원이라면, 유보 가격이 5,000원인 A는 비싸다고 생각하여 커피를 마시지 않을 것이고, B는 애초에 8,000원까지 낼 마음이 있었으므로 7,000원짜리 커피를 기꺼이 마실 것이다.

그럼 이제 본격적으로 묶어 팔기에 대해 생각해 보자. A는 케이크에 대해 B보다 더 큰 금액을 낼 마음이 있는 데 비해, B는 커피에 대해 A보다 더 큰 금액을 낼 마음이 있다. 만약 커피와 케이크를 따로 팔기로 결정한다면 커피의 가격은 5,000원으로, 케이크의 가격은 4,000원으로 정해야 한다. 그래야 두 사람 모두에게 커피와 케이크를 판매할 수 있기 때문이다. 이 경우 (2명×5,000원)+(2명×4,000원)으로 판매자의 총수입은 18,000원이 된다. 그런데 12,000원에 이 둘을 묶어 팔아 두 사람이 모두 구매하게 되면 총수입은 '2명 ×12,000원', 즉 24,000원으로 증가하게 된다. 이렇게 묶어 팔기를 할 때의 수입이 따로 팔 때보다 더 커지는 것은 두 사람의 상품에 대한 선호가 서로 다르기 때문이다. 이와 같이 각 상품의 유보 가격이 한쪽은 높고 한쪽은 낮은 경우, 판매자는 묶어 팔기를 통해 이득을 얻을 수 있다.

그런데 개별 상품에 대한 유보 가격의 합은 소비자마다 다를 수 있다. 만약 모든 소비자가 묶음 상품을 구매하게 하려면 가장 낮은 유보 가격의 합을 묶음 상품의 가격으로 정해야 한다. 그런데 이렇게 가격을 낮게 정하게 되면 판매자의 수입이 상대적으로 적어지는 결과가 빚어진다. 그렇기 때문에 판매자가 이익을 얻기 위해서는 묶어 파는 상품의 가격을 비교적 높은 수준으로 정해야 한다. 그렇게 되면 두 상품에 대한 유보 가격의 합이 묶음 상품의 가격보다 높은 소비자의 경우 묶음 상품을 사겠지만, 그렇지 않은 소비자의 경우에는 묶음 상품을 사지 않고 개별 상품을 따로 사려고 할 것이다. 그래서 판매자는 묶어 팔기도 하고 따로 팔기도 하여 판매 수입을 늘리려고 한다. 이렇게 묶어 팔기도 하고 따로 팔기도 하는 판매 전략을 가리켜 '혼합 묶어 팔기'라고 한다.

● **이윤**(利 이로울 이, 潤 불을 윤)
장사 따위를 하여 남은 돈. 이익.

● **극대화**(極 다할 극, 大 클 대, 化 될 화)
아주 커짐. 또는 아주 크게 함.

● **선호**(選 가릴 선, 好 좋을 호)
여럿 가운데서 특별히 가려 좋아함.

1 이 글에 대한 설명으로 알맞은 것은 무엇인가요? (   )

① 물음의 형식으로 독자의 관심을 유도한다.
② 시간적 순서에 따라 단계적으로 설명한다.
③ 두 대상을 비교한 후 공통점을 찾아 나열한다.
④ 글쓴이의 경험으로부터 **중심 화제**를 이끌어 낸다.
⑤ 한쪽의 관점에서 다른 관점을 일관되게 비판한다.

2 이 글을 이해한 내용으로 적절하지 <u>않은</u> 것은 무엇인가요? (   )

① 묶어 팔기를 시도하는 이유는 이윤을 극대화하기 위해서이다.
② 혼합 묶어 팔기는 묶어 팔기도 하고 따로 팔기도 하는 판매 전략이다.
③ 유보 가격은 소비자가 어떤 상품을 사기 위해 낼 마음이 있는 최대한의 가격이다.
④ 어떤 상품에 대한 유보 가격이 높으면 그 상품을 선호하는 정도가 낮다는 뜻이다.
⑤ 소비자는 개별 상품에 대한 유보 가격의 합보다 묶음 상품의 가격이 높지 않아야 묶음 상품을 산다.

3 이 글을 바탕으로 보기1 , 보기2 를 이해한 내용으로 적절하지 <u>않은</u> 것은 무엇인가요?
(   )

보기1

	커피	케이크	총합
영수의 유보 가격	4,000원	7,000원	11,000원
은성의 유보 가격	5,000원	3,000원	8,000원

보기2

A 카페 메뉴판	커피	케이크	커피+케이크 세트
	5,000원	6,000원	10,000원

① 은성은 A 카페의 그 어떤 상품도 구매할 마음이 생기지 않을 것이다.
② 보기1 은 개별 상품에 대한 유보 가격이 소비자마다 다름을 보여 준다.
③ 영수가 개별 상품을 구매한다면 커피보다는 케이크를 구매할 가능성이 크다.
④ A 카페의 판매자는 은성과 같은 소비자에게 개별 상품을 판매하려는 의도가 있다.
⑤ A 카페의 판매자는 영수와 같은 소비자에게 '커피+케이크 세트'를 판매하려는 의도가 있다.

4 보기 는 묶어 팔기와 관련된 사례들입니다. 이 글을 바탕으로 보기 의 ㈀~㈁을 평가한 것으로 적절하지 <u>않은</u> 것은 무엇인가요? (　　　)

> **보기**
>
> ㈀ 영화관 매점에서는 팝콘과 콜라를 묶음으로 구매하면 각각의 상품을 개별적으로 구매하는 가격보다 할인된 가격을 적용받는다.
>
> ㈁ ○○ 과자는 다른 과자와 묶어서만 판매하기 때문에, ○○ 과자를 먹기 위해서는 다른 과자를 함께 구입해야 한다.
>
> ㈂ ◇◇ 가구점에서 책상과 의자를 묶어 판매함으로써, 따로 판매할 때보다 배송 횟수를 줄일 수 있게 되었다.
>
> ㈃ △△ 자동차 업체는 소비자의 편리함을 위해 자동차에 오디오나 에어컨을 함께 장착하여 판매해 오고 있다.
>
> ㈄ □□ 예식장에서 예식을 올리려면 □□ 예식장이 대여하는 의상이나 부대 용품을 함께 이용해야 한다.

① ㈀을 보니, 묶어 팔기로 인해 소비자도 경제적 이익을 얻을 수 있군.

② ㈁을 보니, 묶어 팔기로 인해 소비자가 상품을 자유롭게 선택할 수 있군.

③ ㈂을 보니, 묶어 팔기로 인해 판매자는 배송 비용을 줄여 이익을 얻을 수 있겠군.

④ ㈃을 보니, 묶어 팔기로 인해 소비자는 여러 상점을 돌아다니는 번거로움을 줄일 수 있겠군.

⑤ ㈄을 보니, 묶어 팔기로 인해 소비자는 원하지 않는 상품까지 구매할 수도 있겠군.

5 ㉠, ㉡과 뜻이 반대되는 낱말을 이 글에서 찾아 각각 쓰세요.

• ㉠ ↔ (　　　　)　　　　　　• ㉡ ↔ (　　　　)

6 빈칸에 알맞은 말을 넣어 이 글의 핵심 내용을 한 문장으로 요약하세요.

한줄 요약

　　□□□□ 는 2개 이상의 서로 다른 상품을 한꺼번에 묶어 파는 판매 전략인데, 소비자마다 각 상품에 대한 □□가 달라 □□□도 다르기 때문에, 판매자는 더 많은 소비자들에게 상품을 팔기 위해 묶어 팔기와 따로 팔기를 하는 □□ 묶어 팔기를 한다.

지문 속 필수 어휘

낱말의 뜻을 참고하여, 다음 문장의 빈칸에 들어갈 알맞은 낱말을 완성하세요.

❶ 인터넷 동호회는 보통 상업적 [이][○]을 추구하지 않는다.

　　　　　　　　장사 따위를 하여 남은 돈. 이익.

❷ 운동 효과의 [ㄱ][대][ㅎ]를 위해서는 정확한 자세가 필수적이다.

　　　아주 커짐. 또는 아주 크게 함.

문제 속 개념어

중심 화제 中 가운데 중, 心 마음 심, 話 말할 화, 題 표제 제

'중심 화제'란 글에서 다루고자 하는 이야깃거리를 일컫습니다. '이 글은 [　　　　　　]에 관한 글이다.'라고 할 때 [　　　　　　]에 해당하는 것이 바로 중심 화제입니다. 중심 화제는 설명하는 글에서 글쓴이가 구체적으로 설명하고 있는 대상과 관련되고, 주장하는 글에서 글쓴이의 주장이나 의견과 관련됩니다.

❸ **다음 글의 중심 화제를 생각하여 빈칸에 알맞은 말을 쓰세요.**

> 아르헨티나의 지저분한 항구 도시인 '보카'에 제1차 세계 대전 이후 수많은 유럽인들이 이민을 왔다. 그들은 대부분 생선 통조림 공장에서 일했는데, 그들은 생선 비린내에서 벗어나기 위해 아프리카 노예들의 춤과 쿠바 선원들의 무곡, 아르헨티나 목동의 노래를 뒤섞어 탱고를 만들어 추었다. 그 뒤 탱고는 차츰 유럽과 왕래가 잦던 사람들을 통해 유럽에 전해졌고 탱고 열풍이 전 유럽을 휩쓸게 되었다.

• 중심 화제: [　　] 가 만들어지게 된 배경과 전파

스타 시스템의 경제학

⏱ 12분 안에 풀어보세요.

어휘 수준 ★★★★★ 하 중 상
글감 수준 ★★★★★
글의 길이 1,622자

가 대중가요, 영화, 드라마와 같은 문화 상품이 생산되고 소비되는 산업을 '문화 산업'이라고 한다. 이 문화 산업에서는 '스타'가 중요한 역할을 한다. 텔레비전을 켜면 너무나 많은 가수와 배우가 존재하고 이들이 만든 작품들도 넘쳐 난다. 이런 상황에서 소비자인 대중이 작품과 배우 또는 가수를 하나하나 평가하기란 불가능하다. 그렇기 때문에 어떤 가수나 배우에게 붙은 스타라는 인식은 좋은 정보가 될 수 있다. 한 배우 혹은 가수가 그 분야에서 인정받는 스타라면, 그의 작품이 조금 더 좋은 것일 가능성이 있다는 정보를 주기 때문이다. 이렇게 스타를 중심으로 문화 산업이 유지되는 구조를 '스타 시스템'이라고 한다.

나 문화 산업에 스타 시스템이 생겨나는 이유를 경제학적으로 보면, 문화 상품을 소비하는 수요의 측면과 문화 상품을 만드는 공급의 측면으로 나누어 살펴볼 수 있다. 먼저 '수요' 측면에서 볼 때, 문화 상품은 ㉠대체 불가능성이라는 특성이 있다. 예를 들어 어떤 빵집에서 빵 한 개를 1,000원에 팔다가 그 빵이 다 팔리자, 맛과 품질은 비슷하지만 크기가 작은 빵 두 개를 1,000원에 팔았다고 생각해 보자. 이때 사람들은 반드시 한 개에 1,000원인 빵을 사겠다고 고집하지 않고, 한 개에 500원인 작은 빵 두 개를 살 수도 있을 것이다. 이런 경우 경제학에서는 500원짜리 작은 빵 두 개가 1,000원짜리 큰 빵을 대체했다고 설명한다. 즉 이 경우 두 종류의 빵은 ㉡대체 가능성이 있다고 말한다. 하지만 문화 상품에서는 이러한 대체 가능성이 적용되지 않는다. 예를 들어 영화나 드라마의 주인공 역할에 스타를 캐스팅하지 않고, 스타보다 상대적으로 덜 유명한 배우 두 명을 캐스팅했다고 생각해 보자. 만일 이렇게 만들어진 영화나 드라마가 있다면 사람들은 스타가 나올 때보다 그 영화나 드라마를 보지 않으려는 경향이 강할 것이다. 즉 문화 상품의 경우에는 스타에 대한 사람들의 수요를 스타가 아닌 다른 연예인으로 대체할 수 없다는 대체 불가능성을 가진다.

다 이번에는 '공급' 측면에서 살펴보자. 문화 산업에서 공급이란 음악, 영화, 드라마를 제작하고 소비자에게 판매하는 것을 의미한다. 현대 사회에서는 다른 상품들과 마찬가지로 문화 상품 역시 대량 생산과 대량 공급이 가능하다. 이렇게 대량으로 상품이 유통되는 것을 경제학에서는 '규모의 경제'라고 말한다. 문화 상품은 규모의 경제에 해당하는데, 이때 문화 상품을 생산하는 데에는 일정 정도 이상의 생산 비용이 필요하다. 하지만 다른 상품들은 더 많은 소비자들에게 제품을 팔기 위해서 추가적인 생산 비용이 필요하지만, 문화 상품은 한 명이 소비를 하든 백 명이 소비를 하든 추가적인 생산 비용이 필요 없다. 다만 문화 상품은 초기에 많은 생산 비용이 들어간다.

라 그런데 이렇게 대량으로 공급되는 문화 상품은 수요자인 소비자의 입장에서도 가격 차이가 없는 경우가 많다. 예를 들어 영화관에서 어떤 영화를 보든 관람료는 비슷하다. 바로 이 점 때문에 소비자들은 특정한 문화 상품으로 쏠리는 경향이 생긴다. 스타가 주인공인 영화와 무명 배우가 주인공인 영화 중 어떤 것을 선택할지 생각해 보면, 이러한 소비의 쏠림 현상을 쉽게 이해할 수 있다. 문화 상품의 공급자들은 같은 비용으로 더 많은 이익을 낼 수 있기 때문에 스타를 활용하며, 그 결과 스타 시스템이 만들어진다.

● **수요**(需 쓸 수, 要 요긴할 요)
어떤 재화나 용역을 일정한 가격으로 사려고 하는 욕구.

● **대체**(代 대신할 대, 替 바꿀 체)
다른 것으로 대신함.

1 이 글의 제목으로 가장 적절한 것은 무엇인가요? (　　　)

① 문화 산업의 개념과 문화 산업의 구조
② 문화 산업과 스타 시스템의 공통점과 차이점
③ 문화 산업에서 스타 시스템이 발생하는 이유
④ 스타 시스템이 경제학적 분석에 필요한 이유
⑤ 경제학적 관점에서 바라본 문화 산업의 장·단점

2 이 글의 구조를 도식화한 것으로 가장 알맞은 것은 무엇인가요? (　　　)

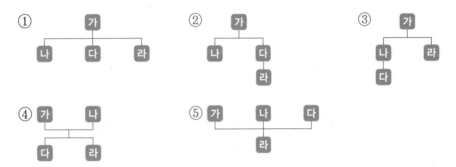

3 ㉠과 ㉡에 해당하는 사례를 보기 에서 골라 각각 기호를 쓰세요.

> 보기
> ㉮ 아이스크림 가격이 갑자기 많이 올라 대신 과자를 여러 개 샀다.
> ㉯ 용돈을 모아 캐릭터 상품을 사러 갔지만 모두 다 팔려 그냥 되돌아왔다.
> ㉰ 5개에 2,000원 하는 귤이 다 팔려, 크기가 작지만 10개에 2,000원 하는 귤을 사 왔다.
> ㉱ 좋아하는 배우가 나오는 영화표가 매진되자 다른 영화를 보지 않고 관람을 포기했다.

㉠에 해당하는 사례	㉡에 해당하는 사례

4 문화 상품의 특징으로 알맞은 것은 무엇인가요? (　　　)

① 대량으로 공급이 불가능하지만 초기에 생산 비용이 필요하다.

② 대량으로 공급이 불가능하지만 추가적인 비용은 들지 않는다.

③ 대량으로 공급이 가능하지만 생산 비용 자체가 필요하지 않다.

④ 대량으로 공급이 가능하지만 초기에 많은 생산 비용이 필요하다.

⑤ 대량으로 공급이 가능하며 추가적인 생산에 비용이 더 필요하다.

5 보기1 은 스타 시스템이 생겨나는 과정을 표로 나타낸 것입니다. 빈칸에 들어갈 알맞은 내용을 보기2 에서 찾아 차례대로 기호를 쓰세요.

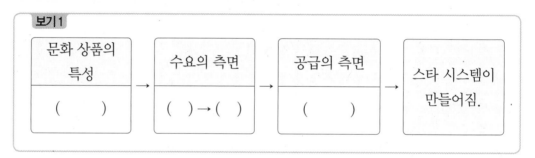

보기1

| 문화 상품의
특성
(　　) | → | 수요의 측면
(　) → (　) | → | 공급의 측면
(　　) | → | 스타 시스템이
만들어짐. |

보기2

ⓐ 문화 상품은 소비자의 입상에서 가격 차이가 없음.

ⓑ 소비자들은 좋아하는 스타의 문화 상품을 소비함.

ⓒ 문화 상품은 대량 생산이 가능하고 대량 공급이 가능함.

ⓓ 문화 상품 공급자들은 이익을 내기 위해 스타를 활용함.

한줄
요약

6 빈칸에 알맞은 말을 넣어 이 글의 핵심 내용을 한 문장으로 요약하세요.

'스타'라는 문화 상품은 수요 면에서 [　][　][　] 이 있고 공급 면에

서 ' [　][　] 의 경제'에 해당하는데, 가격에 큰 차이가 없어 소비자의

[　][　] 이 나타나므로 공급자들은 많은 이익을 내기 위해 [　][　][　]

을 만들었다.

지문 속 필수 어휘

낱말의 뜻을 참고하여, 다음 문장의 빈칸에 들어갈 알맞은 낱말을 완성하세요.

❶ 그녀는 이번 영화의 성공을 통해 세계 정상급 ｜ㅅ｜타｜로 발돋움했다.

높은 인기를 얻고 있는 연예인이나 운동선수.

❷ 그 감독은 자신의 영화에 신인 배우들을 ｜캐｜ㅅ｜ㅌ｜하였다.

연극이나 영화에서 배역을 정하는 일.

❸ 가수 출신인 배우는 첫 출연 작품에서 ｜ㅈ｜ㅇ｜공｜역을 맡게 되어 영광이라고 하였다.

연극, 영화, 소설 따위에서 사건의 중심이 되는 인물.

❹ 그는 ｜ㄷ｜체｜선수로 선발되었으나 경기에서 기대 이상의 활약을 하였다.

다른 것으로 대신함. '바꿈'과 같은 말.

문제 속 개념어

제목 題 맨 앞머리 제, 目 눈 목

'제목'은 독자가 글 전체의 내용을 짐작할 수 있도록 도와주는 역할을 합니다. 제목을 붙일 때는 글 전체의 내용이 포함되는 가장 중요한 내용이 무엇인지를 생각해야 합니다.

❺ **다음 내용을 모두 포함할 수 있는 제목으로 알맞은 것을 골라 ○표 하세요.**

> • 감기에 걸리는 이유
> • 감기에 걸리지 않는 데 도움이 되는 음식
> • 감기에 걸리지 않는 생활 습관

⑴ 감기가 발생하게 된 이유 (   )

⑵ 감기의 원인과 예방 방법 (   )

⑶ 감기에 걸렸을 때의 대처 방법 (   )

심장과 혈관의 구조

14분 안에 풀어보세요.

　우리 몸의 '심장'은 온몸의 조직 세포에 끊임없이 혈액을 공급하여 생명을 유지하는 데 중요한 역할을 한다. 심장은 가슴뼈 밑에 위치하고 있으며, 주먹 정도의 크기로 대부분 심장근이라는 근육으로 이루어져 있다. 또한 심장의 박동은 리듬을 가지고 규칙적으로 일어나는데, 수축할 때 심장에서 혈액을 내보내고 이완될 때 혈액이 심장으로 들어온다. 이러한 규칙적인 이완과 수축을 통해 혈액이 혈관을 따라 흐를 수 있도록 하는 것이다.

　심장에는 두 개의 심방과 두 개의 심실이 있다. '심방'은 심장으로 들어오는 혈액이 흐르는 정맥과 연결되어 있으며 비교적 얇은 근육으로 둘러싸여 있다. '심실'은 심장에서 나가는 혈액이 흐르는 동맥과 연결되어 있으며, 심방보다 두꺼운 근육층이 발달해 있어 더 강력한 수축력을 갖는다.

　심방과 심실 사이, 심실과 동맥 사이에는 '판막'이 존재하는데, 이들은 혈액이 역류하는 것을 방지하여 일정한 방향으로만 흐르도록 도와준다. 즉 판막은 한 방향으로만 열리는 구조로 심장 속 혈액이 심방에서 심실로, 심실에서 동맥으로 흐를 수 있게 한다. 심실의 수축과 이완에 따라 판막이 열리고 닫히는데, 우리가 친구의 가슴에 귀를 가까이 대었을 때 들리는 심장 소리는 바로 이 판막이 닫힐 때 나는 소리이다.

　이처럼 심장은 혈액을 순환시키며, 혈액은 몸 전체에 산소와 영양분을 공급하고 노폐물을 제거할 수 있도록 해 준다. 이러한 기능을 수행하기 위해 혈관들도 나뉘어 있는데, 혈관은 크게 모세 혈관, 동맥, 정맥으로 구분한다.

　'모세 혈관'은 동맥과 정맥을 이어주며 온몸에 그물처럼 퍼져 있는 혈관으로 셋 중에 가장 가늘다. 모세 혈관의 혈관벽은 하나의 세포층으로 이루어져 있어 매우 얇은데, 이러한 구조 때문에 혈액과 조직 세포 사이에 물질 이동이 쉽게 일어날 수 있다. 또한 모세 혈관에서 혈액의 흐름은 느려진다. 수도꼭지에 호스를 끼웠다고 생각해 보자. 수도를 틀면 물은 호스 어디에나 같은 속도로 흐를 것이다. 하지만 호스 끝에 좁은 주둥이를 달았다면 물은 그 주둥이를 통과할 때 훨씬 빠른 속도로 나오는 것을 볼 수 있다. 이는 주둥이의 단면적이 다른 부분에 비해 작기 때문에, 주둥이에서 물의 속도가 더 빠를 수밖에 없는 것이다. 마찬가지로 모세 혈관은 매우 많아서 총 단면적이 동맥이나 다른 혈관보다 넓다고 할 수 있다. 그 결과 모세 혈관에서는 느린 속도로 혈액이 이동하게 된다. 모세 혈관은 혈액과 조직 세포 사이의 물질 교환이 일어날 수 있도록 얇은 층을 갖는 유일한 지역이다. 혈액이 이 좁은 혈관을 천천히 흐르면 물질의 교환이 더 잘 일어나게 되는 것이다.

　'동맥'과 '정맥'은 모세 혈관에 비해 다소 복잡한 구조를 갖는다. 동맥과 정맥의 혈관벽은 모두 세 층으로 이루어져 있다. 하지만 동맥과 정맥은 큰 차이가 있는데, 우선 '동맥'은 정맥에 비해 훨씬 두꺼운 혈관벽을 갖는다. 동맥의 두꺼운 벽은 매우 강해서 심장이 뿜어낸 혈액의 ㉠높은 압력과 빠른 속도를 견딜 수 있고, 동맥벽의 탄력에 의해 동맥이 원래의 상태로 돌아오면서 심장이 이완되는 시기에도 혈압을 유지할 수 있다. 또한 신체 각 부위로 흐르는 혈액의 양을 조절하기도 한다. 반면 '정맥'은 심장으로 혈액을 운반하는 역할을 하

● **수축**(收 거둘 수, 縮 오그라들 축)
근육 따위가 오그라듦.

● **이완**(弛 느슨할 이, 緩 느릴 완)
굳어서 뻣뻣하게 된 근육 따위가 원래의 상태로 풀어짐.

● **역류**(逆 거스를 역, 流 흐를 류)
물이 거슬러 흐름.

● **단면적**(斷 끊을 단, 面 표면 면, 積 쌓을 적)
물체를 하나의 평면으로 자른 면의 넓이.

므로 압력을 거의 받지 않는다. 따라서 동맥에 비해 혈관벽이 얇은 편이며, 정맥에는 판막이 있어 혈액이 한 방향으로 흐르게 만든다.

정답과 해설 17쪽

1 이 글에 대한 이해로 적절하지 <u>않은</u> 것은 무엇인가요? (   )

① 동맥과 정맥은 모세 혈관과 달리 혈관벽이 여러 층으로 이루어져 있다.
② 판막은 한 방향으로만 열리며 판막이 닫히는 소리가 바로 심장 소리이다.
③ 심장은 대부분 근육으로 이루어져 있으며 규칙적으로 수축과 이완을 반복한다.
④ 심방은 온몸을 순환한 혈액이 되돌아오는 부분으로 두꺼운 근육층이 발달해 있다.
⑤ 모세 혈관에서는 얇은 층을 통해 혈액과 조직 세포 사이의 물질 교환이 일어난다.

2 이 글을 바탕으로 ⓐ～ⓓ에 들어갈 말을 알맞게 짝지은 것은 무엇인가요? (   )

혈액은 (ⓐ)에서 동맥을 통해 나가 모세 혈관과 정맥을 거쳐 심방으로 되돌아온다. 또한 혈관벽이 받는 압력은 혈관마다 다른데 (ⓑ)보다 (ⓒ)이 압력을 더 많이 받으며, 혈액이 흐르는 속도는 (ⓓ)이 가장 빠르고 모세 혈관에서 가장 느리다.

	ⓐ	ⓑ	ⓒ	ⓓ
①	심방	정맥	동맥	정맥
②	심방	동맥	정맥	동맥
③	심실	정맥	동맥	동맥
④	심실	동맥	정맥	동맥
⑤	심실	정맥	동맥	정맥

3 문맥상 ㉠과 같은 의미로 쓰인 것은 무엇인가요? (   )

① 장마철에는 습도가 <u>높다</u>.
② 사람들의 비난의 소리가 <u>높다</u>.
③ 지위가 <u>높을수록</u> 책임도 커진다.
④ 제주 감귤은 세계적으로 이름이 <u>높다</u>.
⑤ 서울에는 <u>높은</u> 고층 빌딩들이 늘어서 있다.

4 보기 는 심장 기능의 이해를 돕기 위한 사례입니다. 이 글의 심장과 **가장 유사한 것은** 무엇인가요? (   )

> **보기**
>
> 추운 겨울철 집 안을 따뜻하게 해 주는 보일러의 원리는 다음과 같다. 보일러에서 가열된 물은 펌프를 통해 집 바닥에 설치된 배관을 따라 흐르며 집 안을 순환한다. 따라서 보일러가 방에서 떨어진 곳에 설치되어도 보일러를 틀면 집 안이 따뜻해지게 된다.

① 가열된 물   ② 펌프   ③ 집 바닥
④ 배관   ⑤ 집 안

+ 수능연결

'유사'란 '서로 비슷함.'을 뜻합니다. 유사한 것을 찾는 문제는 글과 〈보기〉의 유사성을 찾는 것이 아니라, 이미 유사하다고 인정된 사례에서 유사한 요소들을 구체적으로 확인하는 문제입니다. 따라서 유사한 사례 간의 요소를 각각 대응하여 해결합니다.

> 실제로 지구와의 스윙바이를 통해 초속 8.9km의 속도를 얻은 '갈릴레오 호'로 인해 지구의 공전 속도는 1억 년 동안 1.2cm 쯤 늦어지게 되었다.

41. 〈보기〉는 스윙바이의 이해를 돕기 위한 사례이다. 윗글의 공전하는 행성과 **가장 유사한 것**은?

> 〈보기〉
>
> 어떤 사람이 궁수가 탄 말을 출발시켰다. 시속 30km로 달리는 말   **가장 유사한 것**
> 진행방향으로 시속 150km의 화살을 쏘아, 정면에 있는 과녁에 맞힌다면 궁수에게 화살은
> 시속 150km로 날아가는 것으로 보인   수능에는 다른 사례에 적용했을 때 비슷한
> 180km로 날아가는 것으로 관찰된다.   역할을 하는 것을 찾는 문제가 나와요.

① 어떤 사람   ② 달리는 말   ③ 화살
④ 정면에 있는 과녁   ⑤ 옆에 서 있는 사람

5 빈칸에 알맞은 말을 넣어 이 글의 핵심 내용을 한 문장으로 요약하세요.

한줄 요약

심장은 ☐☐ 과 ☐☐ 로 이루어져 있으며, 혈관은 ☐☐ , ☐☐ ,

☐☐☐ 으로 이루어져 있다.

지문 속 필수 어휘

다음 문장을 읽고, (   ) 안에 공통으로 들어갈 낱말을 완성하세요.

❶
- 심장이 (   )하면 심실의 혈액이 압력을 받는다.
- 차가운 물에 들어가자 다리의 근육이 (   )되었다.

❷
- 간호사는 환자의 오른팔 (   )에 주사를 놓았다.
- (   )은 심장을 중심으로 신체의 구석구석까지 뻗어 있다.

❸
- 연어는 알을 낳기 위해 강물의 흐름을 거스르며 (   )한다.
- 하수 시설이 제대로 되어 있지 않아서 장마가 지자 하수구의 물
  이 (   )하였다.

낱말의 뜻을 참고하여, 다음 문장의 빈칸에 들어갈 알맞은 낱말을 완성하세요.

❹ 사고를 방 ㅈ 하려면 대비를 철저히 해야 한다.
어떤 일이나 현상이 일어나지 못하게 막음.

❺ 그는 자신이 맡은 일을 성실히 수 ㅎ 했다.
생각하거나 계획한 대로 일을 해냄.

❻ 열차의 좌석을 흡연석과 금연석으로 구 ㅂ 해 놓았다.
일정한 기준에 따라 전체를 몇 개로 갈라 나눔.

❼ 찬 공기는 위에서 아래로, 뜨거운 공기는 아래에서 위로 순 ㅎ 한다.
주기적으로 자꾸 되풀이하여 도는 것.

머피의 법칙

13분 안에 풀어보세요.

어휘 수준 ★★★★★
글감 수준 ★★★★★
글의 길이 1,733자

본격 독해 훈련

살다 보면 되는 일도 있고 안 되는 일도 있다지만, 곰곰이 따져 보면 안 되는 일이 더 많다. 줄을 서면 꼭 다른 줄이 먼저 줄어들고, 중요한 만남이 있는 날에는 옷에 커피를 쏟거나 버스를 놓쳐 지각하기 일쑤다. 소풍날이면 어김없이 비가 내리고, 수능을 보는 날에는 한파가 몰아친다. "하필이면 그때……." 혹은 "일이 안 되려니까……." 같은 말을 우리는 얼마나 자주 사용하는가! 그럴 때마다 생각나는 법칙이 있으니 이름하여 '머피의 법칙'. 수많은 구체적인 항목들로 이루어진 머피의 법칙을 한마디로 요약하자면 '잘될 수도 있고 잘못될 수도 있는 일은 반드시 잘못된다.'는 것이다.

㉠머피의 법칙에 대해 과학자들은 그동안 별다른 관심을 보이지 않았다. 그들은 머피의 법칙은 단지 우스갯소리일 뿐, 종종 들어맞는다는 사실조차 우연이나 착각으로 여겨 왔다. 머피의 법칙을 반박할 때 그들이 즐겨 사용하는 용어가 있는데, 바로 '선택적 기억'이다. 우리의 일상은 갖가지 사건과 경험으로 가득 채워져 있지만, 대부분 스쳐 지나가는 경험일 뿐 일일이 기억의 형태로 머릿속에 남진 않는다. 그러나 공교롭게도 일이 잘 안 풀린 경우나 아주 재수가 없다고 느끼는 일은 아주 또렷하게 기억에 남는다. 결국 시간이 지나고 나면 머릿속엔 재수가 없었던 기억들이 상대적으로 많아진다는 것이다. 소풍 때마다 비가 오고 수능 시험 날이면 어김없이 추위가 기승을 부리는 것도 이상한 일이 아니다. 봄비가 한창인 4월 무렵에 소풍날을 잡고, 안 추우면 이상한 11월 중순에 수능 시험 날짜를 정해 놓고, 비가 안 오고 날씨가 따뜻하기를 바라는 심보는 또 뭔가!

선택적 기억만으로는 설명하기 어려운, 머피의 법칙이 그토록 잘 들어맞는 이유를 과학적으로 다르게 증명할 수도 있다. ㉡마트나 혹은 현금 인출기 앞에 길게 늘어선 줄을 보고 '어느 줄에 설까'를 고민해 보지 않은 사람은 없을 것이다. 순간적인 눈 굴림과 조잔한 잔머리를 동반해 '사소한 일에 목숨 거는' 고민 끝에 제일 빨리 줄어들 것 같은 줄에 서지만, 늘 다른 줄들이 먼저 줄어든다. 도대체 그 이유는 무엇일까? 다른 줄에 섰으면 지금쯤 계산이 끝났을 텐데 말이다.

이 문제는 조금만 생각해 보면 당연한 결과라는 것을 알 수 있다. 만약 마트에 열두 개의 계산대가 있다고 가정해 보자. 공교롭게도 내가 선 줄의 계산대가 말썽을 일으킨다거나 사람들이 물건을 많이 사서 유독 계산이 느리게 진행될 수도 있겠지만, 평균적으로는 다른 줄과 별 차이가 없다고 가정할 수 있다. 다른 줄에서도 그런 일이 벌어질 가능성은 얼마든지 있기 때문이다. 사람들은 늘 가장 짧은 줄 뒤에 서려고 할 것이므로 줄의 길이도 대개 비슷할 것이다. 그렇다면 이 경우 평균적으로 내가 선 줄이 가장 먼저 줄어들 확률은 얼마일까? 그것은 당연히 12분의 1이 될 것이다. 다시 말하면, 다른 줄이 먼저 줄어들 확률이 12 중에 11이나 된다는 것이다. 여간 운이 좋지 않다면, 어떤 줄을 선택하든 결국 나는 다른 줄이 먼저 줄어드는 것을 지켜볼 수밖에 없다.

줄 서기를 통해 증명했던 머피의 법칙들은 우리에게 무슨 이야기를 들려주고 있는 걸까? 세상에는 되는 일보다 생각대로 안 되는 일이 훨씬 더 많다. 더 나은 상황이란 언제든

● **한파**(寒 찰 한, 波 물결 파)
겨울철에 기온이 갑자기 내려가는 현상.

지 있게 마련이다. 일이 안 될 때마다 우리는 머피의 법칙을 떠올리며 '나는 굉장히 재수가 없구나.'라고 생각하지만 과학적 계산은 그것은 '재수의 문제'가 아니라는 것을 말해 준다. 어쩌면 우리가 그동안 바라왔던 것들이 이 세상에서는 상당히 무리한 요구였는지도 모른다.

정답과 해설 **18쪽**

1 **이 글의 내용과 일치하지 않는 것은 무엇인가요? (   )**

① 수능을 보는 날에 추위가 닥치는 것은 이상한 일이다.
② 사람들은 불행한 일이 자신에게만 자주 생긴다고 여긴다.
③ 재수 없는 일이 일어나는 것은 과학적으로 증명할 수 있다.
④ '머피의 법칙'의 예로 야외 활동이 있는 날에 비가 오는 것을 들 수 있다.
⑤ '머피의 법칙'은 자신의 기대와는 달리 잘못되는 일이 일어나는 현상이다.

2 **이 글에서 말하는 '선택적 기억'에 대한 설명으로 알맞은 것은 무엇인가요? (   )**

① 내가 관심을 두려고 노력해야 기억할 수 있다.
② 우리 일상의 소소한 모든 일들이 기억에 남는다.
③ 모든 경험이 기억되지만 우리가 알지 못할 뿐이다.
④ 나의 일보다 다른 사람과 관련된 일이 더 기억에 남는다.
⑤ 부모님께 야단맞은 날이 아무 일 없이 지나간 날보다 더 기억에 남는다.

3 **ⓒ과 같은 행동을 하는 사람에게 해 줄 수 있는 글쓴이의 조언으로 적절한 것은 무엇인가요? (   )**

① 제일 빨리 줄어들 것 같은 줄에 서야 합니다.
② 줄에 서 있다가 빨리 줄어드는 줄이 있으면 옮겨 가야 합니다.
③ 다른 줄이 빨리 줄어든다고 느끼지 않도록 주변을 둘러보지 않으면 됩니다.
④ 줄을 고르는 것이 사소한 일 같지만 중요한 선택이니 신중하게 판단해야 합니다.
⑤ 어느 줄에 서든 줄이 줄어드는 시간은 평균적으로 비슷하니 고민할 필요가 없습니다.

4 ㉠의 이유로 적절하지 <u>않은</u> 것은 무엇인가요? (　　　)

① '머피의 법칙'이 일어나는 것은 우연일 뿐이다.

② '머피의 법칙'은 농담 삼아 말하는 우스갯소리다.

③ '머피의 법칙'이 들어맞는 것은 사람들의 착각에 불과하다.

④ '머피의 법칙'은 비과학적인 믿음으로 과학의 대상이 아니다.

⑤ '머피의 법칙'을 과학적으로 증명하는 것은 너무 힘든 일이다.

+ 수능연결

'이유'란 '어떠한 결론이나 결과에 이른 까닭이나 근거'를 말합니다. 어떤 결과에 대해 그 일이 일어나게 된 이유는 글에 직접 제시되는 경우도 있고, 여러 내용을 바탕으로 추리해야 하는 경우도 있습니다. 이유를 생각하며 글을 읽으면 글의 내용을 논리적으로 이해할 수 있습니다.

22. ㉠의 이유로 가장 적절한 것은?

㉠의 이유 　산의 기회비용이 자국의 자동차 생산의 기회비용보다 크기 때문이다.

　산의 기회비용이

③ B국의 신발 생산의 기회비용c

④ 이용 가능한 생산요소를 모두 　　　지기 때문이다.

⑤ 이용 가능한 생산요소를 모두 투입했을 때, B국의 자동차 생산량보다 신발 생산량이 더 커지기 때문이다.

> 수능에는 특정 내용과 관련해 그것이 나타나게 된 이유(배경, 까닭, 근거 등)를 이해하는 문제가 나와요.

5 빈칸에 알맞은 말을 넣어 이 글의 핵심 내용을 한 문장으로 요약하세요.

한줄요약

'□□의 법칙'은 잘될 수도 있고 잘못될 수도 있는 일은 반드시 잘못된다는 것인데, 이것은 우리의 □□□ 기억의 잘못이거나 현실에서 □□적으로 너무나 당연한 결과를 무리하게 요구하는 것이다.

지문 속 필수 어휘

다음 문장을 읽고, ( ) 안에 공통으로 들어갈 낱말을 완성하세요.

❶

- 그는 어제의 기억을 (   ) 더듬어 보았다.
- 형은 방에 틀어박혀 뭔가를 (   ) 생각하고 있다.

ㄱ	ㄱ	이

❷

- 그는 책 읽기를 몹시 좋아해서 한번 책을 잡았다 하면 밤새우기
  가 (   )다.
- 동생은 덥다고 이불을 차내고 잠자기가 (   )더니 감기에 걸
  리고 말았다.

일	쑤

❸

- 그는 (   )가 좋았던지 복권에 당첨되었다.
- 휴대폰을 잃어버리다니 오늘은 정말 (   )가 없는 날이다.

재	ㅅ

낱말의 뜻을 참고하여, 다음 문장의 빈칸에 들어갈 알맞은 낱말을 완성하세요.

❹ 오늘 아침 미세 먼지가 걷히겠지만, | ㅎ | 파 |가 몰아치겠습니다.

기온이 갑자기 내려가는 현상.

❺ 엄숙한 분위기에서 실없이 | 우 | ㅅ | ㄱ | ㅅ | 리 |를 하면 사람이 가벼워 보인다.

남을 웃기려고 하는 말.

❻ 동생과 나는 가족 | 동 | ㅂ |으로 여행을 가곤 한다.

함께 짝을 함.

❼ 다른 사람을 이용만 하려고 드는 | 심 | ㅂ |가 괘씸하다.

마음보. 마음을 쓰는 속 바탕.

문단을 연결하면 전체가 보인다

한 편의 글은 여러 개의 문단으로 구성되어 있습니다. 그리고 각각의 문단은 서로 다른 내용을 담고 있지요. 우리는 글을 읽을 때 차례대로 한 문단씩 읽어 내려갑니다. 여러분이 어떤 글을 읽고 이해하는 것은 결국 '무엇에 대한 내용이지?'라는 물음의 답을 찾아 가는 과정이라고 볼 수 있어요.

● **㉮는 어떤 대상의 일부입니다. 무엇을 나타낸 것 같나요?**

(가)

배경이 우주인 것 같아요. 동그라미의 윗부분을 보니 어느 행성이 아닐까 짐작됩니다.

● **㉯는 ㉮의 일부입니다. 두 그림을 연결해 보면 무엇을 나타낸 것 같나요?**

(나)

이번에는 큼직한 고리가 보이네요. 이렇게 고리가 선명하게 보이는 행성이라면 '토성'으로 짐작됩니다.

그림의 일부만 보아서는 전체를 파악하기 어려운 것처럼, 글을 읽을 때도 마찬가지입니다. **문단별로 중심 내용을 찾고 그것들을 연결해서 이해해야 글의 전체적인 내용을 파악할 수 있습니다.**

● **다음 글은 무엇에 대한 내용일까요?**

> (가) 시골 어디에서나 쉽게 볼 수 있었던 반딧불이가 점점 사라지고 있다. 가뜩이나 공기가 탁해지고 물이 오염되어 반딧불이의 서식지가 줄어들고 있는데, 이제는 밤을 밝히는 환한 인공 불빛 때문에 암수가 서로의 위치를 찾기 어려운 지경에 이른 것이다.

아마 많은 친구들이 '반딧불이'에 대한 글이라고 생각했을 거예요.
그럼 이어지는 다음 문단을 읽어 볼게요.

> (나) 인공 불빛으로 인해 반딧불이뿐 아니라 식물도 피해를 입고 있다. 모든 식물은 자연의 이치에 따라야 제대로 자란다. 그런데 밤이 낮처럼 환해지면서 생태계의 질서가 파괴되어 식물이 돌연변이를 일으키게 되었다.

(나)는 '인공 불빛'으로 인해 식물이 피해를 입고 있다는 내용입니다. (가)와 (나)를 연결해 보면, '반딧불이'에 관한 내용은 일부일 뿐이고, 이 글에서 하고 싶은 말은 '인공 불빛'에 관한 내용임을 알 수 있어요. 두 문단의 내용은 다음과 같이 정리할 수 있습니다.

(가)	인공 불빛의 부정적 영향 ① – 반딧불이가 사라짐.
(나)	인공 불빛의 부정적 영향 ② – 식물이 돌연변이를 일으킴.

(가)의 '반딧불이'와 (나)의 '식물'에게 부정적인 영향을 끼치는 공통된 대상은 바로 '인공 불빛'입니다. 즉 이 글은 인공 불빛의 부정적인 영향에 대해 이야기하고 있는 것이지요. 이는 (가)만 보아서는 알기 어렵고, (가)와 (나)를 연결하여 통합적으로 이해해야 알 수 있습니다.

이렇게 글을 읽을 때는 <mark>앞 문단의 내용에 뒷 문단의 내용을 더해 가며 이해해야 글 전체에서 하고 싶은 말을 파악할 수 있습니다.</mark>

> " 독해를 할 때는 조각난 퍼즐을 맞춰 나가듯
> 문단과 문단의 내용을 연결해
> 전체 내용을 파악해야 해요. "

조류 독감(AI)과 지구의 자전축

⏱13분 안에 풀어보세요.

어휘 수준 ★★★★☆
글감 수준 ★★★★☆
글의 길이 1,727자

우리가 살고 있는 지구는 일 년에 한 바퀴씩 원을 그리며 태양의 주변을 돌고 있다. 지구가 태양을 중심으로 1년에 한 바퀴씩 원을 그리며 움직이는 것을 지구의 '공전'이라고 한다. 지구는 쉬지 않고 공전하면서, 동시에 팽이처럼 쉬지 않고 빙글빙글 돈다. 그리고 이와 같이 지구가 제자리에서 빙글빙글 도는 운동을 지구의 '자전'이라고 한다. 그런데 지구는 팽이처럼 꼿꼿하게 선 채로 자전하지 않는다. 왜냐하면 자전의 중심인 자전축이 기울어져 있기 때문이다. 지구의 자전축은 약 23.5° 기울어져 있다.

우리나라가 1년에 사계절이 나타나는 것은 이와 같이 자전축이 기울어져 있기 때문이다. 자전축이 Ⓐ와 같이 태양과 가까운 쪽으로 기울어지면, 북반구에 위치한 우리나라는 햇빛을 받는 양이 많아지기 때문에 여름이 된다. 반대로 지구의 자전축이 Ⓑ와 같이 태양과 먼 쪽으로 기울어지면, 우리나라가 받는 햇빛의

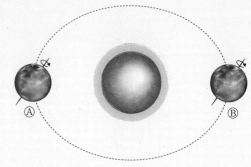

양이 줄어들어 겨울이 된다. 지구의 자전축이 기울어지지 않았더라면, 더운 곳은 항상 덥고 추운 곳은 항상 추웠을 것이다. 그리고 모든 생물들은 한 가지 기후에만 적응하고, 한 자리에서 그대로 살면 되었을 것이다. 그러나 자전축은 기울어 있고 덕분에 우리나라는 제법 뚜렷한 사계절이 나타나며, 이런저런 많은 생물들은 계절에 따라 먹이를 찾기 위함이라는 등의 이유로 우리나라를 찾아온다.

계절을 따라 우리나라를 찾는 생물의 대부분을 차지하는 것은 바로 '새'이다. 통계적으로 우리나라에서는 600여 종의 새를 볼 수 있다고 알려져 있는데, 사계절 모두를 우리나라에서 나는 텃새는 70여 종 정도밖에 되지 않는다. 나머지는 모두 계절을 따라 우리나라로 찾아오는 철새이다. 우리나라를 찾아오는 철새들이 많은 만큼, 우리나라는 뉴스나 다큐멘터리 등을 통해 어떤 철새가 우리나라를 찾았다는 소식을 알리며 반가워하기도 하고, 철새 보호를 위해 철새 도래지를 지정하기도 하는 등의 활동을 해 왔다. 그러나 반가움의 대상이었던 철새들이 요즈음에는 예전만큼 환영을 받지 못하고 있다. 바로 조류 독감(AI, Avian Influenza) 때문이다. 우리나라는 2003년 이래로 거의 매년 AI가 발생하고 있다. 그런데 AI가 발생하고 유행하는 시기가 항상 겨울 철새들이 우리나라에 머무를 때이다. 그러다 보니 겨울 철새가 우리나라 AI의 원인이자 근원지로 의심을 받고 있다.

AI에 걸린 닭이나 오리가 발견되면, 발견 지점으로부터 반경 3km 안에 있는 닭, 오리 등을 모조리 죽여 땅에 묻어야 한다. 2016년 겨울, 우리나라의 가금류 중 20%가 훌쩍 넘는 3,500만 마리의 닭과 오리가 바로 이 AI 때문에 살처분되었다.

많은 전문가들이 겨울 철새에게 AI의 책임을 ㉠지우려고 하는데, 정말 그 책임이 겨울 철새에게 있는 것일까? 물론 철새가 AI를 퍼뜨리지 않는다고 보기는 어렵다. 그러나 겨울 철새들 중 10~20%가 우리나라에서 생을 마감하는데, 그들 중 AI에 걸려 죽는 경우는

● **자전축**(自 스스로 자, 轉 구를 전, 軸 굴대 축)
천체(우주에 존재하는 모든 물체)가 자전할 때 중심이 되는 축.

● **도래지**(渡 건널 도, 來 올 래, 地 땅 지)
철새 따위가 다른 곳에서 들어와 머무는 곳.

● **가금류**(家 집 가, 禽 날짐승 금, 類 무리 류)
알이나 고기를 먹기 위하여 집에서 기르는 날짐승을 통틀어 이르는 말.

● **살처분**(殺 죽일 살, 處 곳 처, 分 나눌 분)
병에 걸린 가축 따위를 죽여 없앰.

0.001%도 되지 않는다고 한다. 사람이 독감에 걸렸다고 해서 모두 죽는 것은 아닌 것처럼, 새들도 AI에 걸렸다고 해서 모두 죽는 것은 아니다. AI의 감염 여부보다는 감염된 생명의 건강 상태가 더 중요하다. 건강하지 못한 환경에서 사는, 건강하지 못한 개체에게 AI 감염이 치명적인 것이다.

AI의 책임을 철새들에게 묻는다면 이를 해결하기 위해 철새가 우리나라에 오지 못하게 해야 할 텐데, 이것이 과연 가능할까? 그렇지 않다면 우리가 할 수 있는 선에서 원인과 해결책을 찾고 이 문제를 해결하기 위해 노력하는 것이 맞지 않을까?

정답과 해설 **19쪽**

1 이 글에 사용된 글쓰기 방법으로 적절하지 <u>않은</u> 것은 무엇인가요? (   )

① 공전, 자전 등 개념의 의미를 설명하고 있다.
② 구체적인 수치와 통계 자료를 활용하고 있다.
③ 독자의 이해를 돕기 위해 시각 자료를 활용하고 있다.
④ 전문가의 의견을 인용하여 주장의 타당성을 확보하고 있다.
⑤ 질문을 던지면서 글을 마무리하여 독자에게 생각할 거리를 주고 있다.

2 이 글의 내용과 일치하지 <u>않는</u> 것은 무엇인가요? (   )

① 철을 따라 옮기지 않고 사계절을 우리나라에서 나는 새는 약 70여 종이다.
② 우리나라는 2003년 이후로 거의 매해 겨울마다 조류 독감이 유행하고 있다.
③ 지구의 자전축이 태양과 먼 쪽으로 기울어지면 우리나라의 날씨는 추워진다.
④ 지구는 태양을 중심으로 1년에 한 번씩 원을 그리며 움직이는 자전 운동을 한다.
⑤ 우리나라의 가금류 중 20%가 넘는 닭, 오리 등이 2016년에 조류 독감으로 인해 살처분되었다.

3 이 글을 통해 글쓴이가 궁극적으로 말하고자 하는 것은 무엇인가요? (   )

① 조류 독감이 퍼지는 이유는 겨울 철새 때문이다.
② 우리나라는 매해 조류 독감으로 몸살을 앓고 있다.
③ 다양한 종의 철새들이 우리나라에서 보호를 받고 있다.
④ 기울어진 자전축으로 인해 우리나라는 사계절이 나타난다.
⑤ 조류 독감의 피해가 큰 것은 우리가 기르는 닭이나 오리 등이 건강하지 않기 때문이다.

4 이 글을 읽고 짐작할 수 있는 내용이 <u>아닌</u> 것은 무엇인가요? (　　　)

① 조류 독감은 전염성을 가지고 있는 질병이다.

② 겨울 철새들을 우리나라에 찾아오지 못하게 하는 것은 불가능하다.

③ 글쓴이는 조류 독감으로 인한 피해의 원인을 결국 철새에게서 찾고 있다.

④ 건강하지 못한 가금류가 조류 독감에 감염되면 조류 독감을 이기지 못하고 죽는다.

⑤ 글쓴이는 조류 독감의 책임이 닭이나 오리 등을 건강하지 못한 환경에서 키운 우리 자신에게 있다고 여긴다.

5 밑줄 친 단어의 의미가 ㉠과 가장 유사한 것은 무엇인가요? (　　　)

① 나는 작업 현장에서 사흘 밤을 지우고 오늘 집에 왔다.

② 그는 얼굴에서 웃음기를 지우고 진지하게 그 일에 임했다.

③ 그녀는 그에게 벽에다 한 낙서들을 모두 지우라고 말했다.

④ 그 사람은 자신의 동생에게 무거운 짐을 지운 채로 한참을 걸었다.

⑤ 자신의 의무를 아랫사람에게 지우는 사람은 존경을 받지 못할 것이다.

6 빈칸에 알맞은 말을 넣어 이 글의 핵심 내용을 한 문장으로 요약하세요.

한줄
요약

겨울 □□ 가 우리나라를 찾아오는 시기에 □□□ 이 발생하고 유행하므로 그 책임을 겨울 철새에게 돌리는 견해가 있으나, 그 책임은 □□ 하지 못한 환경에서 가금류를 기르는 우리 안에서 찾아야 하고, 우리가 할 수 있는 선에서 이 문제를 해결하기 위해 노력해야 한다.

지문 속 필수 어휘

다음 문장을 읽고, (　　) 안에 공통으로 들어갈 낱말을 완성하세요.

❶
- 지구는 공전을 하면서 동시에 (　　)을 하고 있다.
- 우리나라에 사계절이 생기는 이유는 지구의 (　　)축 때문이다.

| ㅈ | 전 |

❷
- 천연두의 (　　)을 막기 위해 예방 접종을 하였다.
- 인터넷에서 자료를 받을 때에는 컴퓨터 바이러스의 (　　)을 조심해야 한다.

| 감 | ㅇ |

낱말의 뜻을 참고하여, 다음 문장의 빈칸에 들어갈 알맞은 낱말을 완성하세요.

❸ 교통사고로 생긴 상처가 그에게는 너무 | ㅊ | ㅁ | 적 |이었다.
생명을 위협하는, 또는 그런 것.

❹ 그가 범인이라는 것은 이미 | 뜨 | ㄹ | 한 | 사실이다.
엉클어지거나 흐리지 않고 아주 분명한.

❺ 그 동물은 환경의 변화에 | 적 | ㅇ |하지 못하고, 안타깝게도 목숨을 잃었다.
일정한 조건이나 환경 따위에 맞추어 응하거나 알맞게 됨.

다음 문장을 읽고, 두 낱말 중 알맞은 것을 찾아 ○표 하세요.

❻ 그는 이상한 말을 친구들에게 [퍼뜨려 / 퍼뜨러] 나를 모함했다.

❼ 우리는 밤새 모닥불을 [벙글벙글 / 빙글빙글] 돌면서 노래를 불렀다.

❽ 나는 고향 집에 한 사나흘 [머무르면서 / 머물으면서] 쉴 생각이다.

공룡은 왜 지구에서 사라졌을까

⏱ **14**분 안에 풀어보세요.

어휘 수준 ★★★★★
글감 수준 ★★★★★
글의 길이 1,449자

가 중생대의 약 1억 6,000만 년이라는 긴 세월 동안 지구를 지배했던 공룡. 지구 역사상 가장 강력한 동물이 무엇엔가 쫓겨 도망치고 있다. 어떤 강력한 힘이 이들을 정신없이 내몰고 있는 것일까? 수수께끼에 싸인 공룡 멸종의 미스터리를 추적해 보자.

나 공룡 멸종의 가장 유력하고도 설득력이 있는 학설은 '운석 충돌설'이다. 1980년 알베레스 등이 주장한 것으로 이리듐의 발견에 근거한다. 이리듐은 우주에 있는 운석에 많이 포함된 요소이다. 이들은 ㉠덴마크, 이탈리아, 뉴질랜드의 백악기와 신생기 제3기 경계에서의 퇴적층에 유난히 고농도의 이리듐이 발견되고 있는 것을 보고 이리듐을 많이 포함한 대운석이 지구에 충돌하여 지구 생물계에 대사건을 일으켰다고 주장한다. 운석 충돌설에 따르면 지름이 약 10km 정도인 운석이 지구와 충돌하면서 핵폭발의 몇 백 배와 같은 효과를 일으켰으며, 이때 발생한 대량의 먼지에 의해 태양 광선이 차단되어 지구가 급속히 식고 '핵겨울'이 찾아왔다고 한다. 그리하여 기온은 영하로 떨어지고 공룡과 같은 커다란 동물들이 적응하지 못해서 멸종되었다는 것이다.

다 두 번째는 '기온 저하설'이다. 중생대 당시의 기온은 현재보다 5~10도나 높았으나 중생대 말기에서 신생대 초기에 걸쳐 기온이 점점 떨어졌다는 주장이다. 그러나 공룡은 온혈 동물이었다는 설이 등장하면서 기온 저하가 영향을 주지 않았다는 반론도 나타났다. 그렇다 하더라도 공룡처럼 몸집이 거대한 동물은 많은 식량을 필요로 하기 때문에 중생대 말기의 기온 저하는 공룡의 멸종 원인이 될 수 있다고 한다.

라 세 번째는 '화산 활동설'이다. 이리듐은 운석 충돌에 의한 것이 아니라 화산 활동의 결과물이라는 주장이다. 즉 백악기 말기에는 인디아 대륙을 비롯한 많은 지방에서 매우 심한 화산 활동이 있었는데, 이리듐은 화산 활동에 의해 지구의 심부에서 나온 것이라는 설이다. 백악기 말기는 지구의 자기극이 서로 바뀌어 있었던 때이기도 하고 해수면의 저하도 있었으므로, 지구 내부에 변동이 있었다는 주장은 매우 매력적이기도 하다. 특히 이탈리아 지역에서 이리듐이 5회에 걸쳐 발견되었다고 하는데, 대운석이 5회나 연속 충돌하였다고 가정하는 데에는 무리가 있다. 즉 화산 활동이 태양 복사를 막고, 분화에 의해 대기로 올라간 산성비의 입자가 비로 내리면서 공룡을 멸종하게 만들었다고 한다.

마 네 번째는 '해수면 저하설'이다. 지질학자와 고생물학자들이 지층과 화석을 검토한 결과, 공룡이 일제히 멸종한 때에는 해수면이 내려가서 얕은 바다는 육지가 되었다는 것이다. 즉 해수면이 내려갔을 때에는 멸종이 일어나고, 해수면이 올라갔을 때에는 종의 증가를 볼 수 있다고 하여 설득력을 얻었다. 또한 해수면의 변동은 곧 해양 면적의 변화이므로, 기후 변동이 일어난다는 것도 충분히 예측할 수 있다.

● 퇴적층(堆 쌓을 퇴, 積 쌓을 적, 層 층 층)
암석의 부서진 조각이나 생물의 뼈 따위가 물이나 빙하, 바람 따위의 작용으로 운반되어 일정한 곳에 쌓이는 퇴적 작용으로 생긴 지층.

● 온혈 동물(溫 따뜻할 온, 血 피혈, 動 움직일 동, 物 물건 물)
조류나 포유류처럼 바깥 온도에 관계없이 체온을 항상 일정하고 따뜻하게 유지하는 동물.

● 심부(深 깊을 심, 部 떼 부)
깊은 부분.

바 이와 같이 공룡 멸종의 원인은 아직까지 명확하게 밝혀진 바가 없다. 어쩌면 영화에서처럼 살아 있는 공룡을 만날 수 있는 날이 다가올지 모른다.

정답과 해설 20쪽

1 공룡 멸종 학설과 그에 대한 설명으로 알맞은 것을 연결하세요.

(1) 기온 저하설   •

(2) 운석 충돌설   •

(3) 해수면 저하설 •

(4) 화산 활동설   •

• ⓐ 해수면이 내려갔을 때 기후 변동이 일어나 공룡이 멸종되었다는 학설.

• ⓑ 화산 활동이 태양 복사를 막고 분화에 의한 산성비 때문에 공룡이 멸종되었다는 학설.

• ⓒ 운석이 지구와 충돌할 때 발생한 대량 먼지로 인해 지구에 핵겨울이 찾아와 공룡이 멸종되었다는 학설.

• ⓓ 중생대 말기에서 신생대 초기에 기온이 저하되어 공룡이 멸종되었다는 학설.

2 이 글의 내용과 일치하지 <u>않는</u> 것은 무엇인가요? (   )

① 해수면의 변동은 기후 변동을 일으킬 수 있다.
② 중생대 말기의 기온 저하는 공룡의 멸종 원인이 될 수 있다.
③ 이리듐의 발견은 '운석 충돌설'과 '기온 저하설'의 주장과 관련이 있다.
④ 공룡 멸종의 가장 유력하고도 설득력 있는 학설은 운석 충돌설이다.
⑤ 공룡은 중생대의 약 1억 6,000만 년이라는 긴 세월 동안 지구를 지배했다.

3 보기 는 이 글을 읽고 추가로 찾아본 자료입니다. 가~마 중 보기 와 가장 관련 있는 문단은 어디인가요? (   )

> **보기**
>
> '크레이터'란 행성, 위성 따위의 표면에 보이는 움푹 파인 큰 구덩이를 말한다. 크레이터는 주로 행성 등이 천체 표면에 충돌하여 발생하는데, 많은 과학자들은 공룡 멸종의 흔적으로 크레이터를 찾기 시작하였다. 그 결과 1991년, 멕시코 유카탄 반도에서 공룡의 멸종 시기에 만들어진 것으로 추정되는 지름 18km의 크레이터를 인공 위성을 통해 발견하였다.

① 가   ② 나   ③ 다   ④ 라   ⑤ 마

4 ㉠이 '운석 충돌설'을 뒷받침하는 근거가 되는 이유는 무엇인가요? (   )

① 이리듐은 지구 내부 물질에 많이 섞여 있기 때문이다.

② 이리듐은 백금족에 속하는 은백색의 금속 원소이기 때문이다.

③ 이리듐은 오늘날에도 일부 화산 활동에서 방출되기 때문이다.

④ 이리듐은 우주에 있는 운석에 많이 포함된 요소이기 때문이다.

⑤ 이리듐은 마그마가 분출할 때 지구 내부 물질과 함께 나오는 것이기 때문이다.

5 보기 에 대해 보인 반응으로 알맞지 <u>않은</u> 것은 무엇인가요? (   )

> 보기
>
> ㈀ 중생대 말기에서 신생대 초기에 걸쳐 기온이 점점 떨어졌다.
>
> ㈁ 해수면의 변동은 곧 해양 면적의 변화이므로 기후 변동이 함께 일어난다.
>
> ㈂ 운석이 지구와 충돌하면서 대량의 먼지에 의해 태양 광선이 차단되어 지구가 급속히 식고 '핵겨울'이 찾아왔다.

① 현주: ㈀, ㈁, ㈂은 모두 기후 변화로 인한 공룡 멸종 학설과 관련이 있군.

② 병철: 그렇다면 공룡은 기온에 따라 영향을 받는 동물이라고 볼 수 있겠어.

③ 주희: 공룡 멸종의 원인을 알아내려면 이리듐이 운석 충돌의 결과물인지 화산 활동의 결과물인지 먼저 밝혀낼 필요가 있어.

④ 민수: 중생대는 현재보다 기온이 높았는데, 중생대 말기에서 신생대 초기에 기온이 떨어진 이유가 무엇인지 궁금해.

⑤ 혜영: 해수면이 내려가서 기후가 변동한 것인지 기후가 바뀌어서 해수면이 내려간 것인지 알고 싶어.

한줄
요약

6 빈칸에 알맞은 말을 넣어 이 글의 핵심 내용을 한 문장으로 요약하세요.

공룡이 멸종한 이유를 설명하기 위한 학설로 [ ][ ] 충돌설, [ ][ ] 저하설, [ ][ ] 활동설, [ ][ ][ ] 저하설 등이 있으나 아직까지 명확하게 밝혀진 바가 없다.

지문 속 필수 어휘

다음 문장을 읽고, (　) 안에 공통으로 들어갈 낱말을 완성하세요.

❶
- 그 사건에 대한 이번 검찰의 발표는 (　　)이 없다.
- 그의 이야기는 (　　)이 있어서 많은 사람들의 지지를 받았다.

`ㅅ ㄷ 력`

❷
- 그는 이번 사건의 (　　)한 용의자로 지목되었다.
- 내 동료의 기록이 가장 좋아서 우승 후보로 (　　)하다.

`ㅇ 력`

❸
- 이번 (　　) 폭발로 인근 지역이 연기와 화산재로 뒤덮였다.
- 일반적으로 큰 섬은 (　　)의 대폭발로 생겨난 것이 많다.

`ㅎ 산`

낱말의 뜻을 참고하여, 다음 문장의 빈칸에 들어갈 알맞은 낱말을 완성하세요.

❹ 인간이 `ㅁ 종`된 다음에는 침팬지나 수달이 지구를 지배할지도 모른다.
생물의 한 종류가 아주 없어짐. 또는 생물의 한 종류를 아주 없애 버림.

❺ 우주에서 지구로 `ㅇ 석`이 떨어지면서 파인 구멍을 보니 신기하다.
지구상에 떨어진 별똥. 대기 중에 돌입한 유성이 다 타 버리지 않고 땅에 떨어진 것을 말함.

❻ 조개껍질 더미가 사람 키보다 더 높은 `ㅌ ㅈ 층`으로 쌓여 있다.
암석의 파편이나 생물의 유해가 쌓여서 생긴 지층.

❼ 친구와 싸우면서 주고받은 말이 상처의 `심 ㅂ`를 건드렸다.
깊은 부분.

콜로세움과 로마의 건축 기술 ─

⏱13분 안에 풀어보세요.

어휘 수준 ★★★★★
글감 수준 ★★★★★
글의 길이 1,490자

가 이탈리아의 로마에는 '콜로세움'이라고 불리는 건축물이 있다. 이것은 로마 제국 시대에 만들어진 원형 경기장으로, 70년경에 건설이 시작되어 80년에 건축이 끝났다. 당시에 건립된 건축물 가운데 최대의 건축물로, 둘레의 길이가 500m가 넘고 4층으로 쌓은 외벽의 높이는 50m에 이른다. 콜로세움은 당시 검투사의 격투 시합, 맹수들과의 싸움이나 사냥 시합 등이 치러진 장소이다. 심지어 경기장에 물을 채워 해상 전투를 재현하기도 하였다. 이러한 싸움을 구경한 시민들은 일체감과 애국심을 느끼는 한편, 로마 제국에 대한 공포심을 느끼기도 했을 것이다.

나 4층으로 건축된 콜로세움은 신분과 성별에 따라 자리가 정해져 있었다. 1층의 가장 낮은 곳에는 특별석을 설치하여 황제, 원로 등이 관람하였고, 2층에는 귀족과 무사, 3층에는 로마 시민권자, 4층에는 여자, 노예, 빈민층이 자리 잡았다. 콜로세움은 5만여 명을 수용할 수 있었는데, 그 많은 관객들이 비상시에 빠르게 대피할 수 있을 정도로 건축 구조가 체계적이었다.

다 콜로세움은 현재 원형의 3분의 1만 남아 있지만 여전히 당시의 웅장함을 자랑한다. 2000년 동안 콜로세움은 어떻게 4층 높이의 무게를 견디어 낼 수 있었을까? 그 비밀은 바로 콜로세움을 강하고도 아름답게 하는, 80여 개에 이르는 아치(arch) 형태의 문에 있다. 500m가 넘는 콜로세움의 외벽을 에워싸며 수없이 반복되고 있는 아치 형태의 문은 공간을 만들어 외벽의 무게를 줄였을 뿐만 아니라, 간결하면서도 힘이 넘치는 아름다움까지 선사했다.

라 '아치'는 건축물의 무게를 지탱하기 위하여 창이나 출입구에 쐐기 모양의 돌이나 벽돌을 곡선형으로 쌓아 올린 구조물을 말한다. 쐐기 형태가 아치의 곡면을 이루어 무지개와 같은 모양을 형성하게 된다. 아치는 무게가 무거워질수록 더 견고해지는 특징을 가지고 있어 대형 공간 축조에 유리하다. 아치는 수직으로 내려오는 힘을 좌우로 골고루 분산시키는 중요한 기능을 한다.

마 아치를 확장시키면 '볼트(vault)'가 된다. 볼트는 아치를 수직 또는 수평으로 늘어뜨린 구조라 할 수 있는데, 문이나 창문에서 볼 수 있는 평면적인 아치가 모이면 삼차원적인 공간을 가진 볼트가 된다. 볼트는 대형 공간을 기둥 없이 만들 수 있다는 장점이 있다. 연속된 아치들로 이루어진 반원통 모양의 원통형 볼트(barrel vault), 같은 크기인 두 개의 반원형 볼트가 서로 맞물려 생긴 교차 볼트(cross vault), 구조적으로 힘을 보강하면서도 장식적인 요소까지 고려하여 볼트에 부채꼴 모양으로 보강재를 설치한 부채 볼트(fan vault) 등 그 종류도 다양하다. 반구형으로 된 지붕이나 천장인 돔(dome)도 볼트의 발달된 형태라 할 수 있다.

바 아치와 볼트는 로마 건축을 대표하는 건축 양식이다. 그리고 이러한 아치와 볼트 기술이 최고로 발달하였을 때 만들어진 결정체가 바로 콜로세움이다. 콜로세움은 로마 시대의 건축 기술을 대표하면서 이 시대의 아름다움을 상징하기도 한다.

● **검투사**(劍 칼 검, 鬪 싸움 투, 士 선비 사)
전문적으로 칼을 가지고 서로 맞붙어 싸우는 사람.

● **원로**(元 으뜸 원, 老 늙은이 로)
예전에, 나이나 벼슬, 덕망이 높은 벼슬아치를 이르던 말.

● **쐐기**
나무나 돌을 가를 때, 또는 무거운 물체를 들리게 하거나 단단히 결합시키고자 할 때 사용하는 것. 앞 끝의 각도가 작으며 단면이 V 자형을 이루도록 나무나 쇠붙이를 깎아 만듦.

● **축조**(築 쌓을 축, 造 지을 조)
쌓아서 만듦.

1 이 글을 이해한 내용으로 알맞지 <u>않은</u> 것은 무엇인가요? (　　　)

① 콜로세움은 현재 원형의 3분의 1만 남아 있다.

② 콜로세움의 문은 힘이 넘치면서도 아름다움이 느껴진다.

③ 콜로세움에서는 격투 시합이나 사냥 시합 등이 치러졌다.

④ 로마 시민권자들은 콜로세움의 3층에서 경기를 관람하였다.

⑤ 콜로세움은 로마 제국 시대의 원형 경기장으로, 약 80년에 걸쳐 지어졌다.

2 다음은 이 글을 쓰기 위해 내용을 선정한 것입니다. ㉠~㉢에 들어갈 알맞은 말을 이 글에서 찾아 쓰세요.

화제	문단	선정한 내용
콜로세움에 숨어 있는 로마의 건축 기술	가	콜로세움의 규모와 기능
	나	(　㉠　)과 성별에 따라 정해진 콜로세움의 층별 자리
	다	견고한 콜로세움의 건축학적 비밀
	라	콜로세움의 건축 구조 1: (　㉡　)
	마	콜로세움의 건축 구조 2: (　㉢　)
	바	콜로세움의 가치

• ㉠ : (　　　　　)　• ㉡ : (　　　　　)　• ㉢ : (　　　　　)

3 다음 그림에 해당하는 건축 구조의 이름을 마 에서 찾아 쓰세요.

(1) (　　　　　)　(2) (　　　　　)

4 이 글에서 보기 의 내용을 추가하기에 알맞은 위치는 어디인가요? (   )

> 보기
>
> 　아치 구조는 건축물에서만 볼 수 있는 것이 아니다. 우리 몸에서도 아치 형태를 쉽게 찾을 수 있는데, 그것은 바로 '발바닥'이다. 발바닥은 보통 평평하지 않고 둥근 모양을 하고 있는데, 이러한 모양이 몸무게를 분산시킨다. 평발을 가진 사람이 오래 걷는 것을 힘들어하는 이유는 발에 아치가 없어서 충격을 흡수하기 어렵기 때문이다.
>
> • 평발: 발바닥에 오목한 들어간 데가 없이 평평하게 된 발.

① **가**의 뒤　　　　② **나**의 뒤　　　　③ **다**의 뒤
④ **라**의 뒤　　　　⑤ **마**의 뒤

5 '콜로세움'을 오늘날의 관점에서 비판한 내용으로 적절한 것은 무엇인가요? (   )

① 콜로세움의 건축 기술은 현대에는 거의 사용되지 않는 낡은 기술이다.
② 콜로세움은 스트레스로 고통받는 현대인에게 반드시 필요한 장소이다.
③ 콜로세움은 폭력과 차별을 자연스럽게 정당화시키는 비인간적인 공간이다.
④ 콜로세움은 당시의 사람들에게 마땅한 놀이 문화가 없었음을 잘 보여 주는 공간이다.
⑤ 콜로세움은 당대의 건축 기술과 문명의 발달 정도를 상징적으로 드러내는 건축물이다.

한줄
요약

6 빈칸에 알맞은 말을 넣어 이 글의 핵심 내용을 한 문장으로 요약하세요.

　□□□□은 로마 시대의 건축 기술을 대표하는 건축물로, 건축 구조가 매우 체계적이었으며, 고도로 발달된 □□와 □□ 기술을 활용하여 2000년이 지난 오늘날에도 웅장함과 견고함을 자랑한다.

지문 속 필수 어휘

낱말의 뜻을 참고하여, 다음 문장의 빈칸에 들어갈 알맞은 낱말을 완성하세요.

❶ 이곳은 이 일대 섬 지역에서 유일하게 국립 ㅎ 상 공원으로 지정된 곳이다.
　　　　　　　　　　　　　　　　　　바다의 위.

❷ 이 건물은 매우 ㄱ 고 해서 지진이 나도 끄떡없다.
　　　　　　　굳고 단단하다.

❸ 중세 시대에는 ㄱ 투 ㅅ 들이 자신의 왕을 지키기 위해 서로 전쟁을 벌였다.
　　　전문적으로 칼을 가지고 서로 맞붙어 싸우는 사람.

❹ 이 성당의 내부는 너무나 ㅇ 장 해서 보는 것만으로도 감동이 밀려온다.
　　　　　　　　　　　규모 따위가 거대하고 성대함.

❺ 이 책은 그의 평생 노력이 담겨 있는 ㄱ ㅈ 체 이다.
　　　　　　　　　노력의 결과로 얻은 보람을 비유적으로 이르는 말.

주어진 단어와 의미를 바르게 연결하세요.

❻ 원로 •　　　　　　　　　　• ⓐ 서로 맞붙어 치고받으며 싸움.

❼ 쐐기 •　　　　　　　　　　• ⓑ 예전에, 나이나 벼슬, 덕망이 높은 벼슬아치를 이르
　　　　　　　　　　　　　　　던 말.

❽ 축조 •　　　　　　　　　　• ⓒ 나무나 돌을 단단히 결합시키고자 할 때 사용하는
　　　　　　　　　　　　　　　것으로, 앞 끝의 각도가 작으며 단면이 V 자형을 이
　　　　　　　　　　　　　　　루도록 나무나 쇠붙이를 깎아 만듦.

❾ 격투 •　　　　　　　　　　• ⓓ 쌓아서 만듦.

종이는 어떻게 만들어질까

12분 안에 풀어보세요.

어휘 수준 ★★★★★
글감 수준 ★★★★★
글의 길이 1,384자

가 종이는 일상의 삶에 너무나 많은 부분을 차지하고 있어서 우리는 종이가 대부분의 역사 동안 매우 귀하고 비쌌다는 사실을 곧잘 잊게 된다. 우리는 종이로 된 벽지를 보며 아침을 맞이하고, 화장실에서 휴지를 사용하고, 종이 필터에 걸러 내린 커피를 마신다. 달력을 보며 일정을 확인하고, 종이 상자에 담긴 과자를 사서 영수증을 받는다. 우리가 이토록 익숙해져 있는 이 물질은 도대체 뭘까.

나 공책의 종이는 평평하고 부드러우며 연속된 물결처럼 보이지만, 그건 착각이다. 종이는 짚으로 만든 가마니처럼 작고 얇은 섬유로 되어 있으며 사실은 울퉁불퉁하다. 그러나 우리는 종이의 복잡한 구조를 느끼지 못한다. 현미경으로나 관찰할 수 있는 아주 미시적인 규모에서 가동돼 우리의 촉각이 느낄 수 있는 범위를 벗어나 있기 때문

이다. 우리가 종이를 부드럽다고 느끼는 것은 우주에서 지구를 보면서 둥글다고 느끼는 것과 비슷하다. 실제로 지구는 언덕과 계곡, 산 때문에 울퉁불퉁한데 말이다.

다 대부분의 종이는 나무에서 삶을 시작한다. 나무를 지탱하는 힘은 현미경으로만 볼 수 있는 작은 섬유인 셀룰로오스에서 온다. 이 셀룰로오스는 리그닌이라는 유기물에 의해 단단히 붙어 있다. 셀룰로오스는 대단히 단단하고 복원력이 좋은, 수백 년을 지탱할 수 있는 합성 구조다. 그런데 리그닌으로부터 셀룰로오스 섬유를 추출해 내는 것은 쉬운 일이 아니라서 마치 머리카락에 붙은 껌을 떼어내려 애쓰는 것과 비슷하다. 실제로 나무에서 리그닌을 제거하는 과정은 이렇다. 나무를 작은 조각으로 자르고 높은 온도와 압력을 가하며 화학 약품과 함께 끓인다. 이 과정을 통해 리그닌 안에 있던 결합이 끊어지고 셀룰로오스 섬유가 풀려난다. 이 과정이 다 끝나면, 나무 펄프라고 하는 엉킨 섬유가 남는다. 이것은 액체가 된 나무라고 할 수 있는데, 현미경으로 관찰해 보면 이 섬유가 소스에 잠긴 불어터진 스파게티 면을 닮았다는 사실을 알게 될 것이다. 이 펄프를 평평한 표면에 놓은 뒤 말리면 종이가 된다.

라 이렇게 만들어진 기본 종이는 거칠고 갈색빛을 띤다. 이것을 희고 매끄러우며 빛나는 종이로 만들려면, 화학적으로 표백을 하고 탄산칼슘처럼 분필 가루 형태를 한 곱고 흰 가루를 섞어 줘야 한다. 이후에 종이 표면에 놓인 잉크가 셀룰로오스 조직에 너무 깊이 스며든 나머지 배어 나오는 것을 방지하기 위해 코팅을 한다. 이상적으로는, 잉크가 공책 종이 표면에 아주 약간만 스며들고 거의 즉시 말라야 한다. 이 과정을 통해 색깔을 담은 분자들이 셀룰로오스 조직에 안착하고, 종이에 영구적인 자국이 생긴다.

마 종이의 중요성을 과소평가하기란 힘들다. 2,000년 된 이 기술은 그동안 복잡한 부분이 숨겨져 왔고, 그래서 우리는 그 미시적인 특성을 잘 몰랐다. 우리는 단지 빈 종이를 봐 왔을 뿐이었다. 우리가 위에 뭐든 기록할 수 있는 그런 백지를.

● **복원력**(復 회복할 복, 元 으뜸 원, 力 힘 력)
물체가 변형되었을 때, 그 물체를 본디의 상태로 되돌리려고 하는 힘.

● **표백**(漂 떠다닐 표, 白 흰 백)
종이나 피륙 따위를 바래거나 화학 약품으로 탈색하여 희게 함.

● **과소평가**(過 지날 과, 小 작을 소, 評 평할 평, 價 값 가)
사실보다 작거나 약하게 평가함.

1 이 글의 내용과 일치하지 <u>않는</u> 것은 무엇인가요? (   )

① 기본 종이는 거칠고 갈색빛을 띤다.

② 옛날에는 종이가 매우 귀하고 비쌌다.

③ 종이는 크고 두꺼운 섬유로 되어 있다.

④ 리그닌으로부터 셀룰로오스 섬유를 추출해 내기가 쉽지 않다.

⑤ 종이는 평평하고 부드러우며 연속된 물결처럼 보이지만 사실은 울퉁불퉁하다.

2 셀룰로오스에 대한 설명 중 옳지 <u>않은</u> 것은 무엇인가요? (   )

① 셀룰로오스는 희고 매끄럽다.

② 셀룰로오스는 단단하고 복원력이 좋다.

③ 나무를 지탱하는 힘은 셀룰로오스에서 온다.

④ 셀룰로오스는 리그닌에 의해 단단히 붙어 있다.

⑤ 셀룰로오스는 현미경으로만 볼 수 있는 작은 섬유이다.

3 가~마 중 다음 글을 활용하기에 가장 자연스러운 문단은 무엇인가요? (   )

> 점심때는 종이 냅킨을 쓴다. 이게 없다면 개인의 위생 수준은 급격히 떨어질 것이다. 상점은 종이 라벨로 가득 차 있다. 역시 이게 없다면 우리는 무엇을 살지 얼마를 지불해야 할지 감도 못 잡을 것이다.

① 가

② 나

③ 다

④ 라

⑤ 마

4 나무에서 리그닌을 제거하여 종이를 만드는 과정을 순서대로 나열하세요.

> ㉠ 나무를 작은 조각으로 자른다.
> ㉡ 나무 펄프라고 하는 엉킨 섬유가 남는다.
> ㉢ 나무 펄프를 평평한 표현에 놓은 뒤 말린다.
> ㉣ 높은 온도와 압력을 가하며 화학 약품과 함께 끓인다.
> ㉤ 리그닌 안에 있던 결합이 끊어지고 셀룰로오스 섬유가 풀려난다.

(   ) → (   ) → (   ) → (   ) → (   )

5 나와 다에서 설명한 대상과 그에 어울리는 비유적 표현을 연결하세요.

(1) 액체가 된 나무   •

(2) 작고 얇은 섬유로 구성된 종이   •

(3) 리그닌으로부터 셀룰로오스 섬유 추출하기   •

   • ㉠ 짚으로 만든 가마니

   • ㉡ 머리카락에 붙은 껌 떼어내기

   • ㉢ 소스에 잠긴 불어터진 스파게티 면

6 빈칸에 알맞은 말을 넣어 이 글의 핵심 내용을 한 문장으로 요약하세요.

종이는 ☐☐☐ 에서 ☐☐☐☐☐ 섬유를 추출한 나무 펄프를 평

평한 표면에 놓아 말린 뒤, 표백과 ☐☐ 과정을 거쳐 만들어진다.

지문 속 필수 어휘

낱말의 뜻을 참고하여, 다음 문장의 빈칸에 들어갈 알맞은 낱말을 완성하세요.

❶ 우리 매트는 | 복 | ㅇ | ㄹ |이 좋아서 이전 모양으로 빨리 되돌아온다.

물체가 변형되었을 때, 그 물체를 본디의 상태로 되돌리려고 하는 힘.

❷ 이 제품은 화학 약품으로 | 프 | 백 | 처리했다.

천이나 종이 따위를 볕에 쬐거나 약품을 써서 희게 함.

❸ 상대에 대한 | ㄱ | ㅅ | 평 | ㄱ |가 상황을 더욱 어렵게 만들었다.

사실보다 작거나 약하게 평가함.

❹ 세탁을 너무 자주 하면 옷의 | ㅅ | ㅇ |가 상한다.

동물 털의 케라틴으로 이루어진 단백질 실.

다음 밑줄 친 낱말의 뜻으로 적절한 것을 찾아 ○표 하세요.

❺ 어머니는 <u>엉킨</u> 실타래를 푸느라 애를 쓰셨다.

① 일이 서로 뒤섞이고 얽혀 갈피를 잡을 수 없게 된 (　　)

② 감정이나 생각 따위가 갈피를 잡을 수 없을 정도로 얽힌 (　　)

③ 실이나 줄 따위가 풀기 힘들 정도로 서로 한데 얽히게 된 (　　)

❻ 이 항암제는 한약재에서 <u>추출한</u> 두 가지 성분을 주원료로 한다.

① 모집단에서 표본을 뽑아낸 (　　)

② 전체 속에서 어떤 요소를 뽑아낸 (　　)

③ 혼합물 속의 어떤 물질을 용매에 녹여 뽑아낸 (　　)

학교 건물은 저층화되어야 한다

⏱ **14**분 안에 풀어보세요.

어휘 수준 ★★★★☆
글감 수준 ★★★★★
글의 길이 1,707자

본격 독해 훈련

가 학생들은 학교 공간의 면적을 얼마나 사용할까. 통계를 보면 지난 40년간 학생 1인당 사용하는 실내 면적은 7배 늘어났다. 각종 특별 활동실, 체육관, 식당, 강당, 도서관 같은 시설들이 늘어났기 때문이다. 실내 면적은 늘어났는데 학교가 세워진 땅의 면적은 그대로다. 그러다 보니 학교는 점점 고층화되고 있다. 운동장 하나만 남겨 놓고 나머지 땅에 4~5층짜리 교사가 들어선 모습이다. 그런데 이렇게 학교가 점점 고층화되면서 문제가 생겼다. 학교에서는 대부분 40~50분

▲ 교실이 고층에 있을 때 운동장과의 접근성

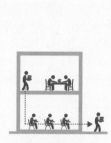
▲ 교실이 저층에 있을 때 운동장과의 접근성

정도 수업을 하고 10분을 쉰다. 10분의 쉬는 시간에 네 개 층 계단을 뛰어 내려가서 운동장에서 2~3분 쉬고 다시 뛰어 올라올 아이는 없다. 그러니 아이들은 쉬는 시간에도 모두 교실에서 지낸다. 무려 12년 동안이나 말이다. 따라서 학교 건물은 저층화되어야 한다. 그래야 10분 쉬는 시간 동안 잠깐이라도 바깥 공기를 쐬면서 하늘을 볼 수 있다. 하지만 안타깝게도 우리 학교에는 그럴 여유가 없다.

나 그런데 다행스럽게도 최근 들어 기회가 생겼다. 학생 수가 줄면서 빈 교실들이 생기기 시작한 것이다. 우리는 이럴 때 빈 교실을 다른 용도로 쓸 것이 아니라 교실을 부수어 테라스라도 만들어 줘야 한다. 그렇게 해서 아이들이 10분 쉬는 시간에 잠깐씩 자연을 접할 수 있게 해 주어야 한다. 그게 안 된다면 옥상이라도 개방해야 한다. 회사원이 나오는 드라마를 보면 중요한 대화가 이루어지는 공간은 항상 옥상이다. 그곳이 자연을 만날 수 있는 공간이어서 그렇다. 그런데 우리 아이들에게는 이 옥상조차 허락되지 않는다. 만약 옥상이 위험해서 개방하기 어렵다면, 1층 교무실이라도 꼭대기 층으로 올려 보내고 1층은 아이들의 공간으로 만들어야 한다. 야외 공간과 가장 접근성이 좋은 1층에 떡하니 교무실이 지키고 있으니 2층의 아이들조차 밖에 나가기 어려운 것이다.

다 현대인들이 텔레비전을 많이 보는 이유 중 하나는 건축학적으로 마당이 없기 때문이다. 마당에서는 사계절이 바뀌고 날씨가 변하고 시시각각 다른 태양 빛이 들지만 거실에는 변화가 없다. 변함없는 벽지와 항상 똑같은 형광등 조명뿐이다. 그렇다 보니 사람들은 유일하게 화면이 변하는 텔레비전을 쳐다보고 있는 것이다. 마찬가지 이유로 우리 아이들은 스마트폰과 전자 게임에 빠진다. 우리 아이들의 생활에는 외부 공간이 없다. 그 말은 자연의 변화를 느끼지 못한다는 뜻이다. 1년 열두 달, 12년 동안 실내 공간에서만 지낸다고 생각해 보라. 항상 똑같은 교실에 갇혀 지내는 아이들은 본능적으로 변화를 추구할 수밖에 없다. 왜냐하면 인간은 수십만 년 동안 사냥과 채집의 시기와 농업 시대를 거치면서 항상 자연에서 생활해 왔기 때문이다. 우리 유전자는 변화하는 환경에 적응하고 반응하도록 진화되어 왔다. 자연의 변화에 잘 적응해서 살아남은 사람들의 후손이 바로 우리다.

● **교사**(校 학교 교, 舍 집 사)
학교의 건물.

● **저층**(低 낮을 저, 層 층 층)
건물의 층수가 적은 것.

● **테라스**(terrace)
실내에서 직접 밖으로 나갈 수 있도록 방의 앞면으로 도로나 정원에 뻗쳐 나온 곳.

라 그런데 우리 아이들의 삶 속에는 변화하는 환경인 '자연'이 없기 때문에 아이들은 본능적으로 그런 환경과 공간을 찾을 수밖에 없다. 우리가 아이들을 실내 공간에 가두다 보니 그들이 갈 수 있는 변화의 공간은 전자 게임 같은 가상 공간밖에 없는 것이다. 특히 사냥꾼의 후손인 남학생들이 그런 경향을 더 많이 띤다. 게임하는 아이들을 보면서 저 아이가 나뭇가지 사이로 들이치는 빛이나 바람의 변화, 계절의 다채로움을 느끼지 못해서 계속해서 움직이는 컬러 모니터만 보고 있는 게 아닌가 하는 슬픈 생각에 잠기게 된다. 우리 아이들이 생활하는 공간에 자연을 돌려줘야 한다.

정답과 해설 **23쪽**

1 이 글에 나타난 글쓴이의 생각과 일치하는 것은 무엇인가요? (   )

① 학교 건물에서 1층은 학생들을 위해 양보해야 한다.
② 공간 활용도를 높이기 위해 학교 건물은 고층화되어야 한다.
③ 학생 수 감소로 발생한 여유 공간을 학습 공간으로 만들어야 한다.
④ 자연을 대신할 수 있는 변화의 공간으로 가상 공간을 확대해야 한다.
⑤ 실내 공간의 활용도를 높이기 위해 현재와 같은 학교 건물이 필요하다.

2 **가**에 대해 비판한 내용으로 적절한 것은 무엇인가요? (   )

① 학교에 등교하면 교실 밖으로 나오기가 어려우니 글쓴이의 말이 옳아.
② 학생 1인당 실내 면적이 늘어났다니 인구가 그만큼 증가했다는 뜻이군.
③ 대학 진학률이 70퍼센트를 넘기 때문에 12년이라는 기간은 축소될 수 있겠군.
④ 쉬는 시간이 너무 짧아 학생들이 놀지 못하니 쉬는 시간을 늘려 주자는 주장이군.
⑤ 체육 시간이나 방과 후에는 운동장을 이용할 수 있는데, 운동장을 아예 쓰지 못하는 것처럼 말하고 있군.

3 **다**에서 말하고 있는 '마당–텔레비전'의 관계와 가장 유사한 것은 무엇인가요?

(   )

① 거실 – 벽지   ② 마당 – 형광등   ③ 텔레비전 – 조명
④ 자연 – 스마트폰   ⑤ 교실 – 전자 게임

4 보기는 글쓴이의 주장을 뒷받침하기 위해 **그래프**를 그린 것입니다. (   )에 들어갈 내용으로 알맞지 <u>않은</u> 것을 아래 박스에서 골라 기호를 쓰세요.

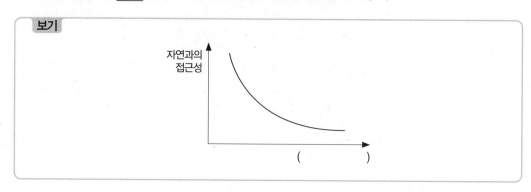

ⓐ 교실의 층   ⓑ 교실의 면적   ⓒ 교실과 운동장과의 거리

(   )

+수능연결

그래프는 길고 복잡한 글의 내용을 간결하게 나타낸다는 특징이 있습니다. 그래프가 나올 경우, 우선 가로축과 세로축의 내용을 확인한 후 그래프가 무엇을 나타내고 있는지 파악하는 것이 중요합니다.

16. 〈보기〉는 [A]의 사례를 **그래프**로 나타낸 것이다. 윗글과 관련지어 이해한 내용으로 적절하지 <u>않은</u> 것은? [3점]

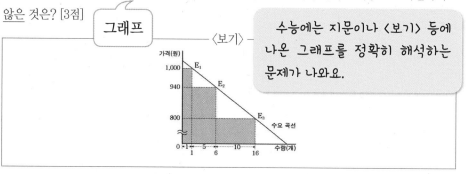

수능에는 지문이나 〈보기〉 등에 나온 그래프를 정확히 해석하는 문제가 나와요.

① A 공장이 이전하려고 하는 것은 추가 부담금 때문에 총비용이 증가했기 때문일 것이다.

5 빈칸에 알맞은 말을 넣어 이 글의 핵심 내용을 한 문장으로 요약하세요.

한줄
요약

학교 건물이 지나치게 고층화된 탓에 학생들이 교실에만 머무르는 문제가 있으므로,

이를 해결하기 위해 학교 건물을 ☐☐☐ 하거나 옥상 개방, ☐☐☐ 설치

와 같이 자연을 접할 수 있는 환경을 마련해야 한다.

지문 속 필수 어휘

'교사'의 다양한 의미를 알고 그 쓰임으로 적절한 것을 연결하세요.

'교사'의 의미

쓰임의 사례

❶ 학교의 건물. •

• ㉠ 옆집 아저씨는 국어 교사(敎師)
이다.

❷ 남을 꾀거나 부추겨서 나쁜 짓•
을 하게 함.

• ㉡ 새로 지은 교사(校舍)에서 입학
식이 열렸다.

❸ 학교에서 일정한 자격을 가지고•
학생을 가르치는 사람.

• ㉢ 그는 후배들에게 거짓말을 교사
(敎唆)하여 벌을 받았다.

다음 밑줄 친 낱말과 반대되는 말을 찾아 ○표 하세요.

❹ 아이들 때문에 아파트 저층으로 이사 갔다. (고층, 하층)

❺ 나는 독립군의 후손으로서 자랑스럽게 나라를 지키고자 한다. (자손, 조상)

문제 속 개념어

비판 批 비평할 비, 判 판가름할 판

현상이나 사물의 옳고 그름을 판단하여 밝히거나 잘못된 점을 지적하는 것을 '비판'이라고
합니다. 비판은 타당한 근거를 가지고 옳고 그름을 가린다는 점에서, 이유 없이 남의 잘못이
나 결점을 책잡아서 나쁘게 말하는 '비난(非難)'과 구분됩니다. 글을 읽을 때에도 글쓴이의
주장이 적절한지, 주장의 근거(이유)가 타당하고 믿을 수 있는 내용인지 확인하며 비판적으
로 읽는 자세가 필요합니다.

비판	비난
도서관에서 큰 소리로 이야기하는 것은 다른 사람들의 독서를 방해하는 행동이므로 옳지 않다. → 타당한 근거를 제시함.	도서관에서 거울을 보다니 예의가 없군. → 타당한 근거가 없음.

내비게이션의 원리

어휘 수준 ★★★★★
글감 수준 ★★★★★
글의 길이 1,520자

"100미터 앞에서 우회전하십시오.", "목적지에 도착하였습니다. 안내를 종료합니다." 자동차를 타고 가면서 자주 듣는 내비게이션의 길 안내 소리이다. 이처럼 내비게이션은 지도를 보이거나 지름길을 찾아 주어 자동차 운전을 도와주는 장치이다. 그런데 내비게이션은 어떻게 자동차의 위치를 알고 길을 알려 주는 것일까?

내비게이션의 기본적인 작동 원리는 GPS 위성을 사용하는 것이다. GPS는 인공위성을 이용하여 자신의 위치를 정확히 알아낼 수 있는 시스템으로, 개인의 위치 확인에서부터 비행기·선박·자동차의 경로와 관련된 장치, 지도 제작 등에 쓰인다. 약 2만km 상공에 떠 있는 GPS 위성은 GPS를 활용한 인공위성으로, 24개로 구성되어 신호를 내보내는데, 지구의 어느 곳에서든 4개 이상의 위성 신호를 받을 수 있도록 ㉠배치되어 있다.

GPS 위성에서 시간과 위치 정보가 담긴 신호를 지상의 GPS 수신기에 보낸다. 이때 상공의 위성과 지상의 수신기 사이의 거리 때문에 여러 위성들이 보낸 신호들이 수신기에 ㉡도착하는 데 걸리는 시간에 차이가 발생하는데, GPS 수신기는 3~4개 이상의 위성에서 보낸 신호의 시간 차이를 이용해 자동차의 현재 위치를 알아낼 수 있다. 내비게이션에 들어 있는 데이터 처리 장치는 이렇게 GPS가 알아낸 위치 정보를 받아, 실시간으로 이동 중인 자동차의 이동 방향과 속도, 거리 등을 확인한다. 그리고 이를 내비게이션에 저장된 전자 지도에 연결한 후, 화면에 점, 화살표, 자동차의 모습 등으로 현재 위치를 ㉢표시하고 길 안내를 한다. 그런데 차량용 내비게이션은 GPS 위성에서 보내는 신호를 바탕으로 위치 정보를 알아내기 때문에, 위성 신호를 받기 어려운 터널이나 건물들로 가려진 곳을 지날 때 일시적으로 작동이 되지 않는 문제가 생기기도 한다.

한편, 우리나라에서 만들어진 내비게이션용 전자 지도는 모두 국토지리정보원에서 5년마다 갱신하는 지형도를 원본으로 한다. 전자 지도를 만드는 업체에서는 이 원본 종이 지도를 디지털 정보로 바꾸어 전자 지도를 만드는데, 여기에 각 업체들이 조사한 도로 정보와 교통 정보 및 식당, 주유소 등과 같이 이용자가 찾을 만한 장소들에 대한 정보 등을 덧붙인다. 내비게이션은 이러한 전자 지도 자료와 검색 자료, 그리고 경로 탐색 프로그램을 저장하고 있다가 길 안내를 할 때 이용한다. 그런데 업체마다 출발지에서 목적지까지 가는 빠른 길을 찾는 절차나 방법 등에 차이가 있어, 출발지와 목적지에 대한 조건이 같더라도 내비게이션에 따라 ㉣안내하는 길이 달라질 수 있다.

이렇게 ⓐ차량용 내비게이션에는 다양한 정보들이 들어 있기는 하지만, 도로나 건물들이 새로 만들어지거나 없어지기도 하는 등 도로나 시설 등의 상황이 계속 ㉤변화되기 때문에 이를 반영해 주지 않으면 잘못된 길 안내가 이루어질 수도 있다. 그래서 업체들은 주기적으로 조사를 하여 변화된 도로나 시설 등에 대한 정보를 전자 지도에 반영한다. 따라서 이용자가 최신의 도로 상황에 대한 정확한 정보를 바탕으로 길 안내를 받기 위해서는 주기적으로 내비게이션을 업데이트해 주어야 한다.

● **갱신**(更 다시 갱, 新 새 신)
기존의 내용을 변동된 사실에 따라 변경·추가·삭제하는 일.

● **탐색**(探 찾을 탐, 索 찾을 색)
드러나지 않은 사물이나 현상 따위를 찾아내거나 밝히기 위하여 살피어 찾음.

● **주기**(週 돌 주, 期 기약할 기)
같은 현상이나 특징이 한 번 나타나고부터 다음번 되풀이되기까지의 기간.

1 다음은 이 글을 쓰기 위해 글쓴이가 세운 계획입니다. 이 글에 반영되지 <u>않은</u> 것은 무엇인가요? (   )

① 대상이 발전해 온 과정을 시간 순서대로 설명하자.
② 용어의 뜻과 함께 쓰임도 알려 주어 독자의 이해를 돕자.
③ 일상적인 예를 제시하며 글을 시작하여 독자의 관심을 끌어내자.
④ 대상을 효과적으로 사용하기 위한 행동을 알려 주며 글을 마무리하자.
⑤ 질문을 던져서 독자들이 대상의 작동 원리에 대해 궁금증을 갖게 하자.

2 이 글의 내용과 일치하지 <u>않는</u> 것은 무엇인가요? (   )

① 자동차 내비게이션이 제 기능을 하기 위해서는 GPS가 필요하다.
② GPS를 활용하여 자동차의 위치는 물론 개인의 위치도 알 수 있다.
③ 국토지리정보원에서는 5년마다 최신 정보에 맞게 전자 지도를 수정한다.
④ 우리나라 업체들이 전자 지도를 만드는 데 사용하는 원본 지도는 모두 같다.
⑤ 출발지와 목적지가 같아도 내비게이션에 따라 안내하는 길이 다를 수 있다.

3 보기 는 내비게이션의 작동 원리를 표로 나타낸 것입니다. 이 글을 바탕으로 보기 를 이해한 내용으로 알맞은 것에 모두 ○표 하세요.

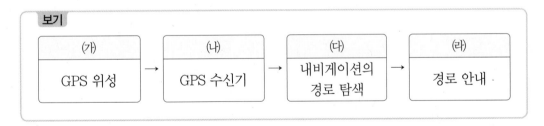

보기

(가) GPS 위성 → (나) GPS 수신기 → (다) 내비게이션의 경로 탐색 → (라) 경로 안내

(1) (가)와 (나)의 과정에서 자동차의 현재 위치와 목적지까지 가는 길을 파악할 수 있다. (   )
(2) (다)에서는 (나)에서 보낸 위치 정보를 받아 자동차의 실시간 이동 방향과 속도, 거리 등을 확인한다. (   )
(3) (라)에서는 (다)에서 얻은 정보를 바탕으로 전자 지도 위에 현재 위치를 표시하여 길 안내를 한다. (   )

4 이 글과 보기 를 바탕으로 ⓐ와 ⓑ를 비교한 내용으로 알맞지 <u>않은</u> 것에 ○표 하세요.

> 보기
>
> ⓑ휴대 전화의 내비게이션 앱은 최소한의 데이터만 휴대 전화에 저장하고, 최신 지도와 실시간 교통 정보 등이 저장된 인터넷 서버와 연결되어 실시간 빠른 길을 찾는 방식으로 실행된다. 출발지와 목적지를 입력하면 앱에서 이를 서버로 전송하고, 서버에서는 요청된 조건에 맞는 가장 알맞은 경로를 찾아 다시 휴대 전화로 보내 준다.

(1) ⓐ는 ⓑ와 달리 내비게이션에 저장된 지도 자료를 바탕으로 길 안내를 한다.

(   )

(2) ⓐ는 지하 공간에서 길 안내가 제대로 되지 않을 수 있지만, ⓑ는 인터넷 연결이 가능한 곳이라면 지하 공간에서도 길 안내가 가능하다. (   )

(3) 최신 정보를 바탕으로 한 정확한 길 안내를 받기 위해서는 ⓐ와 ⓑ 모두 이용자가 주기적으로 전자 지도를 업데이트하는 노력을 해야 한다. (   )

5 ㉠~㉢을 순우리말로 바꾸어 쓴다고 할 때, 알맞지 <u>않은</u> 것은 무엇인가요?

① ㉠: 벌리어
② ㉡: 다다르는
③ ㉢: 나타내고
④ ㉣: 알려 주는
⑤ ㉤: 달라지기

한줄
요약

6 빈칸에 알맞은 말을 넣어 이 글의 핵심 내용을 한 문장으로 요약하세요.

내비게이션은 GPS를 통해 알아낸 ☐☐ 정보를 바탕으로 자동차의 실시간 위치와 이동 방향, 속도, 거리 등을 확인한 후, ☐☐☐와 연결하여 현재 위치를 표시하면서 ☐☐☐를 한다.

지문 속 필수 어휘

낱말의 뜻을 참고하여, 다음 문장의 빈칸에 들어갈 알맞은 낱말을 완성하세요.

❶ 기계가 오래되어 | 작 | ㄷ | 이 안 된다.

기계 따위가 작용을 받아 움직임. 또는 기계 따위를 움직이게 함.

❷ 이 휴대 전화는 어디서든지 | ㅅ | 신 | 이 잘된다.

전신이나 전화, 라디오, 텔레비전 방송 따위의 신호를 받음. 또는 그런 일.

❸ 달에 도착한 우주인들은 달의 표면을 | ㅌ | 색 | 하기 시작하였다.

드러나지 않은 사물이나 현상 따위를 찾아내거나 밝히기 위하여 살피어 찾음.

다음 문장을 읽고, (   ) 안에 공통으로 들어갈 낱말을 완성하세요.

❹
- 냉장고가 차가워지는 (   )를 알아보도록 하자.
- 전기는 어떤 (   )로 빛을 만들어 내는 것일까?

| 원 | ㄹ |

❺
- 교통 (   )를 잘 지키도록 합시다.
- 그는 정지 (   )를 무시하고 계속 차를 몰았다.

| 신 | ㅎ |

❻
- 오늘은 박람회의 (   )를 맡아 봉사하고 있다.
- 이번 열차가 막차임을 알리는 (   )가 방송되었다.

| ㅇ | 내 |

❼
- 이번 여행의 마지막 (   )는 제주도이다.
- 조금만 더 가면 우리가 가려고 한 (   )에 도착한다.

| ㅁ | ㅈ | ㅈ |

추론적 독해의
기본은 추리

'추론'이란 말이 어렵나요? 추론은 추리와 같은 말이에요. '추리'란 주어진 정보를 단서로 삼아 주어지지 않은 정보를 미루어 생각하는 것을 말합니다. '명탐정 코난'이나 '소년 탐정 김전일'처럼 머리가 굉장히 좋은 추리의 대가들을 떠올려 보세요. 우리도 실생활에서 거창하지는 않지만 간단한 추리를 하면서 살고 있답니다.

● **다음 중 '침몰했다'에 해당하는 암호는 무엇일까요?**

A 국가는 B 국가와 전쟁 중이다. A 국가의 군대에서는 B 국가의 군대가 알아차리지 못하도록 여러 가지 다양한 기호에 특정한 단어를 대응시킨 암호로 통신을 주고받았다. A 국가의 군함이 항구를 떠난 뒤 얼마 지나지 않아 침몰하게 되었는데, 그 과정에서 본국에 무전으로 보고한 암호는 다음과 같다.

① 군함이 어제 출발했다.   𝄞 ✂ ☎

② 폭발로 불이 붙었다.   ♨ ♣ ♥

③ 군함이 폭발로 침몰했다.   ☎ ✈ ♨

답 ....

이 문제의 답을 찾기 위해서는 주어진 정보들을 활용해야 해요. 우선 ①, ③에 '군함이'와 암호 ☎가 공통된다는 점을 통해, '군함이'에 해당하는 암호가 ☎라는 것을 알 수 있어요. 그리고 같은 방식으로 ②, ③을 통해 '폭발로'에 해당하는 암호가 ♨라는 것을 알 수 있지요. 따라서 ③에서 ☎와 ♨를 제외한 남은 암호, 즉 ✈가 '침몰했다'에 해당하는 암호라고 추리할 수 있는 거예요.

그럼 이번에는 조금 더 복잡한 추리를 해 볼까요?

● 담임 선생님이 반 아이들 다섯 명에게 등교한 순서를 물었습니다.
  아이들이 모두 진실을 말하고 있다면, 세 번째로 등교한 사람은 누구일까요?

> A : B와 E가 저보다 먼저 와 있었어요.
>
> B : 저는 E보다는 늦게 왔지만, C보다는 먼저 왔어요.
>
> C : 전 A보다는 일찍 왔어요.
>
> D : 저는 B보다는 늦게 왔는데요. 제가 도착하고 난 뒤 바로 A가 왔어요.
>
> E : 제가 B와 D보다는 먼저 왔어요.
>
> 답 ....

이해하기 쉽도록 먼저 등교한 학생을 부등호('＞')로 나타내 볼게요.

A: B와 E가 저보다 먼저 와 있었어요.	**B, E ＞ A**
B: 저는 E보다는 늦게 왔지만, C보다는 먼저 왔어요.	**E ＞ B ＞ C**
C: 전 A보다는 일찍 왔어요.	**C ＞ A**

여기까지 정리하면 'E ＞ B ＞ C ＞ A'의 순서로 도착했음을 알 수 있어요.

D: 저는 B보다는 늦게 왔는데요. 제가 도착하고 난 뒤 바로 A 가 왔어요.	**B ＞ D ＞ A**
E: 제가 B와 D보다는 먼저 왔어요.	**E ＞ B, D**

그렇다면 'E ＞ B ＞ D ＞ A'의 순서가 되겠군요. 여기에 D가 도착하고 난 뒤 바로 A가 왔다고 했으므로 전체적인 순서는 'E ＞ B ＞ C ＞ D ＞ A'라는 것을 추리할 수 있어요. 따라서 세 번째로 도착한 학생은 C 가 되지요.

이처럼 추리란 거창한 것이 아니라 **주어진 정보들의 관계를 바탕으로 드러나지 않은 내용을 미루어 짐 작하는 것이에요.** 글을 읽다가 앞뒤 내용을 바탕으로 모르는 단어의 의미를 짐작할 수 있고, 글의 흐 름을 바탕으로 사건이 일어난 순서를 짐작할 수 있으며, 더 나아가 글의 중심 내용까지 짐작할 수 있지 요. 이렇게 글에 나와 있지 않은 내용까지 알아내는 것이 바로 추론적 독해예요.

> ❝ 제시된 정보 간의 관계를 잘 파악하면
> 글에 드러나지 않은 내용도 추리할 수 있답니다. ❞

호칭어·지칭어와 언어 예절

13분 안에 풀어보세요.

어휘 수준 ★★★★★
글감 수준 ★★★★★
글의 길이 1,457자

우리는 대화를 할 때 주로 상대를 부르는 말로 시작한다. 이처럼 상대를 부르는 말은 사람들 사이에서 교류의 출발점이 된다. 이때 사람을 부르는 말을 '호칭어', 사람을 가리켜 이르는 말을 '지칭어'라고 하는데, 우리말에는 이들이 발달해 있다. 그런데 우리말의 호칭어와 지칭어는 웬만한 주의와 관심을 기울이지 않으면 안 될 만큼 복잡하다. 호칭어와 지칭어는 지역·연령·가문 등에 따라 달리 쓰이는 표현이 있을 정도로 종류가 많기 때문이다.

우리가 가장 많이 ⓐ쓰는 '부모'에 대한 호칭어와 지칭어만 해도 수십 가지에 이를 정도로 다양하다. 성균관 전례 연구원에 따르면 그중 기본이 되는 '아버지'와 '아버님'도 상황에 따라 구분해 쓰도록 하고 있다. '아버지'는 자기 아버지를 직접 부르거나 남에게 말할 때 쓰인다. 예를 들어 "아버지, 진지 잡수셨습니까?", "저희 아버지는 이번에 은퇴하셨습니다."와 같이 사용된다. 반면에 '아버님'은 남의 아버지를 높여 부르거나 돌아가신 자기 아버지를 가리킬 때, 또는 자기의 아버지에게 편지를 쓸 때, 며느리나 사위가 각각 남편의 아버지나 아내의 아버지를 부를 때 쓰인다. 예를 들어 친구에게 "너희 아버님께서는 잘 계시지?"라고 하거나 며느리가

"너희 아버님께서는 잘 계시지?"

"응. 우리 아버지는 잘 계셔."

시아버지에게 "아버님, 그건 제가 할게요."라고 말할 수 있다. 그 외에 편지 글에서는 '부모님 앞에 올리는 글'이라는 뜻으로 자기 아버지에게 '아버님 전 상서'처럼 쓸 수 있다. 이와 마찬가지로 ㉠'어머니', '어머님'도 똑같은 기준으로 구별해 쓸 수 있다.

이런 호칭어와 지칭어들을 주의하지 않고 대충 사용하다 보면 예의가 없다는 인상을 줄 수 있다. 대표적인 경우가 '부인'과 '아내'를 잘못 쓰는 것이다. '부인'은 남의 아내를 높여 가리킬 때 주로 쓰는 말이다. 따라서 자기 아내를 가리켜 '부인'이라고 하면 실례가 된다. 예를 들어 "나는 모든 일을 내 부인과 의논하여 결정한다네."라고 말한다면 언어 예절에 어긋나는 것이다. 이 경우는 '부인' 대신 '아내'나 '집사람'이라고 해야 한다.

이 밖에 2인칭 대명사인 '너', '너희', '자네', '당신' 등의 호칭어도 자주 사용되고 있는데, '너'는 말하는 이보다 손아래의 사람에게 쓰거나 미성년 또는 같은 또래의 친한 친구 사이에 쓰는 말이다. '너희'는 듣는 이가 같은 또래의 친구나 아랫사람일 경우, 그 듣는 이를 포함한 여러 사람들을 가리킬 때 사용되며, '자네'는 '당신'보다는 낮고 '너'보다는 높은 말로, 듣는 이를 대접하고자 할 때 '너' 대신에 사용한다. '당신'은 배우자 혹은 그리 가깝지 않지만 또래인 사람에게 쓰는 말로, 선생, 부모, 상사 같은 아주 높은 분에게는 거의 쓰지 않는다.

대화를 할 때 적절한 호칭어와 지칭어를 사용하지 않으면 언어 예절에 어긋날 뿐만 아니라 의사소통이 원만하게 이루어지지 않을 수 있다. 따라서 우리는 평소에 호칭어와 지칭어의 쓰임을 제대로 익혀서 바르게 사용하도록 힘써야 할 것이다.

● **교류**(交 사귈 교, 流 흐를 류)
문화나 사상 따위가 서로 통함.

● **성균관**(成 이룰 성, 均 고를 균, 館 객사 관)
조선 시대에, 유학의 교육을 맡아보던 관아.

1   **이 글의 내용 전개 방식으로 가장 적절한 것은 무엇인가요? (   )**

① 물음을 통해 독자의 호기심을 자극하고 있다.

② 상반되는 개념을 중심으로 내용을 전개하고 있다.

③ 예시를 통해 대상에 대한 독자의 이해를 돕고 있다.

④ 대상의 장단점을 언급한 후 개선 방안을 제시하고 있다.

⑤ 대상이 문제가 된 원인을 살펴본 후 해결책을 제시하고 있다.

2   **이 글의 내용과 일치하지 <u>않는</u> 것은 무엇인가요? (   )**

① 호칭어는 다른 사람과의 대화를 시작할 때 주로 쓰인다.

② 호칭어 중 2인칭 대명사는 친밀감의 정도에 따라 다양하게 구분된다.

③ 호칭어나 지칭어 중에는 지역이나 연령에 따라 달리 쓰이는 표현이 있다.

④ 지칭어를 잘못 사용하면 언어 예절을 모르는 사람이라는 인상을 줄 수 있다.

⑤ 적절한 호칭어나 지칭어를 사용하지 않으면 의사소통에 어려움을 겪을 수도 있다.

3   **㉠을 구체적인 상황에 적용한 것으로 적절하지 <u>않은</u> 것은 무엇인가요? (   )**

① (자기 어머니에게) "어머니, 학교 다녀오겠습니다."

② (자기 어머니에게 편지하는 글에서) '어머님 전 상서'

③ (자기 친구에게) "너희 어머님은 여전히 바쁘시지?"

④ (자기 친구에게) "우리 어머니는 정말 세련되고 아름다우셔."

⑤ (아내의 어머니에게) "어머니, 뭐 필요한 거 있으세요?"

4 밑줄 친 낱말 중 ⓐ와 의미가 가장 비슷한 것은 무엇인가요? (　　　)

① 밖에 비가 오니 우산을 <u>쓰고</u> 가거라.

② 그는 영어를 모국어로 <u>쓰는</u> 사람이다.

③ 나 정말 괜찮으니까 그 일에 신경 <u>쓰지</u> 마.

④ 그는 노래도 부르고 곡도 <u>쓰는</u> 가수 겸 작곡가이다.

⑤ 세제를 많이 <u>쓴</u>다고 빨래가 깨끗하게 되는 것은 아니다.

5 이 글을 읽은 학생이 보기 를 참고하여 '호칭어'에 대해 이해한 내용으로 가장 적절한 것은 무엇인가요? (　　　)

> 보기
>
> 　우리말은 특히 호칭어가 발달했는데, 이는 오랫동안 우리 사회를 지배하고 있는 유교 문화와 밀접한 관련이 있다. 우리말의 호칭어는 친가, 외가, 처가, 시가, 친정 등의 계보에 따라 체계적으로 발달되어 있다. 영어의 'uncle'에 해당하는 단어들이 우리말에는 큰아버지, 작은아버지, 삼촌, 당숙, 고모부, 외숙부, 이모부 등이 있다. 이는 영어권 사회와는 달리 우리 사회가 촌수와 혈연의 계보에 따라 다양한 친족 관계를 구별하는 것이 필요했음을 단적으로 보여 주는 것이다.

① 영어의 호칭어는 주로 대명사를 중심으로 다양하게 발달되어 있다.

② 영어의 호칭어는 사회적인 신분이나 계급을 중시하는 문화를 반영하고 있다.

③ 우리말의 호칭어에는 유교 문화와 친족 관계를 중시하는 사회상이 반영되어 있다.

④ 우리말의 호칭어는 혈연의 계보를 체계적으로 발달시키는 데 큰 역할을 하고 있다.

⑤ 영어권 사회에는 다양한 친족 관계가 존재하지 않았기 때문에 호칭어를 쓰지 않고 있다.

6 빈칸에 알맞은 말을 넣어 이 글의 핵심 내용을 한 문장으로 요약하세요.

한줄
요약

　우리 사회는 　　　와 지칭어가 다양하게 발달되어 있는데, 이들 언어가 쓰이는 상황을 알고 적절하게 사용해야 언어 예절을 지키며, 　　　을 원만하게 할 수 있다.

지문 속 필수 어휘

다음 문장을 읽고, (   ) 안에 공통으로 들어갈 낱말을 완성하세요.

1
- 남북한 (   )가 좀 더 활발해지기를 기대한다.
- 조선 후기에 청나라와의 (   )를 통해 새로운 문물을 받아들였다.

교 ㄹ

2
- 그는 집들이에서 김 과장의 (   )의 음식 솜씨를 칭찬했다.
- 저 사람이 김상국 씨의 (   )이신가요?

ㅂ 인

다음 문장을 읽고, 두 낱말 중 알맞은 것을 찾아 ○표 하세요.

3 답안지를 작성할 때는 실수하지 않도록 각별히 [주의 / 주이]를 기울여야 한다.

4 그는 늦은 시간에는 [웬만하면 / 왠만하면] 다른 사람에게 전화를 하지 않는다.

낱말의 뜻을 참고하여, 다음 문장의 빈칸에 들어갈 알맞은 낱말을 완성하세요.

5 그는 딱히 누구를 | 지 | ㅊ | 해서 말하지는 않았다.
어떤 대상을 가리켜 이르는 일. 또는 그런 이름.

6 그녀는 나와 같은 | 뜨 | 래 | 인데도 항상 모임을 주도했다.
나이나 수준이 서로 비슷한 무리.

잘못된 우리말 표현

어휘 수준 ★★★★★
글감 수준 ★★★★★
글의 길이 1,512자

[A] 한 방송의 교양 프로그램에 나온 강사가 "오늘은 윗사람에게 친구를 소개시킬 때 주의할 점에 대해 알아보겠습니다."라고 말하면서 본인이나 다른 사람을 소개하는 법에 대해 설명하였다. 방송 내용은 유익했지만, '소개시키다'란 잘못된 표현이 옥의 티였다. '소개시키다.'라고 말하면 '소개하게 하다'란 의미를 가지므로 프로그램 강사가 본래 말하고자 하는 의도, '친구를 윗사람에게 소개할 때'와는 달리 '윗사람으로 하여금 친구를 소개하게 할 때'로 의미가 바뀌게 된다. 즉 '-시키다'를 붙이지 않아도 되는 말에 붙이는 잘못을 저지른 것이다. 문장 속에서 '-시키다'라는 동사가 나올 때는 주어 이외에 실제 행위를 담당하는 또 다른 사람이 있다. 예를 들어 '철수가 상품을 개발하다.'라는 문장에서는 주어가 '철수'뿐이지만, 이를 '철수가 상품을 개발시키다.'로 바꾸면 '철수가 누군가에게 시켜 상품을 개발하게 하다.'라는 의미가 되어 '개발'의 실제 행위자는 다른 사람이 된다. '-시키다'를 잘못 사용하는 경우는 대개 이 차이를 무시하고 '-하다' 형태로 써야 할 말에 습관적으로 '-시키다'를 붙이면서 발생한다.

우리는 일상생활에서 이와 같이 잘못된 우리말 표현을 자주 접한다. 자주 틀리는 우리말 표현의 또 다른 예로는 주체 높임법을 잘못 사용하는 경우를 들 수 있다. 주체 높임은 주어에 해당하는 대상을 높이는 표현이다. 이를 잘못 사용하는 예로 학교 조회나 졸업식 등에서 자주 들을 수 있는 ㉠'교장 선생님의 말씀이 계시겠습니다.'라는 표현이 있다. '있다'의 높임 표현으로 '계시다'를 사용했지만 이 말은 주체를 직접 높이는 경우에만 쓰인다. '부모님은 시골에 계신다.'처럼 주어를 직접 높일 때 사용하는 것이므로 주어의 일부분이나 주어와 관련된 사물을 높일 때에는 '있다'에 '-(으)시-'를 붙여 사용하는 것이 올바르다.

흔히 커피숍의 직원이 "주문한 커피가 나오셨습니다."라고 말하는 경우가 있는데, 이는 고객을 응대하는 과정에서 고객이 아닌 사물을 높이는 잘못을 범한 것이다. '아버지께서 집에 (갔다/가셨다)'에서 주어인 아버지를 높이기 위해 '갔다'가 아닌 '가셨다'를 써야 하는데 이때 '가셨다'는 '가시었다'의 준말로 주어를 높이는 '-시-'가 사용된다. 이렇게 '-시-'는 문장의 주어를 높이는 역할을 하는데, 앞선 상황에서 '나오시었습니다.'의 준말인 '나오셨습니다.'는 '커피가'가 주어이므로 사람이 아닌 커피를 높이는 꼴이 되고 있다. 사람과 관련된 것이 아닌 사물의 경우에는 '-습니다'를 활용하여 고쳐 표현하는 것이 적절하다. 물론 대화할 때 '눈이 크시다, 넥타이가 멋있으시다.'처럼 듣는 사람과 밀접한 관계가 있는 것을 존댓말로 표현하며 '-시-'를 붙이는 것은 자연스럽다.

이처럼 일상에서 잘못된 높임이나 비정상적인 존칭 표현을 사용하면 말하는 사람을 우스꽝스럽게 만들 뿐 아니라 말하는 사람의 격을 크게 떨어뜨리게 된다. 따라서 올바른 언어 사용이 말하는 이의 의도를 보다 정확하게 전달할 수 있다는 점을 명심하고 일상에서 올바른 언어를 사용하기 위해 노력해야 한다.

● **주어**(主 주인 주, 語 말씀 어)
주요 문장 성분의 하나로, 술어가 나타내는 동작이나 상태의 주체가 되는 말. '철수가 운동을 한다.'에서 '철수가' 따위이다.

● **응대**(應 응할 응, 對 대할 대)
응하여 상대함.

1   이 글에서 알 수 있는 내용으로 가장 적절한 것은 무엇인가요? (   )

① '시키다'가 붙은 말은 되도록 사용하지 말아야 한다.

② 말을 들을 때에는 말하는 이의 의도를 파악하며 들어야 한다.

③ 잘못된 높임 표현의 사용은 말하는 사람의 격을 떨어뜨릴 수 있다.

④ 일상생활에서 존칭어보다 높임 표현을 잘못 사용하는 경우가 많다.

⑤ '할아버지께서 대구에서 오셨다.'에 사용된 '-시-'는 '대구'를 높인다.

2   이 글에 사용된 내용 전개 방식으로 적절하지 <u>않은</u> 것은 무엇인가요? (   )

① 여러 사례를 들어 자신의 견해를 뒷받침하고 있다.

② 설명하려는 높임법의 뜻을 풀이하여 제시하고 있다.

③ 일상의 문제를 글감으로 삼아 독자의 관심을 끌고 있다.

④ 문제 상황을 지적하고 이에 대한 올바른 인식을 촉구하고 있다.

⑤ 독자의 호기심을 자극하는 물음을 던지면서 글을 시작하고 있다.

3   이 글을 참고할 때, ㉠의 올바른 표현으로 가장 적절한 것은 무엇인가요? (   )

① 교장 선생님의 말씀이 있었다.

② 교장 선생님께서 계시겠습니다.

③ 교장 선생님의 말이 있을 것이다.

④ 교장 선생님의 말이 계시겠습니다.

⑤ 교장 선생님의 말씀이 있으시겠습니다.

4 [A]를 참고하여 보기 의 사례를 분석한 내용으로 적절하지 <u>않은</u> 것은 무엇인가요?

( )

> **보기**
>
> ㄱ. 나는 아들을 학원에 <u>등록시키고</u> 왔다.
>
> ㄴ. 나는 어머니에게 친구를 <u>소개시켰다.</u>
>
> ㄷ. 나는 프로그램을 <u>개발시키느라</u> 시간이 많이 걸렸다.

① ㄱ은 '나는 아들을 학원에 등록하게 했다.'는 의미이군.

② ㄴ은 '어머니로 하여금 친구를 소개하게 했다.'는 의미가 되는군.

③ ㄴ은 불필요한 '-시키다'를 붙여서 생긴 잘못된 표현이군.

④ ㄷ은 '나는 다른 누군가를 시켜 프로그램을 개발하게 했다.'는 의미이군.

⑤ ㄱ~ㄷ은 밑줄 친 '-시키다'를 모두 '-하다'로 바꾸어야 올바른 표현이 되겠군.

5 일상에서 사용하는 다음 표현 중에 올바른 것은 무엇인가요? ( )

① (냉장고를 고치는 기사가 고객에게)

　"고객님, 모터가 망가지셨습니다."

② (찻집에서 주인이 고객에게 차를 내주며)

　"손님, 주문하신 차가 나오셨습니다."

③ (어머니의 안부를 묻는 친구에게)

　"요즘, 어머니께서 걱정이 계신다."

④ (대화 중에 할머니의 손을 잡으며)

　"할머니, 손이 참 부드러우시네요."

⑤ (거짓임을 알고 있는 친구가 거짓말하는 친구에게)

　"너, 거짓말시키지 마."

6 빈칸에 알맞은 말을 넣어 이 글의 핵심 내용을 한 문장으로 요약하세요.

한줄
요약

일상에서 '-□□'가 붙어야 하는 말에 '-시키다'를 붙이거나 사람과 관련되지

않은 사물에 '-시-'를 붙임으로써 □□ 높임에 어긋나게 표현하는 경우가 많은

데, 이러한 잘못된 표현을 고치고 올바른 언어를 사용하기 위해 노력해야 한다.

지문 속 필수 어휘

낱말의 뜻을 참고하여, 다음 문장의 빈칸에 들어갈 알맞은 낱말을 완성하세요.

❶ 자연 파괴는 인간에게 아무런 [이 | 익]을 주지 못한다.
　　　　　　　　　이롭거나 도움이 될 만한 것이 있음.

❷ 우리 연구팀은 신제품 [개 | 발]을 시작하였다.
　　　　　　　　　새로운 것을 연구하여 만들어 냄.

❸ 그 일은 나의 [의 | 도]와는 다르게 점점 복잡하게 꼬여 버렸다.
무엇을 하고자 하는 생각이나 계획. 또는 무엇을 하려고 꾀함.

❹ 처음 만난 사람에게는 어느 정도의 [존 | 칭] 표현을 써야 할지 모르겠다.
　　　　　　　　　사람이나 사물을 높이는 뜻으로 이르는 말.

❺ '꽃이 피었다.'라는 문장의 [주 | 어]는 '꽃이'이다.
주요 문장 성분의 하나로, 술어가 나타내는 동작이나 상태의 주체가 되는 말.

다음 문장을 읽고, 두 낱말 중 알맞은 것을 찾아 ○표 하세요.

❻ 그들 부부는 서로에게 [존댓말 / 존대말]을 쓴다.

❼ 상인은 화가 난 손님을 끝까지 침착하게 [응대 / 응대]했다.

❽ 그는 아버지 말씀을 [작심 / 명심]했다.

❾ 어렸을 때부터 [옳바른 / 올바른] 식습관을 가져야 한다.

세계인이 하나의 언어를 사용한다면 —

⏱ 12분 안에 풀어보세요.

어휘 수준 ★★★★★ 하 중 상
글감 수준 ★★★★★
글의 길이 1,547자
본격 독해 훈련

가 세계에는 다양한 사람들이 존재하는 만큼 굉장히 다양한 언어가 존재한다. 그렇기 때문에 서로 다른 언어를 가진 사람들이 만나면 이야기를 나누는 데에 적지 않은 어려움이 따른다. 이에 대해 많은 사람들이 다음과 같은 의문을 던지고는 한다. 같은 인간임에도 왜 의사소통에 어려움을 겪어야 할까? 언제 어디서나, 누구를 만나든 상관없이 편안하게 이야기를 나눌 수 있는 방법은 없을까? 세계 공용어, 세계 언어가 있다면 어떨까?

나 19세기 말, 이와 같은 의문을 가지고 전 세계인이 공통적으로 사용하는 언어, '세계 언어'를 만들기 위해 고민하고 시도했던 한 사람이 있다. 바로 요한 마르틴 슐라이어 신부이다. 어느 날 슐라이어 신부는 자신의 신앙에 따라 '인간은 모두 똑같은 신의 창조물인데, 왜 서로 의사소통을 할 수 없을까?'라는 의문을 가지고, '세계 언어'를 만들기로 계획하였다.

다 처음에 그는 영어, 독일어, 프랑스어, 스페인어 등을 하나의 언어로 종합할 수 없을까 고민하기 시작하였다. 그러나 곧 그것이 만만치 않은 일임을 깨달았다. 그렇게 고민을 이어 가던 슐라이어 신부는 머릿속에 하나의 문장을 떠올렸다. 그 문장은 바로 '하나의 인류, 하나의 언어'라는 것이었다. 그는 영어와 독일어에서 많은 부분을 가져와 만든 인공 언어를 'Volapük(볼라퓌크)'라고 이름 붙였다. '볼라퓌크'라는 이름은 '세계'라는 뜻의 'vol-'과 '언어'라는 뜻의 'pük'를 합쳐서 만들었다.

라 그러나 그의 언어에는 큰 문제점이 있었다. 그것은 바로 볼라퓌크의 기반이 되는, 단어를 만드는 원칙이 매우 복잡하고 어렵다는 것이었다. 미국인도 영국인도 '볼라퓌크'라는 단어를 보고 '세계 언어'라는 의미를 쉽게 알아볼 수 없었다. 문제는 이뿐만이 아니었다. 문법 또한 전 세계의 사람들이 쉽게 익히고 쓰기에는 지나치게 어려웠다. 그럼에도 불구하고 세계 언어에 대한 관심은 전 세계적으로 커져 갔고, 그 결과 '세계 언어 협회'가 탄생하였다. 유럽의 거의 모든 나라와 미국, 중국, 호주 등에서 많은 사람들이 '세계 언어 협회'를 구성하여 정기적으로 모임을 가지며 볼라퓌크어를 배우고, 볼라퓌크어로 이야기를 주고받았다. 독일의 뮌헨에는 '카뎀 볼라퓌크'라는 전문가 단체가 만들어지기도 했다.

마 19세기에서 20세기로 넘어가면서, 세계 언어에 대한 관심과 논의는 한층 더 확장되었다. 그런데 21세기인 오늘날, '볼라퓌크'라는 세계 언어를 들어 본 사람은 아마도 거의 없을 것이다. 그렇게 많은 관심을 받았던 인공 언어는 왜 더 큰 인기를 누리지 못하고 자취를 감추었을까? 많은 사람들이 그 이유를 영어에서 찾고 있다. 영어는 이미 많은 나라에서 공식 언어로 인정받고 있으며, 법적으로 학교에서 이를 배우도록 하고 있기 때문이다. 이제는 슐라이어 신부가 간절히 바라고, 또 꿈꿨던 세계 언어의 역할을 영어가 하고 있다고 볼 수 있다. 그러나 영어 역시 전 세계 사람들이 쉽게 배우고 쓸 만큼 쉬운 언어라고 보기는 어렵다. 그래서 세계 언어에 대한 논의와 고민은 지금도 계속되고 있다. 언젠가 모든 인류가 하나의 언어로 쉽게 의사소통하는 날이 오지 않을까 기대해 본다.

1 이 글의 내용과 일치하는 것은 무엇인가요? (   )

① 세계 언어에 대한 고민은 지금도 계속되고 있다.

② 영어는 세계 언어로서 누구나 쉽게 배우고 쓸 수 있다.

③ 21세기에 들어서면서 세계 언어에 대한 사람들의 관심이 거의 사라졌다.

④ 과거와 달리 오늘날에는 언어가 달라도 의사소통에 불편을 겪지 않는다.

⑤ 슐라이어 신부는 영어, 독일어, 프랑스어 등을 하나로 만드는 것에 성공하였다.

2 가~마 중, 보기 의 글이 들어가기에 가장 적절한 곳은 어디인가요? (   )

보기

　슐라이어 신부 이전에도 세계 언어가 있어야 한다는 주장은 계속해서 있어 왔다. 독일의 철학자인 라이프니츠와 프랑스의 철학자인 데카르트도 모든 인류를 위한 하나의 언어에 대해 생각했다. 그러나 그 생각을 실행에 옮길 만큼의 의지와 간절함은 없었다. 그런데 이들과 달리 1879년, 슐라이어 신부는 '세계 언어'라는 인공 언어의 토대를 적어 내려가기 시작했다.

① 가 앞

② 가 와 나 사이

③ 나 와 다 사이

④ 다 와 라 사이

⑤ 라 와 마 사이

3 이 글을 통해 추론할 수 있는 세계 언어가 되기 위한 조건은 무엇인가요? (   )

① 배우고 사용하기에 쉬워야 한다.

② 여러 언어의 체계를 종합해야 한다.

③ 문법 체계가 다양하고 복잡해야 한다.

④ 인공적으로 만들어 내야만 존재할 수 있다.

⑤ 그 언어를 사용하는 협회가 존재해야 한다.

4 <u>볼라퓌크</u>를 **이해한 내용**으로 적절한 것은 무엇인가요? ( )

① 지금까지도 세계 곳곳에서 사용되고 있다.

② 독일어, 프랑스어, 스페인어의 체계가 종합된 언어이다.

③ 단어를 만드는 원칙과 문법이 익히고 쓰기에는 매우 어렵다.

④ '볼라퓌크'라는 단어를 처음 본 사람들도 그 의미를 쉽게 알아차렸다.

⑤ '볼라퓌크'에 대한 관심이 높아지면서 이를 대체하는 언어를 만드는 협회가 생겨났다.

╋ 수능연결

특정 대상에 대해 '이해한 내용'을 묻는 문제는 대상의 세부적인 내용까지 자세하게 묻는 경우가 많습니다. 따라서 글에서 대상에 대한 설명이 드러난 문단을 찾아 꼼꼼하게 내용을 확인해야 합니다.

<u>벤야민이 말한 근대 도시</u>는 착취의 사물 세계와 꿈의 주체 세계가 교차하는 복합 공간이다. 이렇게 벤야민의 견해는 근대 도시에 대한 일면적인 시선을 ⓔ<u>바로잡는</u> 데 도움을 준다.

16. <u>벤야민이 말한 근대 도시</u>를 <u>이해한 내용</u>으로 적절하지 <u>않은</u> 것은?

① 생산의 공간과 ~~~~~하는 공간이다.

② 소비 행위가 노~~~~을 가져다주는 공간이다.

이해한 내용

③ 이질적인 것이 병치되고 뒤섞이며 빠~~

④ 새로운 테크놀로지의 도입을 통해 노~

⑤ 집단 규율을 따라 노동하는 노동자도~

수능에는 대상의 세부적인 내용을 꼼꼼하게 파악하는 문제가 출제돼요.

5 빈칸에 알맞은 말을 넣어 이 글의 핵심 내용을 한 문장으로 요약하세요.

한줄요약

☐☐ ☐☐의 필요성은 꾸준히 논의되면서 19세기 말에 슐라이어 신부에

의해 ☐☐☐라는 언어가 고안되었으나, 오늘날에는 그 자리를 ☐☐

가 대체하면서 세계 언어에 가까운 역할을 하고 있다.

지문 속 필수 어휘

다음 문장을 읽고, (   ) 안에 공통으로 들어갈 낱말을 완성하세요.

❶
- 흉을 (   ).
- 신문을 (   ).
- 기회를 (   ).

ㅂ ㄷ

❷
- 돈을 (   ).
- 신경을 (   ).
- 모자를 (   ).

ㅆ ㄷ

❸
- 우리 동네에는 (   ) 호수가 있어 산책을 나오는 사람들이 많다.
- (   ) 조미료보다 천연 조미료를 사용하는 식당이 많이 늘었다.

ㅇ 공

낱말의 뜻을 참고하여, 다음 문장의 빈칸에 들어갈 알맞은 낱말을 완성하세요.

❹ 넌 내가 그렇게 만 ㅁ 하니?
부담스럽거나 무서울 것 없어 쉽게 다루거나 대할 만하다.

❺ 이 일을 진행하기 전에 앞으로 지켜야 할 ㅇ 칙 을 세워야겠어.
어떤 행동이나 이론 따위에서 일관되게 지켜야 하는 기본적인 규칙이나 법칙.

❻ 저 모둠은 과제에 대한 ㄴ 의 가 굉장히 활발하게 이루어지고 있다.
어떤 문제에 대하여 서로 의견을 내어 토의함. 또는 그런 토의.

❼ 잊지 말고 정 ㄱ ㅈ 으로 건강 상태를 확인해야 해.
기한이나 기간이 일정하게 정하여져 있는. 또는 그런 것.

유추의 방법

⏱ **14**분 안에 풀어보세요.

어휘 수준 ★★★★★
글감 수준 ★★★★★
글의 길이 1,474자

가 유추란 무엇인가를 알아내기 위한 사고 방법 중 하나로, 어떤 사물이나 현상의 성질을 그와 비슷한 다른 사물이나 현상에 기초하여 미루어 짐작하는 방법을 말한다. 이 사고 방법은 학문 또는 예술 활동에서뿐만 아니라 일상생활에서도 흔히 활용되고 있다.

나 유추는 다음의 과정을 통해 이루어진다. 먼저 '알고자 하는 대상과 그 대상의 특성을 확정'한다. 이는 알고자 하는 대상이 무엇인지, 그리고 알아내려 하는 특성 혹은 특징이 무엇인지를 확실하게 하는 단계이다. 그 다음은 '알고 있는 대상과의 비교'이다. 이미 알고 있는 대상의 특성과 알고자 하는 대상의 특성을 비교하는 단계이다. 이 단계에서는 주로 두 대상 간의 공통점을 확인하게 된다. 마지막은 '결론 내리기'이다. 이 단계에서는 알고 있는 대상과 알고자 하는 대상을 비교한 내용을 바탕으로 알고자 하는 대상이 어떠한 특성을 가질 것이라고 결론을 내리게 된다.

다 동물원에 가서 '백조'를 처음 본 어린아이가 그것이 날 수 있는가, 혹은 날지 못하는가를 판단하는 과정을 생각해 보자. 이 경우 '알고자 하는 대상'이 무엇인지, 그리고 '알고자 하는 대상의 특성'이 무엇인지를 확정하면 '백조가 날 수 있는가?'가 된다. 그런데 그 아이가 자신이 이미 알고 있는 '비둘기'를 떠올리고는 백조와 비둘기 사이에 '깃털이 있다.', '다리가 두 개이다.', '날개가 있다.' 등의 공통점을 ㉠발견하였다. 이렇게 공통점을 발견하는 것이 바로 두 번째 단계인 비교이다. 그 다음에 '비둘기는 난다.'라는 특성을 다시 확인한 후 '백조도 날 것이다.'라고 결론을 내리면 유추가 끝나게 된다.

라 많은 논리학자들은 유추가 잘못된 판단을 내리게 한다며 유추라는 방식을 폄하하기도 한다. 유추를 통해 알아낸 것, 유추를 통해 도출한 결론이 옳다는 보장이 없기 때문이다. 위에서 말한 '백조가 난다.'는 옳은 결론이다. 그런데 똑같은 방법으로 '타조'에 대해 '타조가 난다.'라는 결론을 내렸다면, 이는 사실에 부합하지 않는다. 이러한 오류가 발생한 이유는 비교 대상으로 공통점을 가장 많이 가지고 있는 대상을 선택하지 못했기 때문이다. 이렇듯 유추를 통해 알아낸 것이 참일 가능성이 있다고는 말할 수 있지만 틀림없이 참이라고 단정할 수는 없다.

마 결국 유추를 통해 옳은 결론을 내릴 가능성을 높이는 것이 중요한데, '범위 좁히기'의 과정을 통해 비교할 대상을 선정함으로써 그 가능성을 높일 수 있다. 만약 어린아이가 수많은 새 중에서 비둘기 말고, 타조와 더 많은 공통점을 갖고 있는 것, 예를 들면 '몸통에 비해 날개의 크기가 작다.'라는 공통점을 하나 더 가지고 있는 '닭'을 비교 대상으로 삼아 유추를 했다면 '타조는 날지 못할 것이다.'라는 결론을 내렸을 것이다.

바 옳지 않은 결론을 내릴 가능성을 항상 가지고 있음에도 불구하고 유추는 필요하다. 우리 인간은 모든 사례를 일일이 확인할 수 없을 뿐만 아니라 모든 것을 알아내지도 못한다. 그럼에도 인간이 많은 지식을 가질 수 있게 된 것은 유추와 같은 사고 방법 덕분이다.

● **결론**(結 맺을 결, 論 논할 론)
최종적으로 판단을 내림. 또는 그 판단.

● **폄하**(貶 낮출 폄, 下 아래 하)
가치를 깎아내림.

● **도출**(導 이끌 도, 出 날 출)
판단이나 결론 따위를 이끌어 냄.

● **부합**(符 기호 부, 合 모을 합)
사물이나 현상이 서로 꼭 들어 맞음.

1 이 글에 사용된 내용 전개 방식으로 가장 적절한 것은 무엇인가요? (   )

① 다양한 사례를 소개하며 유추의 유형을 분류하고 있다.

② 대조를 통해 유추와 다른 사고 방법의 차이점을 밝히고 있다.

③ 유추의 개념을 소개하고 유추의 필요성에 대해 서술하고 있다.

④ 유추에 대한 사회적 인식의 변화를 시간의 흐름에 따라 서술하고 있다.

⑤ 유추의 한계점을 바탕으로 이를 대체할 수 있는 사고 방법을 소개하고 있다.

2 이 글의 내용과 일치하지 <u>않는</u> 것은 무엇인가요? (   )

① 유추는 무엇인가를 알아내기 위한 사고 방법 중 하나이다.

② 유추는 학문적 연구와 같은 특정 분야에서만 쓰이는 사고 방법이다.

③ 유추의 방법을 통해 도출한 결론이 언제나 옳다고 보장할 수는 없다.

④ 결론이 참이 아닐 수 있다는 이유로 유추는 그 가치가 내려가기도 한다.

⑤ 유추의 사고 방법을 통해 오늘날 인간은 많은 지식을 가질 수 있게 되었다.

3 보기 를 바탕으로 다 ~ 마 를 이해한 내용으로 적절한 것은 무엇인가요? (   )

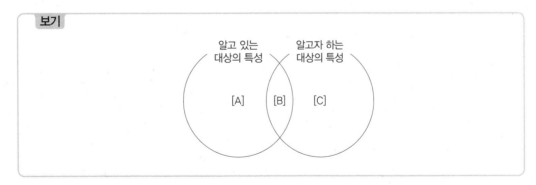

보기

알고 있는 대상의 특성　　알고자 하는 대상의 특성

[A]　[B]　[C]

① 어린아이에게 '백조'의 특성은 [A]에 해당한다.

② '백조'와 '비둘기'의 공통적인 특성은 [C]에 해당한다.

③ 두 대상 간에 [B]가 존재한다면 유추로 얻은 결론은 항상 옳다.

④ '타조'에 대한 결론이 잘못된 이유는 두 대상 간에 [B]가 존재하지 않기 때문이다.

⑤ 참인 결론을 도출할 가능성을 높이려면 비교 대상으로 [B]가 가장 많은 것을 선택해야 한다.

4 이 글을 바탕으로 하여 보기 를 이해한 내용으로 가장 적절한 것은 무엇인가요?

( )

> 보기
>
> '과연 화성에도 생명체가 존재하는가?'라는 물음에 대한 답을 찾기 위해 화성과 우리가 살고 있는 행성인 지구를 비교해 보았다. 그 결과 지구와 화성은 '암석이 존재한다.', '물의 흔적이 존재한다.', '태양과의 거리가 비슷하다.', '최저 기온이 비슷하다.' 등의 공통점을 찾을 수 있었다. 지구에는 인간을 비롯하여 생명체가 존재한다. 그러므로 화성에도 생명체가 존재할 것이라고 짐작해 볼 수 있다.

① 알고자 하는 대상으로 '지구'를 확정하였다.
② 비교할 대상으로 선택된 행성은 '화성'이다.
③ 확정된 대상의 알고자 하는 특성은 '화성의 최저 기온'이다.
④ 유추를 통해 도출한 결론은 '지구에 생명체가 존재한다.'이다.
⑤ '물의 흔적이 존재한다.'라는 것은 두 대상을 비교하여 확인한 공통점이다.

5 ㉠과 바꾸어 쓸 수 있는 말로 가장 적절한 것은 무엇인가요? ( )

① 파고들었다.
② 발명하였다.
③ 적발하였다.
④ 찾아내었다.
⑤ 발굴하였다.

한줄
요약

6 빈칸에 알맞은 말을 넣어 이 글의 핵심 내용을 한 문장으로 요약하세요.

어떤 사물이나 현상의 성질을 그와 비슷한 다른 사물이나 현상에 기초하여 미루어 짐작하는 방법인 [　　]는 알고 있는 대상과 알고자 하는 대상을 [　　]하여 결론을 도출하며, 옳지 않은 결론을 내릴 가능성이 있음에도 불구하고 인간이 많은 지식을 가질 수 있게 되었다는 점에서 유추는 [　　]하다.

지문 속 필수 어휘

낱말의 뜻을 참고하여, 다음 문장의 빈칸에 들어갈 알맞은 낱말을 완성하세요.

❶ 인터넷으로 제품의 가격을 꼼꼼히 비 ㄱ 해 보고 구매했더니 뿌듯하다.
    둘 이상의 사물을 견주어 서로 간의 유사점, 차이점, 일반 법칙 따위를 깊이 생각함.

❷ 그는 자신의 오 ㄹ 는 인정하지 않았다.
    그릇되어 이치에 맞지 않는 일.

❸ 이 ㅎ 상 대로 몇 년을 지날지 알 수 없다.
    나타나 보이는 현재의 상태.

❹ 그 화가가 초등학생이라는 이유로 그의 작품이 ㅍ 하 되어서는 안 된다.
    가치를 깎아내림.

❺ 국민 투표는 민주 정치의 근본이념과 부 ㅎ 하는 제도이다.
    사물이나 현상이 서로 꼭 들어맞음.

❻ 나는 지갑을 잃어버린 그 친구의 심정이 어떨지 조금이나마 ㅈ 작 할 수 있었다.
    사정이나 형편 따위를 어림잡아 헤아림.

❼ 그 일은 실현 ㄱ 능 ㅅ 이 적은 편이다.
    앞으로 실현될 수 있는 성질이나 정도.

다음 문장을 읽고, 두 낱말 중 알맞은 것을 찾아 ○표 하세요.

❽ 사장은 현 상황을 투자 적기로 [판결 / 판단] 하고 있다.

❾ 기자단은 그를 이달의 선수에 [선정 / 설정] 하였다.

❿ 노사는 협상 과정에서 합의를 [각출 / 도출] 하는 데 실패하였다.

⓫ 나는 국어국문학을 전공으로 [선택 / 선별] 했다.

문화를 바라보는 총체적 관점

어휘 수준 ★★★★★ (하 중 상)
글감 수준 ★★★★★
글의 길이 1,450자

19세기 일부 인류학자들은 결혼이나 가족 등 문화의 일부분에 주목하여 문화 현상을 바라보고 이해하려고 하였다. 그들은 모든 문화가 '야만 → 미개 → 문명'이라는 단계적 순서에 따라 발전한다고 설명하였다. 그러나 결혼이나 가족 등 문화의 일부분을 바탕으로 전체 문화 현상을 파악하려 했던 그들의 입장은 20세기에 들어서면서 많은 비판을 받았다. 어떤 문화도 일부분만으로는 총체를, 즉 전체적인 문화 현상을 파악할 수 없다는 이유에서였다. 또한 문화를 이루는 인간 생활의 거의 모든 측면은 서로 깊은 관련을 ㉠맺고 있기 때문이다.

20세기 인류학자들은 사회를 구성하는 거의 모든 부분들이 서로 밀접한 관련을 맺고 있다는 사실에 주목하여 문화 현상을 바라보려고 하였다. 어떤 민족이나 인간 집단을 연구할 때에는 그들의 역사와 지리, 자연환경뿐만 아니라, 사람들의 타고난 특성과 가족 제도, 경제 체제, 인간의 심성 등 가능한 한 모든 측면을 서로 관련지어서 생각하고 판단해야 한다는 것이다. 이러한 관점을 문화를 바라보는 ⒜총체적 관점이라고 한다.

오스트레일리아의 여요론트 부족 이야기는 인간과 문화를 총체적 관점에서 이해해야 하는 이유를 잘 보여 준다. 20세기 초까지 수렵과 채집 생활을 했던 여요론트 부족 사회에서 돌도끼는 수렵과 채집에 필수적인 것이자 가장 쓸모 있는 것으로, 성인 남성만이 소유할 수 있는 가장 중요한 도구였다. 돌도끼의 제작과 소유는 남녀의 역할 구분, 부족 사회의 위계질서 유지, 부족 경제의 활성화 등에 커다란 영향을 미쳤다. 그런데 어느 날 백인 신부들이 선교를 위해 여성과 아이들에게 쇠도끼를 선물하였고, 이로 인해 여성과 아이들은 더 이상 성인 남성에게 의지할 필요가 없어졌다. 그리고 이는 여요론트 부족 내에서의 성(性) 역할 구분, 나이에 따른 위계질서와 권위, 부족 간의 교역 및 교류에 큰 혼란을 가져왔다. 이로 인해 여요론트 부족 사회는 그들의 문화 자체가 붕괴되어 버리는, 엄청난 문화 해체 현상을 겪게 되었다.

쇠도끼의 유입으로 인한 여요론트 부족 사회의 문화 해체 현상은 인간 생활의 모든 측면이 서로 밀접한 관계가 있다는 것을 잘 보여 준다. 만약 문화의 발전이 미개 사회에서 문명 사회로 단계적으로 이루어진다는 관점에서 여요론트 부족의 상황을 살펴본다면, 쇠도끼는 미개 사회에 도입된 문명사회의 도구이고 문화 해체는 여요론트 부족 사회의 발전을 위하여 거쳐 가야만 하는 중간 단계인 과도기로 이해할 수 있다. 하지만 이러한 관점으로는 여요론트 부족에게 쇠도끼의 등장과 공급이 가지는 의미와 그들이 겪은 문화 해체 현상을 제대로 이해하기가 매우 어렵다.

여요론트 부족 사회의 이야기에서 알 수 있듯이, 문화를 바라보는 총체적 관점은 사회나 문화를 객관적이면서도 깊이 있게 바라보고 이해하는 것을 가능하게 한다. 이러한 관점을 바탕으로 인간이 처한 여러 가지 상황을 바라볼 때, 우리는 문제가 생기더라도 바람직한 해결 방향을 찾을 수 있을 것이다.

● 총체(總 모두 총, 體 몸 체)
있는 것들을 모두 하나로 합친 전부 또는 전체.

● 위계질서(位 자리 위, 階 섬돌 계, 秩 순서 질, 序 순서 서)
관등이나 직책의 상하 관계에서 마땅히 있어야 하는 차례와 순서.

● 붕괴(崩 무너질 붕, 壞 무너질 괴)
무너지고 깨어짐.

● 과도기(過 지날 과, 渡 건널 도, 期 기약할 기)
한 상태에서 다른 새로운 상태로 옮아가거나 바뀌어 가는 도중의 시기. 흔히 사회적인 질서, 제도, 사상 따위가 아직 확립되지 않은 불안정한 시기를 이름.

1 이 글에 나타난 글쓰기 방식으로 가장 적절한 것은 무엇인가요? (   )

① 단계적인 순서에 따라 개념의 차이를 제시하고 있다.

② 중심 화제의 장점과 단점을 대비하여 설명하고 있다.

③ 상반되는 두 견해를 절충하여 결론을 이끌어 내고 있다.

④ 전문가의 말을 인용하여 특정 관점의 의의를 제시하고 있다.

⑤ 구체적인 사례를 통해 특정 관점의 가치와 중요성을 설명하고 있다.

2 여요론트 부족에 대한 설명으로 적절하지 <u>않은</u> 것은 무엇인가요? (   )

① 돌도끼는 성인 남성이 가진 권력의 상징이었다.

② 돌도끼는 아무나 가질 수 있는 물건이 아니었다.

③ 문명사회로 나아가기 위해 쇠도끼를 받아들였다.

④ 여성과 아이들이 쇠도끼를 갖게 되면서 변화가 나타났다.

⑤ 쇠도끼의 등장으로 여요론트 부족의 문화는 붕괴되었다.

3 이 글의 19세기 일부 인류학자들을 A, 20세기 인류학자들을 B라고 할 때 A와 B가 할 수 있는 말로 적절하지 <u>않은</u> 것은 무엇인가요? (   )

① A: 문화의 일부분에 주목하면 전체 문화 현상을 알 수 있습니다.

② B: 문화의 일부분만으로는 전체적인 문화 현상을 알기 어렵습니다.

③ A: 모든 문화는 야만에서 미개를 거쳐 문명 수준으로 발전합니다.

④ B: 문화를 이루는 인간 생활의 측면들은 서로 깊은 연관이 있습니다.

⑤ A: 어떤 민족이나 인간 집단을 연구할 때는 역사, 자연환경, 가족 제도 등 가능한 많은 측면을 관련지어서 이해해야 합니다.

4 이 글의 Ⓐ에서 보기 를 이해한 내용으로 가장 적절한 것은 무엇인가요? (   )

> 보기
>
> 　농업 국가인 A국에는 매년 1월 즈음에 논밭에 불을 놓는 풍습이 있다. 이 풍습은 들짐승과 해충을 예방한다는 목적과 함께 한 해의 시작에 농산물이 잘 자랄 수 있기를 바라는 기원을 담고 있다. A국에서 이러한 풍습은 때때로 편싸움의 형태로 이루어지기도 하는데, 이는 불길이 더 잘 타는 쪽이 올해에 풍년일 것이라는 믿음에서 생겨났다. 한편 또 다른 농업 국가인 B국에서는 인명이나 재산 피해 등을 이유로 이러한 풍습을 법적으로 금지하고 있다.

① 편싸움은 농사를 짓는 어느 나라에나 존재할 거야.
② A국의 풍습은 농사를 중시하는 국가의 전통으로만 이해하면 되겠군.
③ A국의 문화를 이해할 때 지역, 법률 등에 대해서는 고려하지 않아도 될 것 같아.
④ A국에 편싸움이 존재하는 이유는 B국과의 공통점을 찾아봄으로써 확인할 수 있어.
⑤ A국의 풍습은 인명이나 재산 피해를 일으킬 수 있지만 법으로 규제하기보다는 전체적인 삶의 모습을 고려하여 바람직한 해결 방안을 찾아봐야겠군.

5 ㉠의 의미로 가장 적절한 것은 무엇인가요? (   )

① 하던 일을 끝내다.
② 실, 노끈 따위를 얽어 매듭을 만들다.
③ 관계나 인연 따위를 이루거나 만들다.
④ 물방울이나 땀방울 따위가 생겨나 매달리다.
⑤ 열매나 꽃망울 따위가 생겨나거나 그것을 이루다.

6 빈칸에 알맞은 말을 넣어 이 글의 핵심 내용을 한 문장으로 요약하세요.

한줄
요약

　사회를 구성하는 거의 모든 부분이 서로 □□ 한 관계를 맺고 있음에 주목하여

문화 현상을 바라보려는 관점을, 문화를 바라보는 □□□ 관점이라고 하는데

이 관점은 인간 사회의 다양한 □□ 현상을 이해하는 데 중요한 역할을 하였다.

지문 속 필수 어휘

낱말의 뜻을 참고하여, 다음 문장의 빈칸에 들어갈 알맞은 낱말을 완성하세요.

❶ 전쟁으로 남편을 잃은 그녀는 오로지 아들 하나만을 ⬚ 지 하며 살아왔다.

　　　　　　　　　다른 것에 마음을 기대어 도움을 받음.

❷ 문제를 수습할 기회를 놓친 그들은 ㅊ 체 ㅈ 위기를 맞았다.

　　　　　　　　　있는 것들을 모두 하나로 합치거나 묶은.

❸ 오늘날 과학 기술이 굉장히 빠른 속도로 발 ㅈ 하고 있다.

　　　　　　　　　더 낫고 좋은 상태나 더 높은 단계로 나아감.

❹ 청소년은 어린이에서 어른으로 성장하는 ㄱ ㄷ 기 에 있다고 할 수 있다.

　　　　　　　　　한 상태에서 다른 새로운 상태로 옮아가거나 바뀌어 가는 도중의 시기.

❺ 작문은 독서와 아주 ㅁ ㅈ 한 관계에 있다.

　　　　　　　　　아주 가깝게 맞닿아 있는. 또는 그런 관계에 있는.

다음 문장을 읽고, (　　) 안에 공통으로 들어갈 낱말을 완성하세요.

❻
- 대결과 전쟁을 불러왔던 냉전 체제가 (　　　)되었다.
- 지진으로 일부 도로가 (　　　)되었다.

　ㅂ 괴

❼
- 가족 사이에서도 어느 정도의 (　　　)는 있어야 한다.
- 군대에서 (　　　)를 어기는 사람은 엄중한 처벌을 받는다.

　ㅇ 계 ㅈ 서

❽
- 다음 시간에는 중세 사회의 (　　　) 과정을 살펴보기로 했다.
- 그 정책은 농업과 농촌에 회복하기 힘든 (　　　) 위기를 몰고
  올 것이다.

　ㅎ 체

달리는 서점, 책쾌

어휘 수준 ★★★★★
글감 수준 ★★★★★
글의 길이 1,714자

우리는 보통 책 한 권을 살 때 인터넷에서 가격, 목차, 내용, 서평 등 다양한 정보를 알아본 후에 산다. 지금보다 책이 훨씬 귀했던 시절, 사람들은 인터넷도 없이 어디서 책의 정보를 얻었을까? 그 답은 '책쾌'에게서 찾을 수 있다. 16세기에 이르러 조선 시대에는 책쾌(册儈)라는 직업이 등장하였다. '쾌(儈)'에는 '거간', '중개인', '상인'의 의미가 있어서 책쾌는 책을 구해 와 책을 필요로 하는 사람에게 파는 상인이라고 할 수 있다.

조선은 학문을 숭상했지만 의외로 책을 구할 수 있는 곳은 많지 않았다. 출판하는 곳이나 서점도 많지 않았고 책값도 비쌌다. 『논어』만 해도 한 권에 쌀 두 말과 맞먹는 가격인지라 책은 양반들의 전유물이었다. 양반들에게도 책은 귀중품이라 한 번 사 놓고는 [　　⊙　　] 읽었다.

책을 구하는 것 못지않게 책을 파는 일도 책쾌를 통해 이루어졌다. 책쾌는 양반 고객에게 책을 소개하고 필요할 책을 추천해야 했다. 책의 서지 정보는 물론 책 내용도 알아야 했으니 당연히 문장을 읽을 줄 알아야 했다. 또한 무엇보다 고객이 소중했기에 신용이나 대인 관계도 중요했다. 잘하면 대를 이어서도 거래를 할 수 있었다.

17세기 후반 책쾌의 발걸음은 더욱 바빠졌는데, 상공업의 발달로 부유한 중인이 나타나기 시작하며 중인층에서도 글 읽는 사람이 늘어났기 때문이었다. 독서 인구층이 더 넓어진 것이다. 특히 여성들 사이에 독서 열풍이 불었다. 이들이 주로 찾았던 책은 한글 소설로, 신분과 상관없이 책을 찾는 부인들은 지속적으로 늘어났다. 하지만 여전히 책값이 비쌌기 때문에 돈 없는 사람들에게 책은 그림의 떡이었다. 그래서 돈을 받고 책을 빌려주는 세책업이 등장했는데, 여기서도 책쾌의 역할은 컸다. 왜냐하면 그들은 독자가 원하는 책 목록, 독자들의 생생한 목소리를 두루 꿰고 있어 작가나 세책업 종사자들에게 독자들의 반응을 전달해 주는 통로였기 때문이었다.

그럼 왜 지금처럼 한 자리에서 책을 파는 서점이 널리 생기지 않았던 것일까? 그 이유는 조정에서는 많은 사람들이 다양한 책을 읽는 것을 바라지 않았기 때문이다. 정확히는 『삼강행실도』와 같은 책만 읽기를 바랐는데, 정보의 독점과 통제는 권력 유지 수단 중 하나였기 때문이었다. 그래서 출판을 거의 나라에서 독점했다.

영조 때인 1771년에는 금서 때문에 많은 책쾌들이 죽는 일이 벌어졌다. 문제의 책은 바로 청나라의 역사가 주린이 쓴 역사서인 『명기집략』으로, 이 책의 조선사 부분에는 허위 사실이 많았다. 가장 왜곡이 심한 부분은 조선의 태조 이성계가 고려 말 권신 이인임의 아들로 기록된 부분이었다. 물론 『명기집략』은 청의 공식 기록물이 아닌 한 개인의 책이었지만, 조선 왕실의 정통성을 부정하는 부분이 많아 조정에서는 금서로 지정했다. 그런데 책쾌들을 통해 청나라의 책이 들어오면서 암암리에 조선에 널리 유통됐다. 이에 영조는 금서를 유통한 책쾌들을 대대적으로 처벌했다. 왜냐하면 금서가 널리 퍼지는 데는 유통의 힘이 컸다고 보았기 때문이었다. 당시 죽거나 노비가 된 책쾌만 100여 명에 달했다고 한다.

이 사건 후에도 책쾌의 활동은 끊이지 않았는데, 그 이유는 책을 찾는 사람들이 사라지

● **숭상**(崇 높을 숭, 尙 오히려 상)
높여 소중히 여김.

● **전유물**(專 오로지 전, 有 있을 유, 物 물건 물)
혼자 독차지하여 가지는 물건.

● **서지**(書 글 서, 誌 기록할 지)
책이나 문서의 형식이나 체제, 성립, 전래 따위에 관한 사실. 또는 그것을 기술한 것.

● **독점**(獨 홀로 독, 占 점령할 점)
개인이나 하나의 단체가 다른 경쟁자를 배제하고 생산과 시장을 지배하여 이익을 독차지함. 또는 그런 경제 현상.

지 않았기 때문이다. 그러나 책쾌에게 진짜 종말이 찾아온 것은 근대에 인쇄기가 들어오면 서부터였다. 곧이어 정착형 서점이 생기자 이들은 서서히 역사 속으로 사라져 갔다. 하지만 이들이 서점을 대신해 책을 일반 백성들에게 나른 덕분에 백성들 사이에 지식이 전달되고 문화의 흐름도 활발해질 수 있었다.

정답과 해설 30쪽

1 이 글의 내용과 일치하지 <u>않는</u> 것은 무엇인가요? (   )

① 책쾌가 정권의 희생양이 되었던 때도 있었다.
② 조선 시대에 책은 매우 비싸고 귀한 물건에 속했다.
③ 책쾌를 통해 독자들은 책에 대한 정보를 얻을 수 있었다.
④ 상공업이 발달하면서 여성들도 책을 접할 수 있는 기회가 넓어졌다.
⑤ 조선 시대에는 신분에 따라 읽을 수 있는 책의 종류가 정해져 있었다.

2 이 글에 대한 설명으로 적절하지 <u>않은</u> 것은 무엇인가요? (   )

① 대상의 장점과 단점을 나열하고 있다.
② 용어의 의미를 풀어서 설명하고 있다.
③ 구체적인 사례를 들어 독자의 이해를 돕고 있다.
④ 질문을 던지고 그것에 답하는 형식을 취하고 있다.
⑤ 일상에서 흔히 겪을 수 있는 경험을 제시하면서 내용을 전개하고 있다.

3 다음 사실에서 추론한 내용으로 알맞은 것에 ○표 하세요.

> • 조정에서는 많은 사람들이 다양한 책을 읽는 것을 바라지 않았고, 정확히는 『삼 강행실도』와 같은 책만 읽기를 바랐다.
> • 책쾌에게 진짜 종말이 찾아온 것은 근대에 인쇄기가 들어오면서부터였다.

(1) 조선 시대의 지배층들은 조선에서 진정한 유교적 이상향이 실현되기를 바랐다.
(   )

(2) 책쾌들이 사라지게 된 이유는 정치적 탄압 때문이 아니라 인쇄 기술의 발달 때문 이었다.
(   )

4 이 글과 보기 를 읽은 후의 반응으로 적절하지 <u>않은</u> 것은 무엇인가요? (   )

> **보기**
>
> 조 생원은 당시 가장 잘나가던 책쾌였다. 더 빨리 더 많은 책을 팔기 위해 지게나 보따리가 아닌 품속에 책을 100권 가까이 품고 달리는 것부터 남달랐다. 아무리 희귀한 책이라도 구해 오는 것은 물론, 책에 빠삭하다는 책쾌 중에서도 특히 박학다식했다. 그는 탁월한 서적 판매 능력과 기이한 행동, 미스터리한 과거까지 더해지면서 '신선'이라고 불렸다. 당시 이름난 문인들과도 두루 교류했기에 정약용, 조희룡 등 많은 문인들이 그에 대한 글을 남겼다.

① 체력이 좋아야 책쾌를 할 수 있었겠어.
② 조 생원은 대인 관계 능력도 좋았던 것 같아.
③ 책쾌들은 당시에 큰 재산을 모을 수 있었겠군.
④ 조 생원은 글을 읽고 그 내용을 파악하는 능력이 뛰어났겠어.
⑤ 책쾌라고 해서 모두 같은 능력을 갖추고 있는 것은 아니었겠군.

5 ㉠에 들어갈 사자성어로 가장 적절한 것은 무엇인가요? (   )

① 온고지신(溫故知新)
② 대대손손(代代孫孫)
③ 형설지공(螢雪之功)
④ 절차탁마(切磋琢磨)
⑤ 이심전심(以心傳心)

6 빈칸에 알맞은 말을 넣어 이 글의 핵심 내용을 한 문장으로 요약하세요.

한줄
요약

조선 시대에 등장한 [   ]는 책을 구해 와 책을 필요로 하는 사람에게 파는 상인으로, 이들이 [   ]을 대신해 책을 일반 백성들에게 나른 덕분에 지식의 전달은 물론 문화의 흐름도 활발해졌다.

지문 속 필수 어휘

다음 문장을 읽고, (　　) 안에 공통으로 들어갈 낱말을 완성하세요.

❶
- 그 나라는 소를 (　　)하는 풍습이 있다.
- 우리 민족은 조상을 (　　)하는 문화를 지니고 있다.

숭	ㅅ

❷
- 자동차가 특권층의 (　　)로 여겨지던 때가 있었다.
- 철학을 철학자의 (　　)이라고 생각해서는 안 된다.

ㅈ	유	ㅁ

❸
- 그 소설로 인해 독서 (　　)이 일어나고 있다.
- 요즈음 창업 (　　)이 불면서 창업을 준비하는 사람들이 늘어
  나고 있다.

열	ㅍ

❹
- 그는 (　　)에 음모를 꾸미고 있었다.
- 그 계획은 (　　)에 추진되어 왔다.

암	ㅇ	ㄹ

다음 문장을 읽고, 두 낱말 중 알맞은 것을 찾아 ○표 하세요.

❺ 그 옷의 가격은 나의 월급과 ［ 맞먹는다 / 맏먹는다 ］.

❻ 차량 통행이 ［ 끊이지 / 끝이지 ］ 않고 이어졌다.

❼ 두 사람은 뜨거운 태양 아래 ［ 버려지고 / 벌어지고 ］ 있는 광경을 집중해서 보고 있었다.

❽ 그는 앞뒤 사정을 훤히 ［ 꿰고 / 꾀고 ］ 있었다.

논리적 사고를 키우는 비판적 독해

글을 읽을 때 내용을 무조건 받아들이지 않고 내용의 타당성, 공정성 등을 판단하면서 이해하는 것을 '비판적 독해'라고 합니다. 흔히 '비판'이라는 말을 나쁜 뜻으로 여기는 친구들도 있지만, 비판은 전혀 나쁜 것이 아니에요. 독해의 목적은 글을 읽고 스스로 생각을 하면서 논리력과 사고력을 키우는 데 있기 때문에 글을 비판적으로 이해하는 능력은 굉장히 중요합니다.

● **다음은 만화 주인공들이 나누는 대화입니다.**
  정보를 비판적으로 받아들이고 있는 친구는 누구일까요? (   )

크롱 : 너희 달 뒷면에 외계인 기지가 있는 거 알아? 크롱~

뽀로로 : 뭐래? 그런 거 없어.

크롱 : 아니다. 맞다. 크롱~

에디 : 진짜야? 누가 그래?

크롱 : 유튜브에서 영상 봤다. 크롱~ 너희도 한번 봐. 크롱~

포비 : 우와. 신기하네. 그렇구나.

루피 : 뭐야? 그걸 진짜 믿는 거야? 유튜브 영상이라고 해서 다 맞는 내용만 있는 건 아냐.

추억의 만화 등장인물들이 나눈 대화 잘 보셨나요? '크롱'은 달 뒷면에 외계인 기지가 있다고 주장하며 그 근거로 유튜브 영상을 들고 있어요. '포비'는 '크롱'과 마찬가지로 유튜브의 영상은 옳다고 믿기 때문에 '크롱'의 말을 인정하고 있지만 '루피'는 그렇지 않아요.

'루피'와 같이 들은 내용에 대해 자기 스스로 논리적으로 생각해 보는 태도를 '비판적인 태도'라고 합니다. 비판적인 태도를 가진다고 해서 자신이 들은 것, 본 것, 읽은 것을 모두 다 부정하는 것은 아니에요. '크롱'처럼 유튜브에 나왔다고 해서 무조건 믿는 것이 아니라, 과연 그것이 상식적으로 옳은지, 논리적으로 맞는지를 스스로 생각해 보는 거예요. 자, 그럼 우리도 비판적 읽기를 해 볼까요?

● 다음 글에 나타난 글쓴이의 생각을 적절히 비판한 것은 무엇인가요? (   )

3~4세의 아동이 영어를 배우는 것을 '조기 영어 교육'이라고 한다. 어릴 때는 스펀지처럼 모든 것을 흡수하는 시기이므로, 이때 영어를 배우면 습득이 빠르고 발음도 훨씬 좋아진다. 또한 어른들은 머리를 싸매고 영어 공부를 하지만 어린아이들은 생활 속에서 자연스럽게 말을 익히니 훨씬 쉽고 재미있게 영어를 배울 수 있다.

① 영어를 잘하는 데 발음이 가장 중요한 건 아니다.
② 우리말과 영어를 모두 잘하려면 어릴 때 말을 배워야 한다.
③ 우리말을 배워야 할 시기에 영어를 배우다 보면 모국어 단어 구사력이 떨어질 수 있다.

이 글의 글쓴이는 '영어 조기 교육'에 찬성하고 있습니다. 그 근거로 '어릴 때 영어를 배우면 습득이 빠르고 발음이 좋아지는 점, 생활 속에서 쉽고 재미있게 배울 수 있다는 점'을 들고 있습니다.

이런 글쓴이의 생각을 적절히 비판한 것은 ③번입니다. 글쓴이는 발음이 가장 중요하다고 말한 것이 아니기 때문에 ①번의 비판은 적절하지 않고, ②번은 영어 조기 교육에 찬성하는 입장이네요. ③번은 너무 이른 시기에 외국어를 배우면 모국어의 단어 구사력이 떨어질 수 있다고 우려하고 있는데, 이렇게 논리적으로 글쓴이의 생각을 따져보는 것이 바로 비판적 독해입니다.

비판적 독해를 잘하려면 평소 글을 읽을 때 논리적으로 생각하는 습관을 들여야 합니다. 글에 담긴 글쓴이의 생각이 무조건 옳은 것은 아니에요. 글을 읽는 여러분은 글쓴이의 생각에 반대할 수 있고, 글쓴이가 내세운 근거가 적절하지 않다고 생각할 수도 있어요. 따라서 글을 읽을 때는 글이 가진 권위 때문에 주눅 들어서 무조건 내용을 받아들이지 말고, 주장과 근거가 적절한지, 정보는 믿을 만한지 등을 논리적으로 판단하는 것이 필요합니다.

비판적 독해는 스스로 생각하는 힘인 사고력을 기를 수 있는 좋은 독해 방법이랍니다.

> " 글의 내용을 무조건 받아들이지 말고,
> 읽은 내용을 스스로 생각해 보는
> 비판적 독해를 통해 사고력을 길러 보세요! "

어휘 수준 ★★★★★ ^{하 중 상}
글감 수준 ★★★★★
글의 길이 1,425자

본격 독해 훈련

'소확행' 트렌드

⏱️**12**분 안에 풀어보세요.

가 '소확행'이라는 단어는 요즘 어디에서나 쉽게 접할 수 있는 표현이다. 각종 소셜 네트워크 서비스(SNS)에는 '소확행'이라는 해시태그가 달린 게시물이 빠른 속도로 늘어나고 있으며, 뉴스나 TV 프로그램, 책 제목에도 '소확행'이라는 표현이 자주 등장하고 있다. 도대체 '소확행'이 무엇이기에 이렇게 주목을 받고 있는 것일까?

나 '소확행'이란 '소소하지만 확실한 행복'을 줄여 부르는 말로, 오늘날 행복에 대한 사람들의 인식이 이전과 많이 달라졌음을 단적으로 보여 준다. 행복에 대한 한국인의 인식은 끊임없이 변화하고 있다. 잘 먹고 잘 살자는 '웰빙'에서 치유를 의미하는 '힐링'으로, 다시 인생은 한 번뿐이기에 현재의 행복을 즐기자는 '욜로(YOLO)'에서 '소확행'으로 변화된 것이다. 사람들이 '꼭 특별하게, 그리고 크게 무언가를 이루어 내지 않아도 우리 삶의 하루하루와 매 순간은 소중하며, 그 순간에도 우리는 행복할 수 있다.'라고 생각하기 시작했음을, 다시 말해 행복을 바라보는 관점이 달라졌음을 '소확행'이라는 표현을 통해 알 수 있다. '행복'에 대한 사람들의 인식과 기준이 미래에서 현재로, 특별한 것에서 평범한 것으로, 그리고 [　　Ⓐ　　] 바뀌어 가면서, 사람들의 소비 성향도 함께 달라지고 있다.

다 아무리 멋진 꿈일지라도 나에게서 멀리 떨어져 있다면 그것은 그다지 의미가 없다. 그래서 내 손에 잡히는 가까운 작은 행복, 작지만 확실한 자신만의 행복을 추구하는 '소확행' 트렌드가 널리 퍼지고 있는 것이다. 예를 들어 과거에는 집을 재산의 개념으로 바라보고 열심히 돈을 모아 더 좋은 집을 가지는 것에서 얻을 수 있는 행복을 추구했다면 오늘날에는 작은 원룸이라도 저렴하면서도 예쁘게 꾸미는 데에서 행복을 느끼는 것이다. 이러한 흐름을 반영하듯 최근 셀프 인테리어와 관련된 정보를 제공하면서 예쁜 소품을 비교적 저렴하게 구매할 수 있도록 도와주는 애플리케이션들이 큰 인기를 끌고 있다.

라 '소확행' 트렌드의 하나로 사람들이 자신의 집 주변에 있는 편의점이나 슈퍼마켓을 이용하는 비중이 늘어나고 있다. 이는 음식이 맛있다거나 공간이 예쁘다는 이유로 유명한 곳, 흔히 말하는 '핫 플레이스(hot place)'에 찾아가는 것 못지않게 집 주변에서도 행복을 누릴 수 있다는 인식에서 비롯되었다. 집 근처 카페에서 커피 한 잔을 마시는 것처럼 가까운 곳에서의 사소한 소비도 즐거움과 행복을 가져다 주는 매력 있는 활동이 된 것이다.

마 이처럼 '소확행' 트렌드와 함께 집과 집 주변의 공간으로 소비자들의 활동 범위가 [　Ⓑ　] 여러 기업들의 마케팅 전략도 달라지고 있다. 매장 구성이나 상품의 진열을 동네 고객들의 수요에 맞추어 바꾸기 시작한 것이다. 기업들은 소문을 듣고 어쩌다 한 번 멀리서 찾아오는 고객보다 단골손님인 동네 고객이 더 중요하다고 생각하게 되었다. 우리나라를 뜨겁게 달구고 있는 '소확행' 트렌드, 과연 앞으로 어떻게 변화할지 그 방향이 기대된다.

● **해시태그**(hashtag)
특정 핵심어 앞에 '#' 기호를 붙여 식별이 용이하게 하는 태그. 이 태그가 붙은 단어는 소셜 네트워크 서비스에서 편리하게 검색할 수 있다.

● **트렌드**(trend)
사상이나 행동 또는 어떤 현상에서 나타나는 일정한 방향.

● **애플리케이션**(application)
스마트폰에서 실행하는 응용 프로그램으로, '앱'이라고 줄여서 부르기도 함.

1 가~마 의 중심 내용으로 적절하지 <u>않은</u> 것은 무엇인가요? (　　　)

① 가 : '소확행'이라는 표현의 등장
② 나 : '소확행'의 개념과 사람들의 인식 변화
③ 다 : 집 꾸미기를 통해 확인한 '소확행' 트렌드
④ 라 : '소확행' 트렌드에서 경계해야 할 대상
⑤ 마 : '소확행' 트렌드에 따른 마케팅 전략의 변화

2 Ⓐ, Ⓑ에 들어갈 말로 알맞은 것은 무엇인가요? (　　　)

	Ⓐ	Ⓑ
①	큰 성취에서 매일의 작은 성과로	넓어지면서
②	큰 성취에서 매일의 작은 성과로	좁아지면서
③	작은 성과에서 크고 멋진 성취로	이동하면서
④	작은 성과에서 크고 멋진 성취로	넓어지면서
⑤	작은 성과에서 크고 멋진 성취로	좁아지면서

3 보기 의 ⓐ~ⓔ 중에서 '소확행'의 사례로 보기 <u>어려운</u> 것은 무엇인가요? (　　　)

> **보기**
>
> 　나는 오늘 한 달째 계속해 오던 셀프 인테리어를 마쳤다. ⓐ<u>드디어 내 공간, 내 집에 작은 '홈 카페'를 완성했다.</u> 얼마 전에 구입한 커피 머신 설치를 끝내자마자, 가장 친한 친구인 ○○이 우리 동네에 왔다고 얼굴이라도 잠깐 보자며 연락을 해 왔다. 나는 편안한 차림으로 나가 ⓑ<u>우리 동네에서 내가 제일 좋아하는 카페를 친구에게 소개하고, 그곳에서 맛있는 커피를 마셨다.</u> 친구를 만나고 ⓒ<u>집에 돌아오는 길에 집 앞 문구점에 들러 내가 가장 좋아하는 캐릭터가 그려진 펜을 발견하고 얼른 구매했다.</u> 그리고 열심히 돈을 모아 ⓓ<u>언젠가 더 큰 집으로 이사해서 그곳을 내 마음대로 꾸미겠다고 다짐했다.</u> 집에 도착하니 ⓔ<u>이틀 전 인터넷으로 주문했던 커튼이 도착해 있었다. 꺼내어 창문에 달아 보니 역시나 예상대로 내 방에 아주 잘 어울렸다.</u> 오늘 하루, 기분이 정말 좋았다.

① ⓐ　　　　　② ⓑ　　　　　③ ⓒ
④ ⓓ　　　　　⑤ ⓔ

4 이 글을 읽은 **독자의 반응**으로 적절하지 <u>않은</u> 것은 무엇인가요? (　　　)

① '소확행' 트렌드는 오늘날의 사회적 분위기가 이전과는 달라졌음을 반영하는 것 같아.

② 행복을 누릴 수 있는 방법이 보다 더 다양해진 것 같아. 나도 나만의 '소확행'을 찾아봐야겠어.

③ 지금 이 순간을 중시한다는 점에서 '지금 살고 있는 현재에 충실하라.'의 뜻을 지닌 '카르페 디엠(Carpe diem)'이라는 말이 떠올랐어.

④ 행복에 대한 사람들의 인식이 변화하면서 일부 특정한 사람들만이 행복을 누릴 수 있다고 생각하는 것 같아 아쉬웠어.

⑤ 행복은 그리 멀지 않은 곳에 있다는 말이 생각났어. 자신은 행복하지 않다고 슬퍼하는 친구에게 '소확행'을 알려 주어야겠어.

＋ 수능연결

'반응'은 자극에 대응하여 일어나는 현상을 의미합니다. 글의 내용을 바탕으로 자신의 생각이나 느낌을 덧붙이는 것은 적절한 독자의 반응으로 볼 수 있어요. 반면 글을 잘못 이해하거나 글과 동떨어진 이야기를 하는 것은 적절한 독자의 반응으로 보기 어렵겠지요.

> 대형 망원경이 높은 배율 때문에 어떤 대기 상태에서는 오히려 왜곡이 심해서 소형 망원경보다 해상도가 떨어질 수 있다고 해명하곤 했던 것이다.

17. 위 글을 읽은 **독자의 반응**으로 적절하지 않은 것은?

① 관측에서 사용ⓘ　　　　　　우수성이 논쟁에서 승리를 보장하지 못하는 경우도 있군.

독자의 반응

② 과학적 관찰 　　　　　를 판

③ 어떠한 표현 방식을 채택하는가에 따

수능에는 글의 내용과 관련된 적절한 반응을 이해하는 문제가 나와요.

④ 과학자들과 일반 대중의 인식 차이로

⑤ 지금 널리 받아들여지는 과학 이론도 미래에는 틀린 것으로 밝혀질 수 있겠군.

5 빈칸에 알맞은 말을 넣어 이 글의 핵심 내용을 한 문장으로 요약하세요.

한줄
요약

　　　　에 대한 사람들의 인식과 기준이 변화하면서 '소소하지만 확실한 행복'을 뜻하는 표현인 　　　　이 새로운 소비 트렌드로 널리 퍼졌고 이를 반영하여 여러 기업들의 　　　　전략도 달라지고 있다.

지문 속 필수 어휘

낱말의 뜻을 참고하여, 다음 문장의 빈칸에 들어갈 알맞은 낱말을 완성하세요.

❶ 전달할 사항이 있으니 모두 나를 [주][ㅁ]해라.

관심을 가지고 주의 깊게 살핌.

❷ 인간에 대한 개념 규정은 [ㄱ][점]에 따라 다양하다.

사물이나 현상을 관찰할 때, 그 사람이 보고 생각하는 태도나 방향 또는 처지.

❸ 아이들 사이의 [사][ㅅ]한 시비가 어른들의 큰 싸움으로 번졌다.

보잘것없이 작거나 적음.

❹ 상품의 [진][ㅇ]이 잘되어 있는 가게는 물건을 고르기가 편리하다.

여러 사람에게 보이기 위하여 물건을 죽 벌여 놓음.

❺ 이 일은 무심코 던진 말 한마디에서 [ㅂ][ㄹ][된] 것이었다.

처음으로 시작된.

다음 문장을 읽고, 두 낱말 중 알맞은 것을 찾아 ○표 하세요.

❻ 오늘따라 [까페 / 카페] 에 손님이 없었다.

❼ 나이가 드니까 몸이 예전과 [틀리다 / 다르다].

❽ 나는 집에 가는 길에 [슈퍼마켓 / 슈퍼마켙] 에 들러 과일을 샀다.

❾ 선생님의 따뜻한 격려 한 마디는 내 안의 열정을 뜨겁게 [달그었다 / 달구었다].

❿ 사람에게는 보는 즐거움 [못지않게 / 못지안게] 먹는 즐거움도 크다.

지구촌 곳곳에 한류 바람이 분다

어휘 수준 ★★★★★
글감 수준 ★★★★★
글의 길이 1,364자

가 '한류(韓流)'란 우리나라의 대중문화 요소가 외국에서 유행하는 현상을 일컫는 말로, 1990년대 말에 중국, 일본, 동남아시아에서부터 비롯되었다. 초기의 한류는 주로 드라마에서 시작되었는데, 현재 한류를 이끌고 있는 것은 우리나라 대중음악인 케이팝(K-pop)이라고 할 수 있다. 2012년에 가수 싸이의 노래 〈강남 스타일〉과 그의 '말춤'이 지구촌을 뜨겁게 달구더니, 2018년에는 아이돌 그룹 방탄소년단이 한국 가수로는 최초로 미국 타임지가 선정한 '올해의 인물' 1위에 올라 전 세계를 놀라게 했다. 사람들은 그들의 인기 비결에 대해 유튜브나 소셜 네트워크 서비스(SNS)와 같은 뉴 미디어의 영향 때문이라고 보기도 하고, 우리나라 대중문화의 저력이 발휘된 결과로 보기도 한다.

나 세계 최대 동영상 공유 사이트인 유튜브를 통해 우리나라 가수들의 뮤직비디오가 전세계에 알려지고, 이러한 영향으로 케이팝 붐이 일어났다는 것은 부정할 수 없는 사실이다. 인터넷에 접속하면 누구나 전 세계의 뮤직비디오를 볼 수 있고, 한류는 이러한 디지털 공간의 특성을 활용한 대표적인 문화 상품으로 꼽힌다. 덕분에 케이팝은 국경을 넘어 아시아를 비롯한 유럽과 아메리카 대륙까지 뻗어 나가게 되었고, 현재의 인기로 볼 때 케이팝의 인기는 앞으로도 쉽게 식지 않을 것으로 보인다.

다 한류 문화 콘텐츠는 관광 산업과 유통 산업을 ㉠넘어 식품, 전자, 화장품 등 제조업 분야에 이르기까지 경제적으로 미치는 효과가 매우 크다. 한류로 인해 한국에 대해 호기심과 호감을 갖게 된 외국인이 한국을 방문하고 한국 제품을 사용하게 되는 것이다. 최근 대한 상공 회의소가 서비스와 제조업 분야의 300여 개 회사를 대상으로 설문 조사를 실시한 결과, 응답자의 82%가 '한류의 확산으로 우리 제품에 대한 긍정적 이미지가 높아졌다.'라고 답변하였고, 51%가 '한류 덕에 매출이 늘었다.'라고 응답하였다. 이를 통해 (　　　　　ⓐ　　　　　) 사실을 확인할 수 있다.

라 한편 한류가 하나의 문화 현상으로 자리 잡은 가운데, '반(反)한류' 정서에 대한 우려의 목소리가 높아지고 있다는 점에도 주목할 필요가 있다. 일부에서 오직 경제적 이득만을 목표로 한류를 기획하고, 경제적 파생 효과를 극대화할 것인가에만 초점을 맞춘 정책을 제시하고 있기 때문이다. 또한 한류에 대한 아시아인들의 열광은 당연시하면서, 유럽이나 북아메리카에서의 인기를 대단히 놀랍다고 여기는 편향된 인식도 경계해야 한다.

마 이제 우리의 문화 콘텐츠와 관련 산업을 분명하게 이해하고, 한류를 바람직한 방향으로 유지해 나가기 위해 노력해야 할 때이다. 우리 문화의 고유성과 장점을 잘 파악하여 한류에 힘을 불어넣고, 한류가 지속 가능한 발전을 이룰 수 있도록 다른 나라들과 자연스럽게 문화를 교류하는 데 더욱 힘써야 할 것이다.

● **저력**(底 밑 저, 力 힘 력)
속에 간직하고 있는 든든한 힘.

● **편향**(偏 치우칠 편, 向 향할 향)
한쪽으로 치우침.

1 이 글을 통해 알 수 있는 내용이 <u>아닌</u> 것은 무엇인가요? (   )

① 한류의 개념
② 한류의 변천 과정
③ 한류의 경제적 효과
④ 한류가 나아가야 할 방향
⑤ 한류에 영향을 끼친 다른 나라의 문화

2 보기 를 통해 추론한 '반(反)한류' 정서에 대한 설명으로 알맞은 것에 ○표 하세요.

> 보기
>
> 문화 관계 전문가들은 문화가 국가 정체성과 관련된 것이어서, 한류의 유행이 누군가에게는 타국의 문화에 침투당했다는 피해 의식을 일으킬 수 있다는 주장을 펴기도 합니다. 다시 말해 다른 나라에서 유입된 문화를 즐기지 않는 사람들 중에는, 자국의 문화가 아닌 타국의 문화가 유행하는 것에 대해 거부감을 갖는 사람들이 있을 수 있다는 것입니다.

(1) 한류를 즐기지 않는 사람들이 한류가 아닌 타국의 문화에 침투당했을 때 느끼는 인식이로군.   (   )

(2) 한류의 유행에 거부감을 느끼고 한류로부터 국가 정체성을 지키고자 하는 사람들이 갖는 인식이로군.   (   )

3 ⓐ에 들어갈 내용으로 가장 적절한 것은 무엇인가요? (   )

① 한류의 거품이 곧 사라지게 될 것이라는
② 한류의 매출이 특정 기업에만 도움이 되었다는
③ 한류가 기업의 매출에 실질적인 도움이 되었다는
④ 한류의 기업 매출 효과가 실제로는 거의 없었다는
⑤ 한류가 기업 매출에 미친 영향을 확인하기 어렵다는

4 글의 흐름상 보기 의 내용이 들어가기에 가장 알맞은 곳은 어디인가요? (　　　)

보기

　예를 들어 유럽에서 열린 한류 스타의 케이팝 공연에 열광하는 현지 팬들의 반응에는 뜨거운 관심과 고마움을 표현하는 반면, 동남아시아에 불고 있는 한류의 인기는 대수롭지 않게 여기거나 무시하는 이중적인 태도를 보이는 사람들이 있는데, 이는 한류를 거스르는 일이라고 할 수 있다.

① **가** 의 뒤　　　② **나** 의 뒤　　　③ **다** 의 뒤
④ **라** 의 뒤　　　⑤ **마** 의 뒤

5 밑줄 친 단어 중 ㉠과 같은 의미로 쓰인 것은 무엇인가요? (　　　)

① 그 일은 일주일이 훨씬 <u>넘게</u> 걸렸다.
② 도둑은 창문을 <u>넘어서</u> 들어온 것 같다.
③ 장마로 강물이 <u>넘어서</u> 동네가 물바다가 되었다.
④ 그의 노래 실력은 아마추어 수준을 <u>넘지</u> 못한다.
⑤ 어려운 고비만 무사히 <u>넘으면</u> 도약할 수 있을 것이다.

한줄
요약
6 빈칸에 알맞은 말을 넣어 이 글의 핵심 내용을 한 문장으로 요약하세요.

　드라마를 시작으로 [　　　]에 이르러 정점을 찍고 있는 한류 문화 콘텐츠는

[　　　]으로 미치는 효과가 매우 큰데, 반한류 정서로 흐르지 않도록 바람직한

방향으로 유지하기 위한 노력이 필요하다.

지문 속 필수 어휘

다음 문장을 읽고, (　　) 안에 공통으로 들어갈 낱말을 완성하세요.

①

• 현재 우리나라의 교육은 입시 위주의 교육으로 (　　　)되어 있다.

• 뉴스는 공정하고 중립적인 보도를 해야 하며, (　　　)된 보도
는 국민들로부터 비판을 받을 수밖에 없다.

| 편 | ㅎ |

②

• 한강의 물줄기들은 여러 군데에서 합쳐져서 (　　　)를 한다.

• 최근 남북 간의 (　　　)가 확대되어 통일에 대한 기대가 커졌다.

| ㄱ | 류 |

다음 문장을 읽고, 두 낱말 중 알맞은 것을 찾아 ○표 하세요.

③ 화재 사고를 예방하기 위한 [경계 / 경개]를 절대 늦추면 안 된다.

④ 그는 신인 연기상을 받은 뒤부터 [주먹 / 주목]받는 배우가 되었다.

낱말의 뜻을 참고하여, 다음 문장의 빈칸에 들어갈 알맞은 낱말을 완성하세요.

⑤ 그의 성공 | ㅂ | 결 |에 대해 많은 사람들이 궁금해하였다.

　세상에 알려져 있지 않은 자기만의 뛰어난 방법.

⑥ 우리 팀은 이번 대회에서 꼴찌에서 선두로 뛰어오르는 | 저 | ㄹ |을 보여 주었다.

　　　　　　속에 간직하고 있는 든든한 힘.

나치의 '퇴폐 미술전'

14분 안에 풀어보세요.

하 중 상
어휘 수준 ★★★★★
글감 수준 ★★★★★
글의 길이 1,518자

1937년 뮌헨의 호프가르텐 아케이드에서 미술 전시회가 열렸다. 건물은 전시장으로는 부적절할 정도로 작고 낡았으며, 작품들은 세심한 조명 대신 무심하게 쏟아져 내리는 자연 채광 아래 아무렇게나 걸렸다. 히틀러의 명령 아래 열린 '퇴폐 미술전'은 나치가 지목한 블랙리스트 예술가들의 작품을 대상으로 하였다. 원래 '위대한 독일 미술전'의 부차적인 행사로 계획되었는데 본 행사가 유료인 반면 '퇴폐 미술전'은 무료라 예상보다 큰 흥행을 거두었다.

순수한 혈통으로 이루어진 순수한 민족 공동체, 히틀러는 이 유토피아를 실현하기 위해 순수한 독일 정신에 어긋나는 모든 예술 작품들을 몰수하고 불에 태우라는 지시를 내렸다. 국공립 미술관은 물론 개인 미술관에 이르기까지 20세기 독일 아방가르드 예술가들의 작품들을 완전히 없애 버리는 충격적인 예술 테러였다.

당시 독일 국민은 불안과 공포에 떨고 있었다. 제1차 세계 대전 패배 이후 떠안게 된 과도한 전쟁 배상금에 뒤이어 경제 대공황이 덮친 탓이었다. 나치는 이런 독일 국민들, 특히 중산층을 위로하고 단결시킨다는 이유로 예술을 정치적 선전 도구로 이용했다. 독일의 주요 도시를 순회한 '퇴폐 미술전'을 통해 나치가 얻고자 한 것은 건강한 독일과 병든 독일을 국민들이 그림을 통해 직접 보고 깨닫는 것이었다. 나치 이데올로기를 주입하는 과정에서 국민들을 계몽하기 위한 방법으로 미술 작품이 선택되었고, 예술가들은 시대의 희생양이 되었다. 나치는 전쟁을 겪으며 공황 상태에 빠져 있던 예술가들의 숨통을 조이고 생명에 위협을 가하기도 했다. 전시회가 끝난 이후 블랙리스트 예술가의 예술 활동은 더욱 철저히 감시되고 금지 당했다.

나치는 퇴폐 미술품을 골라낼 때 특히 표현주의와 추상주의 작품을 집중적으로 공략했다. 자신의 감정과 생각을 거침없이 쏟아 내는 표현주의자들이 두려웠고 그들이 대중에게 미칠 영향력에 불안감을 느꼈다. 블랙리스트에 오른 수많은 독일 예술가들은 '퇴폐 미술전'이 끝나고 나치를 피해 서둘러 조국인 독일을 떠나 유럽과 미국행 망명을 선택했다.

나치가 '퇴폐'라는 부정적인 이름을 붙이며 표현주의 예술가들을 억압하는 데 그토록 집착한 이유는 그들을 두려워했기 때문이다. 길들여지지 않는 화가의 눈과 그 눈으로 바라본 세상을 그려 낼 수 있는 마법 같은 재능, 그리고 활화산처럼 타오르는 표현 욕구는 나치가 처단해야 할 대상이었다. 순수한 혈통과 나쁜 유전자, 순수한 독일 문화와 타락한 독일 문화, 복종하는 자와 저항하는 자로 구분 짓는 이분법적 사고는 나치에게는 ㉠유토피아였지만 다른 이들에게는 악몽과 같은 ㉡디스토피아를 경험하게 했다.

히틀러가 12년간 집권하는 동안, 독일에서 꽃피우지 못한 예술의 씨앗이 미국 땅에서 만개했다. 미국 미술을 대표하는 추상 표현주의와 팝 아트는 모두 망명한 독일 예술가들이 처음으로 시작했다고 영국의 문화사가인 피터 왓슨은 설명했다. 나치 정권과 두 번의 세계 대전을 겪어 냈던 블랙리스트 예술가들, 혹독하고 잔인한 세월을 버텨 온 이들의 예술에 대한 뜨거운 열정과 굳센 의지는 오늘날 우리에게 잔잔한 감동을 준다.

● **유토피아(Utopia)**
이상향. 인간이 생각할 수 있는 최선의 상태를 갖춘 완전한 사회. (↔ 디스토피아)

● **아방가르드(avant-garde)**
기존의 예술 관념이나 형식을 부정하고 혁신적 예술을 주장한 예술 운동. 또는 그 유파. 20세기 초에 유럽에서 일어난 다다이즘, 입체파, 미래파, 초현실주의 따위를 통틀어 이른다.

● **이데올로기(Ideologie)**
사회 집단에 있어서 사상, 행동, 생활 방법을 근본적으로 제약하고 있는 관념이나 신조의 체계. 역사적·사회적 입장을 반영한 사상과 의식의 체계.

1　이 글의 내용과 일치하지 <u>않는</u> 것은 무엇인가요? (　　　)

① 나치는 블랙리스트 예술가들을 두려워했다.

② 히틀러에 의해서 많은 예술 작품들이 사라졌다.

③ '퇴폐 미술전'은 정치적 목적이 강한 전시회였다.

④ 제1차 세계 대전 패배 직후 독일 국민들은 경제적으로 어려웠다.

⑤ '퇴폐 미술전'이 끝나고도 블랙리스트 예술가들은 독일에서 꾸준히 작품 활동을 지속했다.

2　이 글에 쓰인 내용 전개 방식으로 가장 적절한 것은 무엇인가요? (　　　)

① 하나의 대상을 유형별로 나누어 설명하고 있다.

② 사건이 벌어진 이후의 상황을 다양한 관점에서 분석하고 있다.

③ 일어나지 않은 일을 가정하여 미래에 대한 전망을 제시하고 있다.

④ 대상에 대한 상반된 주장을 소개하고 그 주장들을 절충하고 있다.

⑤ 사건이 일어나게 된 배경을 밝히고 그로 인한 영향을 설명하고 있다.

3　다음 사실에서 추론한 내용으로 알맞은 것에 ○표 하세요.

> • 히틀러는 자신이 생각한 유토피아를 실현하기 위해 순수한 독일 정신에 어긋나는 모든 예술 작품들을 몰수하고 불에 태우라는 지시를 내렸다.
> • 길들여지지 않는 화가의 눈과 그 눈으로 바라본 세상을 그려 낼 수 있는 마법 같은 재능, 그리고 활화산처럼 타오르는 표현 욕구는 나치가 처단해야 할 대상이었다.

(1) 히틀러에 의해 독일에서의 모든 예술 활동은 금지되었다. 　　　　　　　(　　　)

(2) 나치는 자신들과 다른 생각을 지니고 삶을 살아가는 사람들을 수용하지 않았다.

(　　　)

4 보기 는 나치를 피해 독일에서 미국으로 망명한 바실리 칸딘스키의 작품입니다. 이 글을 읽고 난 후 보기 에 대해 보인 반응으로 적절하지 <u>않은</u> 것은 무엇인가요? (　　　)

보기

① 보기 는 나치의 입장에서 봤을 때 퇴폐적 그림이라고 할 수 있겠군.
② 나치는 보기 와 같은 작품을 사람들이 관람하는 것을 두려워했을 거야.
③ 보기 에는 개인의 자유를 중시해야만 한다는 정치적 목적이 담겨 있어.
④ 작가는 자신만의 예술적 가치관을 보기 를 통해 표현했다고 볼 수 있겠군.
⑤ 보기 를 통해 작가가 선과 악이라는 대립적 의미를 드러낸다고는 볼 수 없겠군.

5 낱말들의 관계가 'ⓙ-ⓛ'과 같은 것은 무엇인가요? (　　　)

① 남자 – 여자
② 아침 – 오전
③ 김치 – 배추
④ 물고기 – 상어
⑤ 손목시계 – 탁상시계

한줄
요약

6 빈칸에 알맞은 말을 넣어 이 글의 핵심 내용을 한 문장으로 요약하세요.

나치 이데올로기를 주입하기 위한 □□□ 목적으로 열린 '퇴폐 미술전'은 나치가 지목한 □□□□ 예술가들의 작품을 대상으로 하였고, 전시회가 끝난 후 이들은 나치의 탄압을 피해 유럽과 미국으로 망명하여 혹독한 세월을 버텨 오며 □□을 향한 열정을 저버리지 않았다.

지문 속 필수 어휘

다음 문장을 읽고, (　) 안에 공통으로 들어갈 낱말을 완성하세요.

❶
- (　　　)이 잘되는 유리창을 통해 하늘을 바라보았다.
- 지하에서도 (　　　)이 되는 공간은 이곳이 유일하다.

채	ㄱ

❷
- 예전부터 내려오는 낡은 풍습을 (　　　)해야 한다.
- 그는 건달 생활을 (　　　)하고 대학에 진학했다.

ㅊ	산

❸
- 독재자의 탄압을 견디지 못해 많은 사람들이 (　　　)의 길을
  떠나고 말았다.
- 그의 정치적 (　　　)은 여러 가지 문제를 일으켰다.

망	ㅁ

❹
- 강변에 진달래가 (　　　)했다.
- 개나리의 (　　　) 상태가 유난히 화려해 보였다.

ㅁ	개

다음 문장을 읽고, 두 낱말 중 알맞은 것을 찾아 ○표 하세요.

❺ 정부는 그의 재산을 〔 몰수 / 몰각 〕했다.

❻ 그는 이런저런 구실을 〔 부쳐 / 붙여 〕 그 일을 하지 않으려고 했다.

❼ 그는 잔인한 말로 내 자존심을 〔 진밟고 / 짓밟고 〕 떠나 버렸다.

❽ 이번 월드컵 경기에서 뛰어난 성과를 〔 거둔 / 걷은 〕 축구 대표팀에게 찬사를 보냈다.

고성 오광대놀이의 춤사위

12분 안에 풀어보세요.

어휘 수준 ★★★★★
글감 수준 ★★★★☆
글의 길이 1,300자

고성 오광대놀이는 19세기 말 경부터 연희되기 시작하여 현재까지 전해지고 있는 탈놀이 중 대표적인 것으로 1964년에 중요 무형 문화재 제7호로 지정되었다. 오광대놀이는 다섯 광대, 즉 다섯 명의 탈을 쓴 등장인물이 연희하는 놀이라는 뜻에서 유래한 것으로 알려져 있으며, 다섯 과장으로 구성되었기 때문에 오광대놀이라 칭한 것으로 보기도 한다. 고성 오광대놀이는 음력 정월 보름날에 주로 연희되었으며, 문둥북춤 과장, 오광대놀이 과장, 비비(양반을 잡아먹는 상상의 동물) 과장, 승무 과장, 제밀주(첩) 과장 순으로 공연되었다.

마당놀이였던 고성 오광대놀이는 특별한 무대를 따로 마련하지 않고 야외의 열린 공간에서 함께 즐겼다는 점에서 서양의 연극과는 큰 차이를 보인다. 고성 오광대놀이는 놀이마당에서 연희자가 탈놀이를 하고 무대 한편에 음악을 연주하는 사람들 즉 악공들이 앉아서 장단을 맞추었으며, 관객들은 그 둘레에 앉거나 서서 공연을 구경하였다. 연희 공간의 형태는 주로 평면 원형이었으며, 그 놀이판의 넓이가 큰 명석 5~6장 정도의 크기였다. 특히 저녁에 공연할 때는 놀이판 둘레에 횃불을 밝히기도 했는데, 움직임에 따라 불빛을 받은 탈의 표정이 수시로 변해서 더욱 인상적인 공연이 펼쳐지기도 했다.

탈놀이는 문화 형태가 현재보다 덜 다양하던 시기에 형성되어 볼거리와 놀거리에 대한 갈증을 풀어 준 대표적 예능이었는데, 고성 오광대놀이는 예능적인 요소를 갖춘 대표적인 탈놀이였다. 고성 오광대놀이는 다른 탈놀이들과 마찬가지로 고된 노동을 마치고 난 후 지친 서민들의 고통을 덜어 주고 더불어 삶의 흥을 돋우는 기능을 했다. 다른 탈놀이들과 차이가 있다면 대사보다 춤을 위주로 하는 탈놀이라는 점이 특징적이었다.

[A]

> 고성 오광대놀이는 탈을 쓴 연희자가 춤을 추고 동작을 하면서 대화를 ㉠주고받고 때로는 노래도 하는 탈춤놀이였다. 오광대놀이에는 등장인물이 쓴 탈의 특징에 따라 개성 있는 춤으로 분화되었지만, 각 과장이 시작하고 끝날 때는 반드시 등장인물 일동이 함께 춤을 추면서 관객과 연희자가 하나가 되도록 했다. 특히 등장인물 일동이 함께 추는 춤은 과장과 과장을 나누어 주는 구실을 하면서 주제가 다른 각 과장들을 자연스럽게 연결하는 구실도 겸하는 것이었다.
>
> 이처럼 고성 오광대놀이는 민중들의 놀이 욕망을 충족시켜 준 대표적인 탈놀이였으며, 모든 춤사위들이 활기차고 조화를 이루는 춤 위주의 탈놀이였다. 이러한 까닭에 고성 오광대놀이는 고성 지역을 중심으로 지역 축제나 초청 공연 등을 통해 지금까지도 꾸준히 연희되고 있다. 우리나라를 대표하는 문화유산으로서 앞으로도 많은 사람들의 사랑을 받게 될 것으로 기대된다.

▲ 탈춤은 원래 궁중 행사에서 광대들이 벌이는 공연이었다가 조선 후기에 민중 문화로 발전하였습니다.

● **연희**(演 펼 연, 戱 놀 희)
말과 동작으로 여러 사람 앞에서 재주를 부림.

● **과장**(科 과목 과, 場 마당 장)
탈놀이에서, 현대극의 막이나 판소리의 마당에 해당하는 말.

● **춤사위**
민속무에서, 춤의 기본이 되는 낱낱의 일정한 동작.

정답과 해설 **34**쪽

1 고성 오광대놀이에 대한 설명으로 적절하지 <u>않은</u> 것은 무엇인가요? (　　　)

① 다섯 개의 과장으로 이루어져 있다.

② 음력 정월 보름날에 주로 연희되었다.

③ 중요 무형 문화재로 지정된 탈놀이이다.

④ 19세기 말에 연희되었으나 지금은 이름만 전해진다.

⑤ 다섯 명의 탈을 쓴 등장인물이 연희하는 놀이라는 뜻에서 명칭이 유래했다.

2 [A]의 내용을 바탕으로 '고성 오광대놀이'를 소개하는 기사문을 작성하고자 할 때, 기사의 제목과 덧붙이는 말로 가장 적절한 것은 무엇인가요? (　　　)

① 관객의 눈을 매료시킨 섬세한 탈 제작 기술

　 – 개성 있는 탈로 가면극의 성격을 두루 갖춰

② 민중들의 놀이 욕망을 충족시켜 준 탈놀이

　 – 관객과 연희자가 춤사위로 함께 어우러져

③ 익살과 개성이 넘치는 관객 중심의 탈놀이

　 – 탈을 쓴 관객의 개성 있는 춤 실력이 돋보여

④ 사회 불만을 표출하는 통로가 되어 준 탈놀이

　 – 민중들의 속마음을 춤에 담아 사회를 비판하다

⑤ 연희자의 춤과 노래가 어우러진 화려한 공연

　 – 다양한 탈의 움직임에 연희자의 개성이 묻어나

3 고성 오광대놀이의 무대가 서양의 연극 무대와 <u>다른</u> 점을 모두 골라 기호를 쓰세요.

> **보기**
>
> ㉮ 특별한 무대 장치가 따로 마련되어 있었다.
>
> ㉯ 연희 무대는 연희자들에게만 허용되는 공간이었다.
>
> ㉰ 연희자들이 공연하는 장소는 야외의 열린 공간이었다.
>
> ㉱ 관객들은 공연 장소 주변에 둘러앉거나 서서 연희를 구경하였다.

(　　　　　　　)

4 다음 중, 낱말의 결합 방식이 ㉠과 유사한 것은 무엇인가요? (　　　)

① 먹고살다　　　　② 파고들다　　　　③ 날고뛰다

④ 사고팔다　　　　⑤ 싸고돌다

예술 **149**

5 이 글을 바탕으로 보기 를 분석한 내용 중 알맞은 것에 ○표 하세요.

> **보기**
>
> **제2과장 오광대놀이**
>
> 덧배기 장단에 양반광대와 젓광대들이 춤을 추며 차례로 등장하여 굿거리장단에 맞춰 제 나름대로의 춤을 한바탕 춘다. 젓양반이 일렬로 서고 원양반이 중앙에서 한바탕 춤을 추고 나면 말뚝이가 또 한바탕 춤을 춘다. 도령은 멋대로 돌아다니며 젓양반들의 수염 혹은 얼굴을 몰래 쥐어박고 하여 좀 모자라는 못난이 행세를 한다. 젓양반들은 도령을 위협하고는 수염을 쓰다듬는다. 양반은 겁먹은 점잖은 춤을 추고, 말뚝이는 힘차고 선이 굵고 활기찬 춤을 춘다.
>
> **양반**: 쉬이. (음악과 춤을 멈춘다.) / (중략)
> **양반**: 이놈, 말뚝아. 과거 보러 가는 길이 바쁘니 과거 행장(行裝) 차리어라.
> **말뚝이**: 예. 마굿간에 들어서서 서산나귀 몰아내어 가진 안장 채울 적에 청홍사 고운 굴레, 주먹상모 덥석 달아 앞뒤걸이 질근 매고 노(老)생원님 끌어냈소.
> **양반**: 이놈 노생원이라니.
> **말뚝이**: 청(靑)노새란 말씀이올시다.
> **양반**: 내 잘못 들었네. (굿거리장단에 맞추어 '청노새 청노새' 하며 말뚝이가 춤을 추면 모두 어울려 한바탕 춤을 추다가 덧배기 장단에 맞춰 비비에게 위협을 받으며 하나하나 퇴장한다.)
>
> ● **행장**(行裝): 여행할 때 쓰는 물건과 차림.
> ● **서산나귀**: 보통의 나귀보다 체구가 조금 큰 중국산 나귀.
> ● **생원**(生員): 예전에, 나이 많은 선비를 내접하여 이르던 말.

(1) 양반과 말뚝이의 대화를 통해 평등한 사회 분위기를 짐작할 수 있다.　(　　　)

(2) 등장인물이 함께 추는 춤은 과장과 과장을 나누기도 하고 연결해 주기도 했다.

　　　　　　　　　　　　　　　　　　　　　　　　　　　　　　(　　　)

한줄 요약

6 빈칸에 알맞은 말을 넣어 이 글의 핵심 내용을 한 문장으로 요약하세요.

고성 오광대놀이는 탈을 쓴 연희자가 춤을 추고 대화를 주고받으며 노래도 하는 탈춤놀이로, 특별한 무대 없이 ▢▢ 공간에서 관객과 연희자가 함께 춤을 추며 ▢▢를 이루었고, 예능적인 요소를 갖춰 민중들의 ▢▢ 욕망을 충족시켜 준, 우리나라를 대표하는 문화유산으로서의 가치가 있다.

지문 속 필수 어휘

다음 문장을 읽고, ( ) 안에 공통으로 들어갈 낱말을 완성하세요.

❶
- 컴퓨터 언어는 사람이 컴퓨터와 ( )하는 데 필요한 언어이다.
- 그들은 오해를 풀기 위해 오랫동안 진지한 ( )를 주고받았다.

대	ㅎ

❷
- 그 배우는 내면 연기가 ( )이어서 좋아할 수밖에 없다.
- 그의 건장한 체격과 강렬한 눈빛이 ( )이었다.

ㅇ	상	ㅈ

다음 문장을 읽고, 두 낱말 중 알맞은 것을 찾아 ○표 하세요.

❸ 학교 운동장 [둘레 / 둘래] 에는 은행나무를 심는 것이 좋겠다.

❹ 전문 대학으로는 교육에 대한 나의 [갈증 / 갈등] 을 해소하기에 부족했다.

❺ 잔치의 신명을 [돋우는 / 돗우는] 풍물패 놀이마당의 축하 공연이 이어졌다.

낱말의 뜻을 참고하여, 다음 문장의 빈칸에 들어갈 알맞은 낱말을 완성하세요.

❻ 이곳의 지명은 이곳에서 재배되던 작물에서 [ㅇ | 래] 하였다.
사물이나 일이 생겨남.

❼ 요즈음 학생들은 자신만의 [개 | ㅅ] 을 살린 헤어스타일을 추구한다.
개인이 가지는 고유한 취향이나 특성.

영화 속 음악의 역할 ─────

– 영화 〈붉은 10월〉을 바탕으로

⏱13분 안에 풀어보세요.

가 우리는 영화를 감상하면서 자신도 모르는 사이에 많은 음악들을 접하게 된다. 영화 속 인물들이 노래를 부르는 장면을 통해 영화 속 음악을 인지하고 듣게 되는 경우도 있지만, 음악이 영화 속에 너무나 잘 녹아든 덕에 감상자인 우리가 영화를 보는 중에 음악이 흐르고 있음을 알아채지 못하는 경우도 더러 있다. 그러나 우리가 인지하지 못할 뿐 영화에는 생각보다 많은 음악들이 삽입되어 있다. 영화 속에 삽입된 음악들은 긴장감이나 비극성을 심화시키거나 밝은 느낌을 강조하는 등 영화의 분위기를 한층 더 고조시키는 데에 큰 역할을 한다.

나 ㉠〈붉은 10월〉은 미국과 소련의 냉전 시대를 배경으로 한 영화이다. 〈다이 하드〉의 감독으로 유명한 존 맥티어난과 유명 배우 숀 코네리의 만남만으로도 사람들의 입에 오르내리던 영화인 〈붉은 10월〉은 "고르바초프가 집권하기 직전인 1984년 11월, 소련 잠수함 한 대가 그랜드 뱅크(Grand Bank) 남쪽 부근에 나타났다가 원자로 사고로 추정되는 이유로 다시 바다 깊이 가라앉고 말았다. 확인되지 않은 보고에 의하면 일부 승무원들은 구조되었다고 한다. 그러나 미국과 소련은 이어질 영화의 내용과 같은 사건이 절대 없었다고 주장했다."라는 말과 함께 시작한다. 실제 사건에 바탕을 둔 영화인지 아닌지는 정확하게 알 수 없지만, 톰 클랜시의 원작 소설을 영화화한 이 작품은 □□□□□□ Ⓐ □□□□□□에서 의미가 있다.

다 소련 잠수함 기지에 있던 핵잠수함 '붉은 10월'은 소음 제거 장치가 제대로 가동하는지 확인하기 위함이라는 명목으로 시동을 건다. 그러나 실상은 함장과 부함장의 미국 망명을 위한 움직임이었고, 곧 이 잠수함은 항로에서 실종된다. 그러자 미국과 소련은 각자 '붉은 10월'을 찾아 없애기 위해 추격전을 벌이는 등 온갖 시도를 하고, 그럼에도 '붉은 10월'은 꿋꿋하고도 꾸준하게 미국을 향해 간다. '붉은 10월'의 미국 망명 시도와 그러한 시도에 따른 미국과 소련의 대립은 영화 속에서 실감나게 표현된다.

라 전쟁, 이념 간의 갈등이 이 영화의 주된 요소인 만큼 〈붉은 10월〉은 굉장히 강하고 거친 느낌의 영화이다. 이 영화의 강하고 거친 성격을 보다 잘 살려 주는 요소이자 장치가 바로 음악이다. 이 영화에 삽입된 음악들 중 특히 손꼽을 만한 것은 메인(main) 테마곡이자 잠수함이 출정할 때 군인들이 부르던 노래인 붉은군대 합창단의 '들판'이라는 곡으로, 이 음악은 해당 장면의 웅장한 분위기를 힘 있게 전달해 주는 역할을 한다. 붉은군대 합창단은 우리나라 사람들에게 테트리스 게임의 배경 음악인 '칼린카'라는 곡으로 잘 알려져 있다.

마 이 영화에 삽입된 '들판'은 스탈린 시대에 사랑하는 사람을 남겨 놓고 전장으로 가야 했던 젊은이들의 모습을 그려 낸 곡으로 깊은 슬픔과 긴장감, 두근거림 등을 느껴 볼 수 있다. 영화를 감상할 때에 스토리 뒤편에서 흘러나오는 음악 소리에도 귀를 기울여 보기를 권한다. 분명 영화를 한층 더 깊이 있고 재미있게 즐길 수 있을 것이다.

● **고조**(高 높을 고, 調 고를 조)
사상이나 감정, 세력 따위가 한창 무르익거나 높아짐. 또는 그런 상태.

● **추정**(推 옮을 추, 定 정할 정)
미루어 생각하여 판정함.

● **명목**(名 이름 명, 目 눈 목)
(흔히 '명목으로' 꼴로 쓰여) 구실이나 이유.

● **망명**(亡 도망할 망, 命 목숨 명)
혁명 또는 그 밖의 정치적인 이유로 자기 나라에서 박해를 받고 있거나 박해를 받을 위험이 있는 사람이 이를 피하기 위하여 외국으로 몸을 옮김.

정답과 해설 **35**쪽

1 가 ~ 마 의 중심 화제로 적절하지 않은 것은 무엇인가요? (　　　)

① 가 : 영화에 삽입된 음악의 역할

② 나 : 소련 잠수함 사건이 진행되어 온 경과

③ 다 : 〈붉은 10월〉의 대략적인 줄거리 소개

④ 라 : 〈붉은 10월〉의 삽입곡 소개 및 삽입곡의 역할

⑤ 마 : 영화 음악 소리에 대한 경청 제안

+ 수능연결

중심 화제란 글에서 중심이 되는 이야깃거리를 가리킵니다. 글의 핵심을 간단하게 표현한 것이라는 점에서 제목과도 비슷합니다. 문단별로 중심 화제를 찾으면 글의 내용을 쉽게 정리할 수 있습니다.

> 즉 다른 사람들에게서 소외되어 고립되는 것을 염려한 나머지, 자신의 의견을 포기하고 다수의 의견이라고 생각하는 것을 따라가게 된다는 것이다.

20. (가)~(마)의 중심 화제로 적절하지 않은 것은?

　① (가)　┌──────────────────┐
　　　　　│ (가)~(마)의 중심 화제 │
　② (나)　└──────────────────┘

　③ (다): 제3자 효과 이론의 유형

　④ (라): 제3자 효과 이론의 의의

　⑤ (마): 제3자 효과 이론의 응용

> 수능에는 문단별 중심 화제를 파악하는 문제가 나와요.

---

2 Ⓐ에 들어갈 내용으로 가장 적절한 것에 ○표 하세요.

(1) 냉전 시대를 다시금 떠올리게 한다는 점　　　　　　　　　　　　　　(　)

(2) 소련 잠수함 사건의 과정을 상세히 밝혔다는 점　　　　　　　　　(　)

(3) 영화 속 음악이 영화의 분위기를 고조시키는 데 큰 역할을 했다는 점　(　)

3 ⊙에 대한 이해로 적절하지 <u>않은</u> 것은 무엇인가요? (　　　)

① 유명 감독과 배우의 만남으로 사람들의 주목을 받았다.

② 정치적 이념이 달랐던 미국과 소련의 대립을 보여 준다.

③ 소설을 원작으로 하며, 미국과 소련의 냉전 시대를 배경으로 하고 있다.

④ 작품의 배경이 되었던 사건이 실제 일어났었는지의 여부는 밝혀지지 않았다.

⑤ 영화의 메인 테마곡은 우리나라 사람들에게는 게임의 배경 음악으로 알려져 있다.

4 이 글을 읽고 난 후의 반응으로 적절한 것끼리 묶은 것은 무엇인가요? (　　　)

> **보기**
>
> ㉮ 영화에 삽입된 음악은 장면마다 이유가 있겠지만, 핵심이 되는 것들만 감상해도 충분히 영화를 이해할 수 있을 것 같아.
>
> ㉯ 이전에 보았던 영화를 다시 한 번 보면서 혹시나 놓친 음악이 있지는 않은지 주의를 기울여 들어 보는 것도 의미가 있을 거야.
>
> ㉰ 앞으로는 영화를 볼 때 인물과 대사에만 초점을 맞추는 것이 아니라 그 외적인 요소들, 예를 들면 음악에도 관심을 가져야겠어.
>
> ㉱ 영화를 볼 때 잘 들리지 않았던 음악들은 유의미하게 생각하지 않아도 된다니 조금 더 마음 편히 영화를 즐길 수 있을 것 같아.

① ㉮, ㉯　　　　　　② ㉮, ㉰　　　　　　③ ㉯, ㉰

④ ㉯, ㉱　　　　　　⑤ ㉰, ㉱

5 빈칸에 알맞은 말을 넣어 이 글의 핵심 내용을 한 문장으로 요약하세요.

한줄
요약

영화에서 □□은 영화의 분위기를 고조시키는 역할을 하는데, 미국과 소련의 □□□를 배경으로 하는 영화 〈붉은 10월〉에서도 메인 테마곡인 '들판'은 강하고 거친 영화의 느낌을 잘 살려 주며, 영화 장면의 □□한 분위기를 힘 있게 전달해 준다.

지문 속 필수 어휘

낱말의 뜻을 참고하여, 다음 문장의 빈칸에 들어갈 알맞은 낱말을 완성하세요.

❶ 역전의 기미가 보이자 관중석의 열기가 점차 | 고 | ㅈ | 되어 갔다.

　　　　　　　　　　　　　　사상이나 감정, 세력 따위가 한창 무르익거나 높아짐.

❷ 그는 질서를 유지한다는 | 명 | ㅁ | 으로 기자를 내쫓았다.

　　　　　구실이나 이유.

❸ 겉으로는 태연해 보이나 | ㅅ | 상 | 은 그렇지 아니하다.

　　　　　　실제의 상태나 내용.

❹ 그 나라는 세계에서 | ㅅ | ㄲ | 을 | 수 있는 반도체 기술을 보유했다.

　　많은 가운데 다섯 손가락 안에 들 만큼 뛰어나거나 그 수가 적을.

❺ 그가 현실을 | 인 | ㅈ | 하는 데에는 그리 오랜 시간이 걸리지 않았다.

　　어떤 사실을 인정하여 앎.

다음 문장을 읽고, 두 낱말 중 알맞은 것을 찾아 ○표 하세요.

❻ 체 밑에 [가라앉은 / 가라안은] 찌꺼기를 걷어 냈다.

❼ 이틀 동안 적을 외곽으로 유인해 내기 위한 전투를 [벌렸다 / 벌였다].

❽ 그들은 시련과 고통을 [꿋꿋하게 / 꿋꾿하게] 이겨 나갔다.

하이퍼리얼리즘

어휘 수준 ★★★★★
글감 수준 ★★★★★
글의 길이 1,528자

미술관에서 오랫동안 움직이지 않고 서 있는 관광객 차림의 부부를 본다면 사람들은 그 부부를 다시 한 번 쳐다보게 될 것이다. 그리고 그것이 미술 작품이라는 것을 알면 놀랄 것이다. 이처럼 현실에 있는 대상을 실제로 존재하는 것이라고 믿을 수 있도록 재현하는 예술 양식을 ㉠하이퍼리얼리즘이라고 한다.

앞에서 말한 관광객처럼 우리 주변에서 흔히 볼 수 있는 것을 대상으로 고르면 현실성, 즉 실제로 존재하거나 존재할 수 있는 가능성이 높다고 하고, 그 대상을 시각 재현에 ⓐ기대어 실제로 존재하는 것과 같이 표현하면 사실성, 즉 사물을 있는 그대로 표현하려고 하는 경향이 강하다고 한다. 대상의 현실성과 표현의 사실성을 모두 추구한 하이퍼리얼리즘은 같은 리얼리즘 경향에 ⓑ드는 ㉡팝 아트와 비교하면 그 특성이 잘 드러난다. 이 둘은 1960년대 미국에서 발달하여 현재까지 유행하고 있는 예술적 경향으로, 당시 자본주의 사회의 일상의 모습을 대상으로 ⓒ삼았다는 점에서는 공통점이 있다. 그러나 팝 아트는 대상을 함축적으로 변형했지만 하이퍼리얼리즘은 대상을 정확하게 재현하려고 하였다는 점에서 그 둘은 차이가 있다. 그래서 팝 아트는 주로 대상의 현실성을 추구하지만, 하이퍼리얼리즘은 대상의 현실성뿐만 아니라 표현의 사실성도 추구한다. 팝 아트는 대상을 정확하게 재현하는 것보다는 대중과 쉽게 소통하는 것에 중점을 ⓓ두어 인쇄 매체를 주로 활용한다. 반면 하이퍼리얼리즘은 새로운 재료나 기계적인 방식을 적극 사용하여 대상을 정확히 재현하는 방법을 추구하였다.

자본주의 사회의 일상을 사실적으로 표현한 하이퍼리얼리즘의 대표적인 작가로는 핸슨이 있다. 그의 작품 ㉢〈쇼핑 카트를 밀고 가는 여자〉(1969)는 물질적 풍요로움 속에 파묻혀 살아가는 당시 현대인을 비판적 시각에서 표현했다고 해석할 수 있다. 이 작품의 대상은 '상품이 가득한 쇼핑 카트'와 '여자'인데, 여자는 욕망하는 사람이자 물질에 대한 탐욕을 상징하고, 상품이 가득한 쇼핑 카트는 욕망의 대상이자 물질적 가치를 상징한다. 그래서 여자가 상품이 가득한 쇼핑 카트를 밀고 있는 모습은 물질적 풍요 속에서 필요 이상으로 많이 소비하는, 과잉 소비 성향을 보여 준다.

이 작품의 기법을 보면, 생활 공간에 전시해도 자연스럽도록 작품을 전시 받침대 없이 제작하였다. 사람을 보고 찰흙으로 형태를 만드는 방법 대신 사람에게 직접 석고를 덧발라 형태를 뜨는 기법을 사용하여 사람의 형태와 크기를 똑같이 나타내었다. 또한 기존 입체 작품의 재료인 금속 재료 대신에 합성수지, 폴리에스터, 유리 섬유 등을 사용하고 에어브러시로 채색하여 사람 피부의 질감과 색채를 똑같이 나타내었다. 여기에 가발, 목걸이, 의상 등을 덧붙이고 쇼핑 카트, 식료품 등은 실제 사물을 그대로 사용하여 사실성을 ⓔ높였다.

리얼리즘 미술의 가장 큰 목적은 현실을 포착하고 그것을 효과적으로 전달하는 것이다. 작가가 포착한 현실을 전달하는 표현 방법은 다양하다. 하이퍼리얼리즘과 팝 아트 등의 리얼리즘 작가들은 대상을 그대로 재현하거나 함축적으로 변형하는 등 자신만의 방법으로 현실을 전달함으로써 감상자와 소통하고 있다.

- **재현**(再 두 재, 現 나타날 현)
  (사람이 사물이나 현상 따위를) 다시 나타냄.

- **리얼리즘**(realism)
  사실주의. 일반적으로 현실을 있는 그대로 묘사·재현하려고 하는 창작 태도.

- **팝 아트**(pop art)
  1950년대 후반에 미국에서 일어난 회화의 한 양식. 일상생활 용구 따위를 소재로 삼아 전통적인 예술 개념을 타파하는 혁신적이고 급진적인 미술 운동으로, 광고·만화·보도 사진 따위를 그대로 그림의 주제로 삼는 것이 특징이다.

- **에어브러시**(airbrush)
  압축 공기를 이용하여 도료나 그림물감을 안개 상태로 내뿜어서 칠하는 기구. 또는 그런 방법.

1 이 글에 사용된 글쓰기 방식이 <u>아닌</u> 것은 무엇인가요? (   )

① 대상의 개념을 명확하게 규정짓고 있다.

② 특정한 상황을 가정하면서 글을 시작하고 있다.

③ 예시를 활용하여 주요 기법에 대해 설명하고 있다.

④ 주요 개념과 다른 개념을 비교하여 설명하고 있다.

⑤ 시각 자료를 제시하여 주요 개념에 대한 이해를 돕고 있다.

2 ㉠과 ㉡에 대한 이해로 적절하지 <u>않은</u> 것은 무엇인가요? (   )

① ㉠과 ㉡은 모두 당시 자본주의 사회의 일상의 모습을 대상으로 삼았다.

② ㉠과 ㉡은 모두 현실을 있는 그대로 묘사하려는 리얼리즘에 뿌리를 두었다.

③ ㉠이 대상의 현실성을 추구하는 것과 달리, ㉡은 표현의 사실성을 중시한다.

④ ㉡은 대중과 쉽게 소통하는 것에 중점을 두어 인쇄 매체를 주로 활용하였다.

⑤ ㉡은 대상을 함축적으로 변형했다는 점에서 대상을 정확하게 재현하는 ㉠과 다르다.

3 ㉢에 대한 설명으로 적절하지 <u>않은</u> 것은 무엇인가요? (   )

① '여자'는 실제 사람의 형태와 크기를 똑같이 나타내었다.

② 쇼핑 카트와 식료품은 실제 사물을 그대로 사용하였다.

③ 생활 공간에 전시해도 자연스럽도록 작품을 전시 받침대 없이 제작하였다.

④ 타인에게 과시하고 싶어 하는 자본주의 사회의 소비 경향을 보여 주고자 하였다.

⑤ '여자'는 사람에게 직접 석고를 덧발라 형태를 뜨는 기법을 활용하여 제작하였다.

4 ⓐ~ⓔ의 문맥적 의미와 <u>다르게</u> 쓰인 것은 무엇인가요? (   )

① ⓐ: 다른 사람의 도움에 <u>기대지</u> 말고 스스로 노력해야지.

② ⓑ: 이번 행사에는 많은 비용과 노력이 <u>드는</u> 만큼 잘 되길 바라.

③ ⓒ: 그는 위기를 기회로 <u>삼아</u> 누구도 예상하지 못한 좋은 성과를 냈다.

④ ⓓ: 그녀는 완주하는 것에 목적을 <u>두고</u> 포기하지 않고 뛰었다.

⑤ ⓔ: 그는 끊임없는 노력을 통해 예술에 대한 안목을 <u>높였다.</u>

5 이 글의 '핸슨'과 보기 의 '론 뮤익'이 서로의 작품에 대해 해 줄 수 있는 말로 적절하지 <u>않은</u> 것은 무엇인가요? (   )

> **보기**
>
>
>
> 이 작품은 오늘날의 하이퍼리얼리즘 조각으로 세계 미술계의 주목을 받고 있는 론 뮤익의 〈침대에서〉이다. 인간을 거인처럼 확대한 거대한 크기에 놀라 다가가 보면 실제와 같은 생생함에 한번 더 놀라게 된다. 혈관의 움직임이 느껴지는 듯한 피부, 얼굴의 잔주름 등 생생하게 재현된 인체 표현은 감탄을 자아낸다.
>
> 론 뮤익은 점토로 모델의 이미지를 구체화하고 그 위에 실리콘을 입힌 후 섬유 코팅으로 마무리하는 새로운 기법을 발견하여 이를 작품 제작에 반영하였다. 워낙 정교한 작업이다 보니 한 작품을 완성하는 데 보통 1년 이상이 걸린다고 한다.

① 론 뮤익이 핸슨에게: 석고를 활용하여 사람의 모습을 생생하게 재현해 낸 점이 놀랍습니다.

② 론 뮤익이 핸슨에게: 쇼핑 카트, 식료품 등 현실에서 실제로 쓰이는 사물을 활용하여 작품의 사실성을 높였다고 생각합니다.

③ 핸슨이 론 뮤익에게: 사람의 피부를 실제처럼 나타내려고 한 것은 제 작품도 마찬가지입니다.

④ 핸슨이 론 뮤익에게: 거대한 크기 때문에 사실성이 떨어져 감상자들이 실제로 존재하는 것이라 여기지 않을 것 같습니다.

⑤ 핸슨이 론 뮤익에게: 작품을 제작할 때 기존에 흔히 쓰이는 기법들을 따르지 말고 새로운 기법을 찾으셨으면 합니다.

한줄 요약

6 빈칸에 알맞은 말을 넣어 이 글의 핵심 내용을 한 문장으로 요약하세요.

작가가 포착한 현실을 효과적으로 전달하는 것에 목적을 두는 ☐☐☐☐ 미술에는 ☐☐☐☐☐☐☐ 과 팝 아트가 있는데, 그 중에 대상의 ☐☐☐ 과 표현의 사실성을 모두 중시하는 하이퍼리얼리즘은 다양한 표현 기법으로 현실을 전달함으로써 감상자와 소통하고 있다.

지문 속 필수 어휘

다음 문장을 읽고, (　) 안에 공통으로 들어갈 낱말을 완성하세요.

➊
- 선생님은 그 문제의 본질을 (　　)하였다.
- 좋은 인물 사진은 구도와 표정의 (　　)에 성패가 달려 있다.

포	착

➋
- 상업주의 (　　)을 띤 소설의 출판이 증가하고 있다.
- 평균 혼인 연령이 과거에 비해 높아지는 (　　)을 보인다.

경	향

➌
- 어찌된 일인지 그가 (　　) 친절을 베풀었다.
- 자식에 대한 사랑이 지나쳐 (　　)보호를 하는 부모들이 적지 않다.

ㄱ	잉

➍
- 그 가구는 나무의 자연적인 (　　)을 강조했다.
- 손끝에 자물쇠의 차가운 (　　)이 느껴졌다.

지	감

다음 문장을 읽고, 두 낱말 중 알맞은 것을 찾아 ○표 하세요.

➎ 백여 년 전의 농촌을 [재현 / 재연]한 마을에 관광객이 줄을 이었다 .

➏ 학교 뒤뜰 나무 밑에서 [찰흑 / 찰흙]을 빚는 아이를 발견했다.

➐ 방송 [매체 / 매채]에서는 연일 그 사건을 다루었다.

➑ 이 편지는 어딘가에 [매몰 / 매립]되어 있다가 10년 만에 발견되었다.

페트병과 환경 위기

지난해 전 세계에서 소비된 페트병은 4,860억 개로, 이는 10년 전의 3,000억 개에 비해 50% 이상 증가한 수치이다. 대략 1분마다 90만 개 이상을 사용한 셈이다. 지금의 상승세가 지속된다면 2021년 한 해에는 약 5,830억 개의 페트병이 소비될 것으로 (ⓐ)된다. 문제는 이렇게 만들어진 페트병이 제대로 (ⓑ)되고 재활용되지 않는다는 것이다. 지난해 재활용된 페트병의 비율은 전체 생산량의 3.5% 미만이다. 나머지는 쓰레기장에 (ⓒ)되거나 바다에 그대로 버려지고 있다.

경제협력개발기구(OECD) 국가 중 분리수거율 2위를 자랑하는 우리나라의 사정도 별로 좋지 않다. 많은 페트병이 재활용되기 어려운 디자인이나 재질로 제작되어 아무리 열심히 분리수거를 해도 일부만 재활용되기 때문이다. 더구나 플라스틱의 주원료인 석유 값이 떨어지면서 새로운 플라스틱의 생산량이 늘어나고 있다. 이처럼 페트병의 생산량과 소비량에 비해 페트병의 회수율과 재활용은 미미한 수준이다. 이 악순환의 고리를 끊지 못한다면, 바다는 플라스틱 폐기물이 모여드는 거대한 쓰레기장으로 변해 버릴 것이다.

재활용되지 않고 버려진 페트병은 어떻게 될까? 페트병이 쓰레기장에 매립되는 경우는 그나마 괜찮은 편에 속한다. 페트병이 완전히 분해되는 데에 약 450년이 걸리기는 하지만 어쨌든 분해는 된다. 문제는 쓰레기장에 버려지지 않은 페트병이다. 페트병은 우리보다 다섯 배나 오래 살아남으면서 서서히 바다로 흘러든다. 비가 오면 물에 뜨고 바람이 불면 바람에 날려서 조금씩 낮은 곳으로 이동하다 강이나 바다를 만난다.

페트병이 일단 바다로 이동하면 바다에 내리쬐는 햇빛과 파도 때문에 점점 더 작은 조각으로 쪼개지기는 하지만, 결코 사라지지는 않는다. 이렇게 쪼개져 작아진 플라스틱 조각을 바다에서 살아가는 동물들은 먹이로 착각한다. 실제로 하와이에서 발견된 죽은 바다거북의 위장과 창자에서는 1,000개가 넘는 플라스틱 조각이 발견되었다. 전 세계에서 매년 100만 마리의 해양 조류들과 10만 마리의 해양 포유류 및 바다거북들이 플라스틱을 먹고 죽어 가고 있다고 추정된다.

최근에 이런 미세 플라스틱이 어류를 통해 사람에게까지 옮겨지는 것이 밝혀졌다. 영국 플리머스대학교의 연구진은 대구와 해덕, 고등어 등 영국 식탁에 오르는 어류의 3분의 1에서 플라스틱 조각들이 발견됐다는 내용의 보고서를 발표했다. 또한 벨기에 켄트대학교의 과학자들은 수산물을 즐기는 사람은 일 년에 1만 1,000개가 넘는 미세 플라스틱 조각을 먹는 것으로 추산된다는 충격적인 연구 결과를 내놓았다. 세계해양기구의 연구에 따르면 매년 500만~1,300만 톤의 플라스틱이 바다에 버려져 새나 어류, 해양 생물체의 먹이가 되는데, 2050년쯤에는 바다에 물고기보다 플라스틱이 더 많아질 것으로 전망한다. 우리나라의 바다도 예외일 수 없다. 2015년, 전라남도 영광과 남해의 여수 지역에서 나온 해양 쓰레기를 분석한 결과 플라스틱이 61%가 넘는 것으로 밝혀졌다.

페트병이 쓰레기가 되지 않도록 하는 방법에는 ㉠사용한 페트병을 다른 용도로 재사용하기, ㉡사용한 페트병의 페트 성분을 새 페트병을 만드는 데 활용하기, ㉢버려진 페트병

● **매립**(埋 묻을 매, 立 설 립)
우묵한 땅이나 하천, 바다 등을 돌이나 흙 따위로 채움.

● **분해**(分 나눌 분, 解 풀 해)
여러 부분이 결합되어 이루어진 것을 그 낱낱으로 나눔.

● **분석**(分 나눌 분, 析 쪼갤 석)
얽혀 있거나 복잡한 것을 풀어서 개별적인 요소나 성질로 나눔.

을 사용하여 새로운 가치를 가진 다른 제품 만들기 등이 있다. 하지만 이러한 방법들이 일반화되기까지는 현실적으로 넘어야 할 과제들이 많다. 그럼에도 불구하고 환경은 이미 충분히 오염되었고, 우리에게는 시간이 많지 않기 때문에 인류 전체가 이 문제를 해결하기 위해 노력해야 한다.

정답과 해설 37쪽

1 **이 글의 내용과 일치하지 않는 것은 무엇인가요? (   )**

① 플라스틱의 주원료는 석유이다.
② 10년 전에 비해 지난해 소비된 페트병 수는 증가하였다.
③ 페트병은 시간이 오래 걸리기는 하지만 결국 분해되어 사라진다.
④ 플라스틱 쓰레기 문제는 우리나라에만 국한된 것이 아니다.
⑤ 플라스틱 쓰레기는 인간을 포함한 동물들에게 심각한 위협이 되고 있다.

2 **이 글에 사용된 내용 전개 방식으로 가장 적절한 것은 무엇인가요? (   )**

① 대상의 구성 요소를 밝혀 상세하게 설명하고 있다.
② 하나의 현상에 대한 다양한 관점을 소개하고 있다.
③ 주장에 대한 반대 의견을 밝힌 뒤 문제의 해결책을 제시하고 있다.
④ 용어의 의미를 익숙하고 구체적인 경험을 바탕으로 설명하고 있다.
⑤ 객관적인 자료를 활용하여 미래에 대한 우려와 전망을 드러내고 있다.

3 **다음 사실에서 추론한 내용으로 알맞은 것에 ○표 하세요.**

> • 많은 페트병이 재활용되기 어려운 디자인이나 재질로 제작되어 아무리 열심히 분리수거를 해도 일부만이 재활용된다.
> • 2015년, 전라남도 영광과 남해의 여수 지역에서 나온 해양 쓰레기를 분석한 결과 플라스틱이 61%가 넘는 것으로 밝혀졌다.

(1) 쓰레기 분리수거를 잘한다고 해서 페트병 쓰레기 문제가 해결되지는 않는다.
(   )

(2) 플라스틱 쓰레기 문제만 해결되면 우리나라의 해양은 깨끗해질 것이다. (   )

4 이 글의 ㉠~㉢에 해당하는 예를 보기 에서 찾아 연결하고자 할 때 적절하지 <u>않은</u> 것은 무엇인가요? (   )

> **보기**
>
> a. 다 마신 오렌지 주스 페트병을 잘 닦은 후에 생수를 담아 마셨다.
> b. 식탁 위의 생수통은 버려진 콜라 페트병으로 만들어진 것이다.
> c. 페트병의 페트 성분을 이용하여 신발을 제작하였다.
> d. 생수가 담겨 있던 페트병을 비우고 매실 진액을 담아 냉장 보관했다.
> e. 우리나라 축구 국가 대표팀의 유니폼은 버려진 페트병을 활용하여 만든 것이다.

① a는 ㉠에 해당하는 예야. ② b는 ㉡에 해당하는 예야.

③ c는 ㉢에 해당하는 예야. ④ d는 ㉠에 해당하는 예야.

⑤ e는 ㉡에 해당하는 예야.

5 ⓐ~ⓒ에 들어갈 단어로 적절한 것은 무엇인가요? (   )

	ⓐ	ⓑ	ⓒ
①	기억	매립	수거
②	추산	수거	매립
③	짐작	수거	축적
④	환산	수집	매립
⑤	짐작	수집	축적

한줄 요약

6 빈칸에 알맞은 말을 넣어 이 글의 핵심 내용을 한 문장으로 요약하세요.

　　　　□□□　되지 않고 강이나 바다에 버려지는 □□□□이 해양 동물들의

생명을 위협하고 있는데, 페트병이 □□□가 되지 않게 하는 여러 방법을 활용

하면서 페트병 쓰레기 문제를 해결하기 위해 노력해야 한다.

지문 속 필수 어휘

다음 문장을 읽고, (   ) 안에 공통으로 들어갈 낱말을 완성하세요.

❶
- 고철을 (   )하여 철강재 수입을 줄일 수 있다.
- 폐식용유를 재생비누로 (   )할 수 있다.

ㅈ	활	ㅇ

❷
- 이 집은 조립식이라 필요에 따라 조립과 (   )가 가능하다.
- 그는 군대에서 지뢰의 (   ) 방법을 배워 왔다.

ㅂ	해

❸
- 이번 홍수의 피해는 이백 억 원이 넘을 것으로 (   )된다.
- 정부는 물가가 내년에 10% 정도 인상될 것으로 (   )하고 있다.

추	ㅅ

❹
- 바다 일부를 흙으로 (   )하여 논으로 만들었다.
- 이 공사는 고지대의 돌들을 옮겨 낮은 지대를 (   )하는 작업이다.

ㅁ	립

다음 문장을 읽고, 두 낱말 중 알맞은 것을 찾아 ○표 하세요.

❺ 그는 노동자들의 임금을 강제로 [수거 / 수확] 하여 금고에 넣었다.

❻ 날씨가 따뜻해지면서 냇가의 얼음이 [서서히 / 서서이] 녹기 시작했다.

❼ 이 작품은 조선 후기의 것으로 [추산 / 추정] 되고 있다.

❽ 그 사건을 [분류 / 분석] 한 결과 여러 사람이 관련되어 있다는 사실을 알아냈다.

천적을 이용한 친환경 농사법

우리나라는 경제협력개발기구(OECD) 국가 중에서도 농약을 많이 쓰는 나라에 속한다. 그 때문에 과거 논농사를 짓는 농가의 골칫거리였던 메뚜기가 많이 줄어들었다. 하지만 그와 함께 미꾸라지, 개구리 등도 찾아볼 수 없게 되었다. 과연 농약을 사용하지 않고 해로운 곤충을 안전하게 논이나 밭에서 몰아낼 수 있는 방법은 없는 것일까?

농약이 본격적으로 개발된 것은 화학 농약이 개발된 1825년부터였다. 그런데 화학 농약의 강한 독성이 ⓐ농산물이나 환경에 잔류한다는 문제점이 발견되자 농약의 안전성에 대한 우려가 제기되었다. 농약을 정상적인 수치로 사용한다면 작물에 남아 있는 농약은 일반인들이 걱정할 수준이 아니다. 하지만 농약의 사용량을 지키지 않고 너무 다량으로 살포하거나 농작물이 시장에 나오기 전까지 지속적으로 남용하면 문제가 발생하게 된다.

최근 들어 인기를 끄는 친환경, 무농약 농작물을 마트에서도 쉽게 찾아볼 수 있다. 그렇다면 그 작물들은 어떻게 농약을 사용하지 않을 수 있었을까? 그 답은 천적의 이용에 있다. 천적이 없는 종은 무한 번식을 하기 때문에 생태계가 균형을 잃게 된다. 하지만 천적을 활용하면 종의 무한 번식을 제어할 수 있게 되어 화학 농약을 사용하지 않고도 작물에서 발생하는 병을 막을 수 있는 것이다.

예를 들어 ㉠감귤을 창고에 보관할 때 생기는 검은병의 정체는 곰팡이인데, 이 곰팡이의 천적은 곰팡이를 분해시키는 세균이다. ⓑ감귤에 달라붙은 시커먼 곰팡이를 없애 줄 천적 균을 이용하면 화학 농약을 굳이 사용하지 않아도 된다.

천적을 이용하는 친환경 농사법의 가장 큰 장점은 다른 생물체에 전혀 해를 끼치지 않는다는 점이다. 화학 농약을 사용하는 기존의 농사법은 대부분 해당 곤충이나 균이 성장하지 못하도록 하는 것이기 때문에 장기간 사용하면 돌연변이가 생겨 농약에도 끄떡없는 면역성을 가진 곤충이 생겨날 수 있다는 문제점이 있었다. 그에 반해 천적을 이용한 농사법은 안전하게 오랫동안 사용할 수 있다는 점에서 유용하다.

물론 천적을 이용하는 방식에도 단점은 있다. 한 번 뿌리면 농작물을 제외한 모든 곤충이나 균들이 죽는 기존의 화학 농약에 비해 천적을 이용한 방식은 특정 해충에만 적용되어 그 대상의 범위가 좁다. 또한 살아 있는 생명체를 활용하는 방식이기 때문에 제조·보관·유통 방법이 기존 농약에 비해 비교할 수 없이 복잡하다. 따라서 아직까지는 이 방식을 많이 사용하고 있지 않다. 그러나 이러한 단점에도 불구하고 천적을 이용한 농사법은 가장 자연적이고 친환경적인 방식임에는 틀림이 없다. 그러므로 좀 더 효과적으로 천적 관계를 이용할 수 있는 방법을 다양하게 찾아 나가야 할 것이다.

● **살포**(撒 뿌릴 살, 布 펼 포)
액체, 가루 따위를 흩어 뿌림.

● **천적**(天 하늘 천, 敵 대적할 적)
잡아먹는 동물을 잡아먹히는 동물에 상대하여 이르는 말. 예를 들면, 쥐에 대한 뱀, 배추흰나비에 대한 배추나비고치벌, 진딧물에 대한 무당벌레 따위이다.

● **번식**(繁 번성할 번, 殖 불릴 식)
붙고 늘어서 많이 퍼짐.

1 이 글의 내용과 일치하지 <u>않는</u> 것은 무엇인가요? (   )

① 천적이 없는 종은 무한 번식을 한다.

② 천적을 이용하면 생태계가 균형을 잃게 된다.

③ 우리나라는 농약을 많이 쓰는 국가 중 하나이다.

④ 과거에 메뚜기는 논농사에 피해를 주는 골칫거리였다.

⑤ 농약의 사용으로 미꾸라지, 개구리 등도 찾아볼 수 없게 되었다.

2 천적을 이용한 농사법을 안전하게 오랫동안 사용할 수 있는 이유는 무엇인가요?

(   )

① 제조 · 보관 · 유통 방법이 간단하기 때문에

② 곤충이나 균이 성장하지 못하도록 하기 때문에

③ 한 번의 이용으로 농작물을 제외한 모든 곤충이 죽기 때문에

④ 장기간 이용하면 면역성을 가진 돌연변이가 생길 수 있기 때문에

⑤ 특정 해충에만 적용되어 다른 생물체에 전혀 해를 끼치지 않기 때문에

3 다음 사실에서 추론한 내용으로 알맞은 것에 ○표 하세요.

> • 화학 농약의 강한 독성이 농작물과 환경에 잔류한다는 문제점이 발견되었다.
> • 농약을 제대로 사용하지 않고 너무 다량으로 살포하거나 농작물이 시장에 나오기 전까지 지속적으로 남용하면 문제가 발생하게 된다.

(1) 사람들이 화학 농약의 안전성에 대한 우려를 하게 되었다.   (   )

(2) 화학 농약을 제대로 사용하지 않는 사람들이 증가하게 되었다.   (   )

4 ⊙에 천적을 이용한 친환경 농사법을 바르게 적용한 것을 [보기]에서 하나만 골라 기호를 쓰세요.

> **보기**
>
> ㈎ 곰팡이가 생긴 감귤을 분리하여 즉시 폐기한다.
> ㈏ 감귤에 달라붙은 곰팡이를 분해하는 세균을 이용한다.
> ㈐ 감귤에 곰팡이가 생기지 않도록 건조한 환경을 만든다.
> ㈑ 감귤에 생긴 곰팡이를 제거하는 농약을 꾸준히 뿌려 준다.

(   )

5 ⓐ, ⓑ에 제시된 다음 낱말들의 관계로 알맞은 것에 ○표 하세요.

농산물   감귤

(1) 뜻이 서로 비슷한 낱말이다.   (   )
(2) 뜻이 서로 반대되는 낱말이다.   (   )
(3) 한 낱말의 뜻이 다른 낱말에 포함된다.   (   )

6 빈칸에 알맞은 말을 넣어 이 글의 핵심 내용을 한 문장으로 요약하세요.

한줄
요약

　　　　을 이용한 농사법은 그 대상 범위가 좁고 제조 · 보관 · 유통 방법이 복잡하다는 단점이 있지만, 다른 생물체에 해를 전혀 끼치지 않아서 　　　하고 오랫동안 사용할 수 있는 자연적이고 　　　　인 방식이므로 좀 더 효과적으로 천적 관계를 이용할 수 있는 방법을 다양하게 찾아야 한다.

지문 속 필수 어휘

다음 문장을 읽고, (　　) 안에 공통으로 들어갈 낱말을 완성하세요.

❶
- 고양이와 쥐는 (　　　) 관계이다.
- 날개에 무늬가 없는 나방은 (　　　)에 의해 결국 사라졌다.

　ㅊ　｜　ㅈ　(적)

❷
- 오늘 아파트 주변에 소독약을 (　　　)할 예정이다.
- 연설회장에 연설자를 헐뜯는 내용의 전단이 (　　　)되었다.

　살　｜　ㅍ

다음 문장을 읽고, 두 낱말 중 알맞은 것을 찾아 ○표 하세요.

❸ 나는 ⎡ 오래동안 / 오랫동안 ⎤ 망설인 끝에 드디어 결심했다.

❹ 한동안 우리의 ⎡ 골치거리 / 골칫거리 ⎤ 로 남았던 그 일이 잘 처리되어서 기쁘다.

❺ 그는 무수한 매를 맞았는데도 ⎡ 끄떡없다 / 끄덕없다 ⎤.

낱말의 뜻을 참고하여, 다음 문장의 빈칸에 들어갈 알맞은 낱말을 완성하세요.

❻ 댐이나 방조제 같은 인공물은 자연환경과 ｜생｜ㅌ｜ㄱ｜ 에 큰 영향을 미친다.

　　어느 환경 안에서 사는 생물군과 그 생물들을 제어하는 요인들을 포함하는 체계.

❼ 제가 그곳까지 ｜안｜ㅈ｜ 하게 모셔다 드리겠습니다.

　　위험이 생기거나 사고가 날 염려가 없음. 또는 그런 상태.

집중 호우의 발생 원리

⏱ **14**분 안에 풀어보세요.

어휘 수준 ★★★★★
글감 수준 ★★★★★
글의 길이 1,550자

일반적으로 1시간에 30mm 이상, 또는 하루에 80mm 이상의 비가 내릴 때, 그리고 한 해 동안 내린 물의 총량의 10%에 해당하는 비가 하루에 내릴 때, 이를 '집중 호우'라고 한다. 그런데 짧은 시간 내에 어떻게 이처럼 많은 비가 내릴 수 있을까?

찬 공기가 따뜻한 공기 쪽으로 이동하면 상대적으로 밀도가 낮아 가벼운 따뜻한 공기가 찬 공기 위로 상승하게 된다. 이때 상승하는 공기가 충분한 수분을 포함하고 있다면 공기 중의 수증기가 차가워져 작은 물방울이나 얼음 알갱이가 되면서 구름이 형성되고, 이 과정에서 열을 외부로 내놓는다. 이때 나오는 열이 상승하는 공기에 더해져, 공기가 더 높은 고도로 상승할 수 있게 한다. 그런데 공기에 포함된 수증기의 양이 충분하지 않으면 상승하던 공기는 더 이상 열을 공급받지 못하게 된다. 그렇게 되면 주변보다 차가워진 공기가 더 이상 상승하지 못하고 구름도 발달하기 어렵게 된다. 만일 상승하는 공기가 일반적인 공기에 비해 매우 따뜻하고 습한 공기일 경우에는 어떨까? 이때에는 수증기가 물방울이나 얼음 알갱이가 되면서 나오는 열이 그 공기에 지속적으로 더해지면서 계속 새로운 구름을 만들어 낼 수 있다. 그렇기 때문에 따뜻하고 습한 공기가 상승하는 과정에서 구름을 생성하고 그 구름들이 아래쪽부터 지면에 수직으로 차곡차곡 쌓이게 되어 두터운 구름층을 형성하게 되는데, 이렇게 형성된 구름을 ⒜적란운이라고 한다. 적란운은 형성되는 높이에 따라 소나기를 내릴 수도 있고 집중 호우를 내릴 수도 있다.

일반적으로 적란운은 지표로부터 2~3km 이내에서 형성된다. 적란운에서 비가 내리면 적란운 아래에 있는 공기는 온도가 내려가 주위로 퍼지게 된다. 이렇게 퍼진 차가운 공기가 원래의 적란운으로부터 떨어진 장소에서 다시 따뜻하고 습한 공기와 만나는 경우가 있다. 그렇게 되면 이 따뜻하고 습한 공기가 상승하면서 새로운 적란운을 만들게 된다. 이때 새로 만들어진 적란운은 기존의 적란운과 떨어져 있기 때문에 각각의 적란운 바로 아래 지역에만 30분에 30mm에 못 미치는 비가 내린 후 그치게 된다. 이때 내리는 비가 바로 소나기이다.

그런데 만일 기존의 적란운에서 가까운 곳에 새로운 적란운이 생기면 어떻게 될까? 이때는 두 개 이상의 적란운이 겹쳐지면서 한 지역에 동시에 많은 양의 비를 쏟아붓는 집중 호우가 발생하게 된다. 집중 호우를 발생시키는 적란운을 형성하는 공기는 일반적인 적란운을 형성하는 공기보다 온도와 습도가 높아 고도가 더 낮은 곳에서부터 구름이 형성될 수 있다. 그래서 지표에서 수백 미터에 불과한 높이에서도 적란운이 형성된다. 이렇게 형성된 적란운의 바닥과 지표 사이의 공간이 좁기 때문에 이 공간에 있는 공기의 양이 적어 비가 내리더라도 차가워진 공기가 멀리 ㉠퍼지지 못한다. 이런 상황에서 매우 따뜻하고 습한 공기가 유입되면 이 공기가 상승하면서 기존의 적란운 바로 가까이에 새로운 적란운을 형성하게 된다. 이러한 과정이 반복되면서 기존의 적란운과 동일한 장소에 여러 개의 적란운들이 몰리어 형성되기 때문에 특정한 지역에 엄청난 양의 비가 일시에 집중적으로 쏟아지게 되는데, 이것이 ⒝집중 호우의 원리이다.

● **밀도**(密 빽빽할 밀, 度 정도 도)
빽빽이 들어선 정도.

● **고도**(高 높을 고, 度 정도 도)
평균 해수면 따위를 0으로 하여 측정한 대상 물체의 높이.

● **적란운**(積 쌓을 적, 亂 어지러울 란, 雲 구름 운)
적운보다 낮게 뜨는 수직운. 위는 산 모양으로 솟고 아래는 비를 머금는다. 물방울과 빙정(氷晶)을 포함하고 있어 우박, 소나기, 천둥 따위를 동반하는 경우가 많다.

● **유입**(流 흐를 유, 入 들 입)
액체나 기체, 열 따위가 어떤 곳으로 흘러듦.

1 **이 글의 내용 전개 방식으로 적절한 것을 모두 골라 묶은 것은 무엇인가요? (   )**

> ㄱ. 특정 대상이 형성되는 원리를 설명하고 있다.
> ㄴ. 의문문을 사용하여 독자의 관심을 유도하고 있다.
> ㄷ. 다른 대상과의 비교를 통해 가설을 증명하고 있다.
> ㄹ. 주요 개념의 의미를 설명하여 독자의 이해를 돕고 있다.
> ㅁ. 기존 이론의 한계를 지적하고 새로운 이론을 제시하고 있다.

① ㄱ, ㄴ, ㄹ　　　　　② ㄱ, ㄷ, ㄹ　　　　　③ ㄴ, ㄷ, ㄹ
④ ㄴ, ㄹ, ㅁ　　　　　⑤ ㄷ, ㄹ, ㅁ

2 **이 글의 내용과 일치하지 <u>않는</u> 것은 무엇인가요? (   )**

① 구름이 형성될 때에는 열을 내놓는다.
② 따뜻한 공기는 찬 공기보다 밀도가 낮다.
③ 소나기와 집중 호우는 적란운에 의해 발생한다.
④ 공기가 가진 수증기의 양이 적을수록 두터운 구름층을 형성할 수 있다.
⑤ 하루에 80mm 이상의 비가 내릴 때는 '집중 호우'에 해당한다고 볼 수 있다.

3 **다음 중 Ⓐ의 형성에 영향을 미치는 요인이 <u>아닌</u> 것은 무엇인가요? (   )**

① 상승하는 공기의 온도
② 공기의 지속적인 상승
③ 상승하는 공기의 습도
④ 수증기에서 방출되는 열
⑤ 지표와 평행한 방향으로 부는 바람

4 보기 는 ⑧를 그림으로 나타낸 것입니다. 이 글을 바탕으로 보기 를 이해한 내용으로 적절하지 <u>않은</u> 것은 무엇인가요? (   )

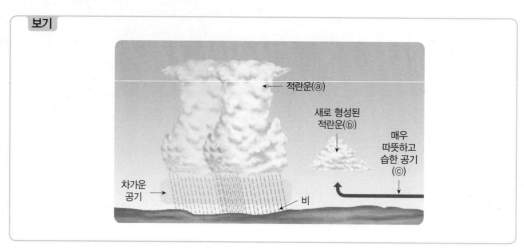

보기

① ⓐ의 바닥과 지표 사이의 거리가 가까우면 집중 호우가 내릴 가능성이 높을 것이다.

② ⓐ의 바닥과 지표 사이에 공기의 양이 적기 때문에 비로 인한 차가운 공기가 멀리 퍼지지 못할 것이다.

③ ⓐ의 가까이에 ⓑ가 더 형성된다면 그 지역에는 더 많은 양의 비가 내릴 것이다.

④ ⓒ는 일반적인 적란운을 형성하는 공기에 비해 온도와 습도가 매우 높을 것이다.

⑤ ⓒ가 차가운 공기를 만나면서 ⓑ가 형성되어 ⓐ의 고도가 높아질 것이다.

5 다음 밑줄 친 단어의 의미가 ㉠과 가장 유사한 것은 무엇인가요? (   )

① 그의 자손이 전국에 널리 <u>퍼졌다</u>.

② 나는 숙소에 도착하자마자 푹 <u>퍼졌다</u>.

③ 국수가 너무 <u>퍼져서</u> 먹을 수가 없었다.

④ 떨어뜨린 잉크가 종이에 빠르게 <u>퍼졌다</u>.

⑤ 이 바지는 아래가 <u>퍼진</u> 모양으로 디자인되었다.

6 빈칸에 알맞은 말을 넣어 이 글의 핵심 내용을 한 문장으로 요약하세요.

_{한줄 요약}

따뜻하고 습한 공기가 상승하는 과정에서 생성된 구름들이 쌓여 형성된 [ ][ ][ ]은 소나기와 집중 호우를 내릴 수 있으며, 여러 개의 적란운들이 겹쳐질 경우에 특정 지역에 많은 양의 [ ]가 일시에 집중적으로 쏟아지게 되는데, 이것이 [ ][ ][ ]의 원리이다.

지문 속 필수 어휘

낱말의 뜻을 참고하여, 다음 문장의 빈칸에 들어갈 알맞은 낱말을 완성하세요.

❶ 적도 부근에서 [발][ㄷ]한 열대성 저기압인 태풍이 빠르게 올라오고 있다.

지리상의 어떤 지역이나 대상이 제법 크게 형성됨. 또는 기압·태풍 따위의 규모가 점차 커짐.

❷ 이곳에서 도난 사건이 [ㅂ][생]한 것은 어제 저녁 즈음이었다.

어떤 일이나 사물이 생겨남.

❸ 사람들이 그곳으로 모여들면서 그곳에는 자연스럽게 마을이 [ㅎ][성]되었다.

어떤 형상이 이루어짐.

❹ 공장 폐수와 생활 하수가 강으로 [ㅇ][입]되고 있다.

액체나 기체, 열 따위가 어떤 곳으로 흘러듦.

❺ 그녀는 가족들이 살아가기에 [ㅊ][분]한 재산을 모았다.

모자람이 없이 넉넉함.

❻ 현재 우리 비행기는 [ㄱ][도] 5,000미터 상공을 비행하고 있다.

평균 해수면 따위를 0으로 하여 측정한 대상 물체의 높이.

다음 문장을 읽고, 두 낱말 중 알맞은 것을 찾아 ○표 하세요.

❼ 소나기라도 한줄기 [쏟아부을 / 쏫아부을] 모양이었다.

❽ 핵반응으로 에너지를 [생성 / 형성] 하였다.

❾ 그의 웃는 얼굴 위에 돌아가신 아버지의 모습이 [겹쳐졌다 / 겹처졌다].

태풍의 두 얼굴

어휘 수준 ★★★★★
글감 수준 ★★★★★
글의 길이 1,585자

본격 독해 훈련

가 태풍은 북태평양 남서부에서 만들어지는 대형 열대성 저기압을 말한다. 열대성 저기압은 발생하는 지역에 따라 이름이 달라지는데, 남쪽에서 발생하는 것은 '윌리윌리'라고 부르고, 대서양의 서쪽에 위치한 멕시코 만에서 발생하는 것은 '허리케인', 인도양에서 발생하는 것은 '사이클론'이라고 부른다. 매년 100여 개 이상의 열대성 저기압이 만들어지며 이 중 30여 개 정도가 태평양에서 만들어진다.

나 태평양에서 발생하는 태풍은 남반구로부터 불어오는 고온다습하고 불안정한 남동풍과 북반구로부터 불어오는 북동풍이 적도 부근에서 만나면서 만들어지는 것으로 알려져 있다. 이때 해수면 온도가 26℃ 이상인 곳이 필요한데, 이곳은 강렬한 태양빛 때문에 바닷물의 온도가 상승해서 바다 위의 대기가 항상 고온다습한 수증기를 포함하고 있다. 이 수증기가 계속 상승하면서 적란운을 만드는데, 소용돌이가 존재할 경우 비로소 태풍이 발생한다. 이렇게 까다로운 조건이 존재해야 태풍이 발생하고 발달할 수 있는데, 태풍이 육지에 상륙하게 되면 바다로부터 공급받던 수증기가 차단되면서 태풍 발생의 조건이 사라지게 되므로 태풍의 힘 또한 점차 약화되고 결국 소멸한다.

다 매년 지구 곳곳을 찾아오는 태풍은 많은 피해를 낳는다. 일례로 2005년 미국 남부 지역을 강타한 초대형 허리케인 '카트리나'는 2천여 명의 목숨을 앗아갔고, 6만 명이 넘는 이재민을 만들어냈다. 경제적 손실도 말할 수 없이 커서 피해 지역을 복구하기 위해 엄청난 돈과 시간이 필요했다. 우리나라에 매년 찾아오는 크고 작은 태풍들도 사람들에게 너무나 큰 상처를 남겼다. 이렇듯 태풍은 기본적으로 강한 바람과 많은 비를 포함하기 때문에 인류에게 위협적인 요소이다.

라 하지만 지구 생태계의 입장에서 볼 때 태풍이 부정적인 것만은 아니다. 오히려 꼭 필요한 중요한 자연 현상이다. 우선 태풍은 ⓐ적도 지방에 집중적으로 쏟아지는 태양 에너지를 지구 전체로 확산시키는 역할을 한다. 보통은 지표면으로부터 10킬로미터까지의 대류권에서 나타나는 거대한 대류 현상이 그 역할을 담당하지만, 여름철에 적도 지방에서 이글거리는 태양열을 효과적으로 확산시키기에는 역부족인 경우가 많다. 그럴 때 태풍은 지구의 열적 균형을 위해 작동되는 지극히 자연스러운 현상이다. 또한 ⓑ약육강식과 적자생존으로 유지되는 불안한 생태계에 긍정적인 역할도 한다. 지역적인 이유로 어떤 생물종이 지나치게 번성하면 생태계의 균형이 깨지면서 심각한 문제가 발생한다. ⓒ호수나

▲ 태풍이 오면 많은 비가 내리고 강한 바람이 붑니다. 그런데 '태풍의 눈'이라고 불리는 중심에서는 오히려 바람도 잔잔하고 맑은 날씨가 나타난다고 하니 신기하지요.

강 또는 육지에 인접한 바다에 유입되는 유기물이 증가하면서 생기는 적조도 그러한 문제 현상 중 하나이다. 바람과 폭우를 동반한 태풍은 ⓓ바닷물을 뒤섞이게 하여 순환시킴으로써 적조 현상을 해결한다. 즉 태풍으로 인한 순환이 ⓔ지역적으로 깨진 생태계의 균형을 복원시켜주는 것이다.

마 기상청의 연구 결과에 따르면 21세기 말에는 한반도 주변의 수온이 크게 증가하면서 우리나라로 접근하는 태풍의 힘이 엄청나게 강력해질 것이라고 한다. 그러나 기상 관측 기술의 발달로 어떤 태풍이 언제 어떤 경로로 이동하는지 예측하는 것이 가능해졌다. 그러므로 정확한 예측을 통해 위험에 대비한다면 태풍은 인류를 위험에 빠트리는 재앙이 아니라 인간과 생태계에 균형을 되찾아주는 선물이 될 수 있을 것이다.

정답과 해설 **40쪽**

1 **가**에서 알 수 있는 '태풍'과 '허리케인'의 구분 기준은 무엇인가요? (　　　)

① 발생 이유
② 발생 시간
③ 진행 방향
④ 발생한 지역
⑤ 발생한 개수

2 다음 중 **나**의 내용을 잘못 이해한 학생은 누구인가요? (　　　)

① 수정: 수증기는 태풍의 힘이 유지되는 데 중요한 요소구나.
② 상열: 태풍의 세기는 온도보다 방향의 영향을 많이 받는구나.
③ 유진: 태풍이 생기려면 까다로운 조건들이 충족되어야 하는구나.
④ 재원: 바닷물의 온도가 26℃보다 낮다면 태풍이 만들어지지 않겠구나.
⑤ 지영: 태풍은 남반구와 북반구에서 불어오는 바람이 만나 만들어지는구나.

3 **라**의 ⓐ~ⓔ 중 태풍이 하는 일이 <u>아닌</u> 것을 한 가지 골라 기호를 쓰세요.

(　　　　　　　)

4 📄다와 📄라를 모두 고려하였을 때, 태풍에 대한 **글쓴이의 관점**으로 가장 적절한 것은 무엇인가요? (　　　)

① 태풍은 생태계에 긍정적인 영향을 끼치는 고마운 존재이다.

② 태풍은 인간에게 심각한 피해를 끼치므로 너무나 위험하다.

③ 태풍을 인간의 힘으로 통제할 수 있는 방안을 찾아야 한다.

④ 태풍은 언제 발생할지 모르므로 평소에 위험에 대한 대비를 해야 한다.

⑤ 태풍은 인간에게 위협적인 요소이기도 하지만 꼭 필요한 자연 현상이다.

+ 수능연결

'글쓴이의 관점'이란 글쓴이가 사물이나 현상을 보고 생각하는 태도나 방향을 의미합니다. 글쓴이는 대상에 대해 긍정적 또는 부정적으로 평가할 수 있으며 중립적인 입장을 취할 수도 있습니다. 글쓴이가 대상을 어떻게 바라보고 있는지 알면 글쓴이의 관점을 파악하기 쉽습니다.

> 이론이 갖는 객관적 속성은 그 이론이 마주 선 현실의 문제 상황이나 이론가의 주관적인 문제 의식으로부터 근본적으로 자유로울 수는 없는 것이다.

17. 윗글의 **글쓴이의 관점**으로 가장 적절한 것은?

　① 사회　　　　　　　적 연구를 수행할 수 없다.

글쓴이의 관점

　② 객관　　　　　의 주관적

　③ 시·공간을 넘어 보편타당하게 적용　

수능에는 글에 나타난 글쓴이의 관점을 파악하는 문제가 나와요.

　④ 과학적 연구 방법에 의거한 사회 이론

　⑤ 사회 이론을 이해하는 데에는 그 이론이 만들어진 당시의 시대적 배경에 대한 이해가 도움이 된다.

---

5 빈칸에 알맞은 말을 넣어 이 글의 핵심 내용을 한 문장으로 요약하세요.

한줄요약

북태평양 남서부에서 만들어지는 대형 🔲🔲🔲 🔲🔲🔲인 태풍은 인간에게 많은 피해를 끼치는 재앙이 되기도 하지만, 태양 에너지를 지구 전체로 확산시키고, 생태계의 🔲🔲을 회복시키는 긍정적인 역할도 한다.

지문 속 필수 어휘

다음 문장을 읽고, (　) 안에 공통으로 들어갈 낱말을 완성하세요.

❶
- 해가 바뀌고 계절은 (　　　)을 계속하고 있다.
- 혈액 (　　　)이 제대로 되지 않아서 그런지 손이 저리다.

순	ㅎ

❷
- 아름다운 문화 유산이 (　　　)해 가는 현실이 가슴 아프다.
- 마을 앞 나무들을 모두 뽑아버려서, 나무들이 거의 (　　　) 상태에 이르렀다.

소	ㅁ

❸
- 휴대폰에 전자파를 (　　　)하는 스티커를 붙였다.
- 통로가 (　　　)되는 바람에 한참을 기다려야 했다.

ㅊ	단

낱말의 뜻을 참고하여, 다음 문장의 빈칸에 들어갈 알맞은 낱말을 완성하세요.

❹ 우리 가게는 사업이 날로 ┃번┃ㅅ┃하여 지난달에 분점을 냈다.
　　　한창 성하게 일어나 퍼짐.

❺ 이번 지진으로 엉망이 된 도시의 ┃ㅂ┃구┃에 몇십 년이 걸릴지 아무도 모른다.
　　　손실 이전의 상태로 회복함.

❻ 목욕을 끝내고 욕조의 마개를 뺄 때마다 나는 아래로 빨려 들어가는 ┃소┃ㅇ┃돌┃ㅇ┃
를 관찰한다.　　　바닥이 팬 자리에서 물이 빙빙 돌면서 흐르는 현상.

수능까지 연결되는 제대로 된 독해 학습
생각 읽기가 독해다!

생각 읽기가 독해다!

생각독해 I

디딤돌

상위권의 기준

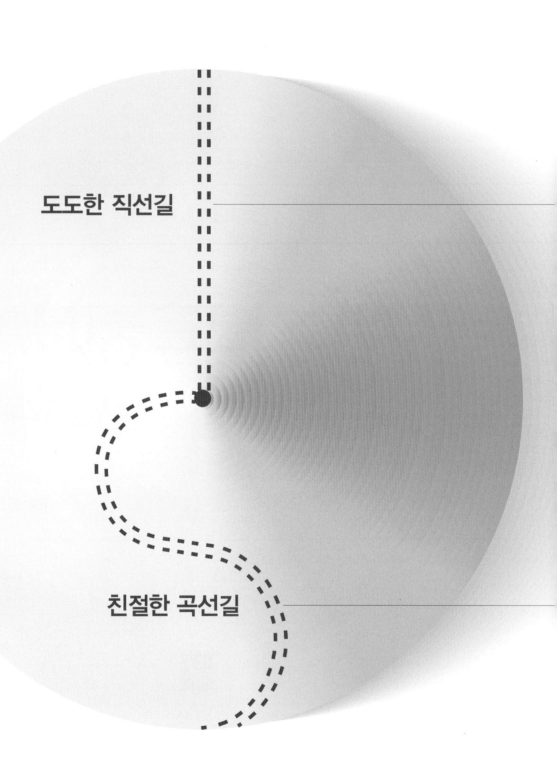

도도한 직선길

친절한 곡선길

수능까지 연결되는
초등

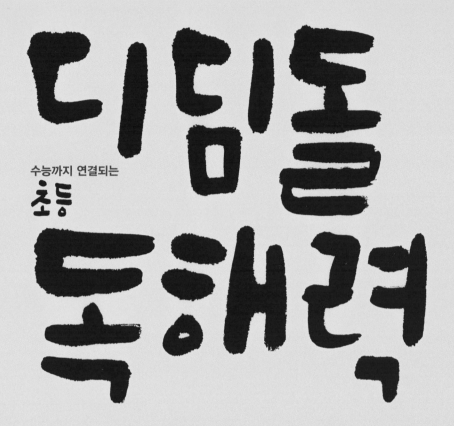

디딤돌
독해력

정답과 해설

피라미드는 왜 만들어졌을까

본문 6~9쪽

1 ④　　**2** (1) ○ (3) ○　　**3** 소희
4 ⑤　　**5** 사후 세계

● 독해력을 기르는 어휘
① 경외감　　**②** 확신　　**③** 채석장
④ 사후　　**⑤** 불가사의

파라오의 무덤인 고대 이집트의 피라미드에 대해 설명한 글입니다. 피라미드의 규모, 이집트인들이 피라미드를 만든 이유, 피라미드에 담긴 의미와 비밀 등을 쉬운 언어로 설명하고 있습니다. 독자들에게 거대한 피라미드의 건축 과정을 상상해 보도록 하며 당시 이집트인들이 피라미드를 건설한 이유를 밝히고 있습니다.

● 글의 특징

– 피라미드의 건축 과정과 피라미드에 담긴 의미를 쉬운 언어로 설명하고 있습니다.
– 피라미드의 규모, 건축 기간 등을 구체적인 수치로 표현하여 이해를 돕고 있습니다.

● 글의 구조

1문단	피라미드는 20여 년에 걸쳐, 250만여 개의 큰 돌을 사용하여 만든 웅장한 건축물임.	피라미드의 규모
2문단	피라미드는 수많은 이집트인들의 노력으로 완성됨.	피라미드의 건축 과정
3문단	이집트인들은 사후 세계에 대한 믿음으로 피라미드를 만듦.	피라미드를 만든 이유
4문단	피라미드는 파라오의 영혼이 사는 신성한 곳임.	피라미드의 의미
5문단	피라미드는 몇 가지 비밀을 간직한 채 굳건히 현존함.	피라미드의 비밀

주제 피라미드의 건축 과정과 피라미드에 담긴 의미

어휘 수준 ★★★★★　　글감 수준 ★★★★★　　글의 길이 1,290자

---

1 2문단에서 "이집트인들이 자신들의 왕인 파라오의 영혼을 위해 자발적으로 건설에 참여하였는지 아니면 강제로 노동을 하게 되었는지는 확실하지 않다."라고 하였습니다.

2 피라미드는 위대한 파라오의 영혼이 사는 신성한 곳이라고 생각하여 웅장하게 지었다고 하였으므로, 파라오의 권력을 상징하는 건축물이라고 추론하는 것은 적절합니다. 또 피라미드 안에 파라오의 영혼이 사용할 수 있는 온갖 물건을 갖추어 두었다고 하였으므로, 피라미드는 파라오의 영혼이 사는 궁전과 같은 곳이었음을 짐작할 수 있습니다.

오답 피하기 이 글에서는 피라미드 안에 파라오의 영혼이 사용할 수 있는 온갖 물건을 갖추어 두었다고 하였을 뿐, 파라오 생전의 신하들에 대해서는 언급하지 않았습니다. 또한 〈보기〉에도 신하들에 대한 내용은 나오지 않으므로 (2)와 같이 추론하는 것은 적절하지 않습니다.

3 '소희'는 당시의 이집트인들 중 본인이 원하지 않았는데 강제로 일을 한 사람도 있었을 것 같다고 하며 노동자의 입장에 대한 자신의 생각을 말했습니다. 이는 피라미드 건설에 대해 비판적인 관점에서 바라본 것입니다.

4 ①~④의 밑줄 친 낱말은 모두 '건축물을 짓거나 만들다.'의 의미를 가지고 있습니다. 하지만 ⑤의 '참여하다'는 '어떤 일에 끼어들어 관계하다.'라는 의미로, 다른 낱말들과 그 의미가 다릅니다.

오답 피하기 ① '건축하다'는 '집이나 성, 다리 따위의 구조물을 그 목적에 따라 설계하여 흙이나 나무, 돌, 벽돌, 쇠 따위를 써서 세우거나 쌓아 만들다.'의 의미입니다.
② '만들다'는 '노력이나 기술 따위를 들여 목적하는 사물을 이루다.'의 의미입니다.
③ '건설하다'는 '건물, 설비, 시설 따위를 새로 만들어 세우다.'의 의미입니다.
④ '조성하다'는 '무엇을 만들어서 이루다.'의 의미입니다.

1 ②　　　　　**2** ③　　　　　**3** 상극

4 ②　　　　　**5** 음양, 오행, 한의학

● 독해력을 기르는 어휘

❶ 기운　　　　❷ 성품　　　　❸ 동양

❹ 조화　　　　❺ 한의학　　　❻ 철학

❼ 풍속

고대 중국에서부터 현재까지 이어져 내려오는 '음양오행설'에 대해 설명한 글입니다. 음양과 오행의 개념을 밝히고, 음양에 오행이 더해져 음양오행설로 발전되었다는 변천 과정을 제시하고 있습니다. 또한 오행에서의 상생·상극 관계와 음양오행설이 오늘날까지 끼친 영향을 구체적 예를 들어 설명함으로써 이해를 돕고 있습니다.

● 글의 특징

– 음양오행설의 개념을 밝힌 후, 음양과 오행으로 나누어 설명하고 있습니다.

– 오행에서 상생 관계와 상극 관계를 예를 들어 구체적으로 설명하고 있습니다.

– 음양오행설이 오늘날까지 끼친 영향을 구체적 사례를 들어 제시함으로써 독자의 이해를 돕고 있습니다.

● 글의 구조

1문단	음양오행설에서의 '음양'은 우주의 모든 것이 음과 양 두 가지 성질로 이루어져 있다는 사상임.	→	음양의 개념
2문단	'오행'은 우주 만물을 이루는 '화, 수, 목, 금, 토'의 다섯 가지 요소를 말함.	→	오행의 개념과 음양오행설로의 발전
3~4문단	오행에는 서로 성질이 맞는 상생 관계와 서로 성질이 맞지 않는 상극 관계가 존재함.	→	상생 관계와 상극 관계의 개념
5~6문단	음양오행설은 한의학과 음식 문화에도 영향을 끼침.	→	음양오행설의 영향

주제 음양오행설의 개념과 영향

어휘 수준 ★★★★★　　글감 수준 ★★★★★　　글의 길이 1,754자

---

1 2문단에서 요일의 이름을 '일(日), 월(月), 화(火), 수(水), 목(木), 금(金), 토(土)'로 사용하는 것은 음양오행설의 영향이라고 하였습니다.

오답 피하기 ③ 2문단에서 '음양'만으로는 복잡한 자연과 세상을 설명하기가 어려워, 여기에 '오행'을 더해 음양오행설로 발전시켰다고 하였습니다.

⑤ 3문단에서 서로 성질이 맞아 조화를 이루는 것은 '상생 관계', 서로 성질이 맞지 않아 충돌하는 것은 '상극 관계'라고 하였습니다.

2 '하늘'은 밝음의 성질을 지니고 있기 때문에 '양'에 해당합니다. 반대로 '땅'은 하늘에 비해 어두움의 성질을 지니고 있으므로 '음'에 해당한다고 볼 수 있습니다.

3 〈보기〉에서 민수는 게임을 개발하기 위해 상생 관계와 상극 관계를 떠올렸다고 하였습니다. 그런데 '상생 관계'는 게임으로 구현하기 힘들어서 적용하지 않았다고 하였으므로, '상극 관계'를 활용했음을 알 수 있습니다.

4 '기병'은 '화'의 성질을 지니고 있는데, 4문단에서 '화'와 상극 관계에 있는 것은 '수'로, 물[水]은 불[火]을 끈다고 하였습니다. 따라서 '화'의 성질을 가진 기병을 막기 위해서는 '수'의 성질을 가진 '창병'을 중심으로 군대를 편성해야 합니다. 또한 '궁병'은 '목'의 성질을 지니고 있는데, '목'과 상극 관계에 있는 것은 '금'으로, 쇠[金]로 만든 도끼나 톱은 나무[木]를 베어 버린다고 하였습니다. 따라서 '목'의 성질을 가진 궁병을 막기 위해서는 '금'의 성질을 가진 '검병'을 중심으로 군대를 편성해야 합니다.

오답 피하기 ④ '기병'과 '궁병'은 적군과 같은 편성으로, 이는 상극 관계를 활용한 것이 아닙니다.

1 ⑤ **2** ㄱ, ㄹ **3** ③
4 (2) ○ **5** ④ **6** 젠더, 차별

● **독해력을 기르는 어휘**

❶ 차별 ❷ 기득권 ❸ 대범
❹ 세심 ❺ 찬찬히 ❻ 다르게
❼ 가리켰다 ❽ 동의

사회적 성을 의미하는 '젠더'라는 용어에 대해 설명한 글입니다. 먼저 생물학적 성과 사회적 성의 의미를 구별한 후 '젠더'라는 용어를 사용하게 된 배경을 설명하고, 남녀 차별의 역사 과정을 바탕으로 현대 사회에서 '젠더'의 의의를 제시하고 있습니다.

● **글의 특징**

– 대비되는 용어인 '섹스(sex)'와 '젠더(gender)'의 의미에 대해 상세하게 풀어서 설명하고 있습니다.

– '성(性)'과 관련된 역사를 시간의 흐름에 따라 서술하고 있습니다.

● **글의 구조**

생물학적 성 [섹스(sex)]	사회적 성 [젠더(gender)]
• 신체적 차이에 의한 성임. • 태어날 때부터 결정됨.	• 사회적으로 구분되는 성임. • 사회·문화적으로 형성됨.

'젠더'로의 용어 결정	남녀의 성적 구분을 '섹스'라는 용어 대신에 '젠더'로 사용하기로 결정함.
사회의 변화	과학 기술의 발달과 인식의 변화로 남녀의 지위와 역할에 대한 인식도 변화됨.
'젠더'라는 용어의 의의	성별의 구분이 사회·문화적으로 만들어진 것임을 설명하는 데 유용함.

 성 차별의 역사와 젠더의 의미

어휘 수준 ★★★★★ 글감 수준 ★★★★★ 글의 길이 1,466자

1 3문단에서 알 수 있듯이, 구석기 시대는 여성 중심 사회였지만 농경 사회로 접어들면서 남성이 기득권을 갖게 되고 이후 여성들은 차별받기 시작했습니다. 하지만 현대에 이르러 여러 변화를 겪으면서 남성과 여성에 대한 인식이 바뀌었고, 이로 인해 여성의 역할과 지위에도 변화가 나타나게 되었습니다.

2 1문단에서 생물학적인 성과 사회적인 성을 드러내는 구체적인 예를 제시하였고, 3문단에서 현대에 이르러 남녀의 사회적 역할과 지위에 변화가 일어났음을 전쟁에서의 역할과 관련된 사례를 제시하여 설명하였습니다(ㄱ). 그리고 2문단에서 대비되는 용어인 '생물학적 성[섹스(sex)]'과 '사회적 성[젠더(gender)]'의 의미를 풀이하여 설명하고 있습니다.

3 지문에서 '젠더'라는 표현에는 남녀의 신체적 차이는 인정하되 그 차이는 차별하지 말자는 의미가 담겨 있다고 하였습니다. 즉 남성과 여성의 관계는 대등하며 사회적으로 동등해야 함을 이야기하고 있습니다. 그런데 〈보기〉에서는 남녀의 평등을 이루기 위해 여성에게 더 많은 혜택을 주는 것이 남성들에게 '역차별'이라는 반발을 일으킬 수 있다고 하였습니다. 따라서 지문과 〈보기〉를 통해 양성평등을 이루는 것은 어려운 일이며 진정한 평등을 위해 무엇이 더 필요한지 생각해 본다는 것은 적절한 반응입니다. 한편 지문이나 〈보기〉에서 남성보다 여성이 사회의 중심이 되면 진정한 양성평등이 이루어진다는 내용은 찾아볼 수 없습니다.

4 지문과 〈보기〉에 의하면, 과거에는 농경이나 전쟁에 있어 남성이 여성보다 기여도가 높았기 때문에 남성 중심 사회가 되고 여성이 차별받기 시작하였습니다. 그런데 이후 과학 기술의 발달로 전쟁 같은 상황에서도 여성이 기여할 수 있게 되었고, 이로 인해 여성의 지위와 역할도 변하게 되었습니다. 따라서 과학 기술의 발달과 같은 사회적 변화가 남녀의 지위와 역할에 영향을 주었음을 추론할 수 있습니다.

5 ㉠은 '대상이 평가되다.'의 의미로 쓰였습니다. 이와 가장 유사한 의미로 쓰인 것은 ④로, '증언한 내용이 거짓말이 아닌 것으로 평가된다.'는 의미가 담겨 있습니다.

04 안락사, 허용해야 하나

1 ①	2 ③	3 ④
4 (1) ○	5 ②	6 허용, 죽음, 환자

● 독해력을 기르는 어휘

❶ 허용	❷ 순리	❸ 선택
❹ 존엄	❺ 낮다고	❻ 적어서
❼ 않고	❽ 이었던	

안락사 허용과 관련하여 찬성과 반대의 대립적인 주장을 중심으로 서술한 글입니다. 먼저 극심한 고통으로 겪는 말기 암환자의 경우를 들어 안락사 허용에 대한 물음을 제시하고, 안락사 허용을 반대하는 입장과 찬성하는 입장을 차례대로 설명한 후, 안락사 허용에 대한 사회적 논의가 더 활발하게 이루어지기를 당부하며 글을 마무리하고 있습니다.

● 글의 특징

– 안락사 허용에 대한 찬반의 주장이 대립적으로 제시되어 있습니다.

– 가정, 역사적 사실, 전문가의 연구 결과 및 객관적인 조사 결과 등을 근거로 각각의 주장을 전개하고 있습니다.

● 글의 구조

안락사를 허용해야 한다.

반대 입장	찬성 입장
• 가장 인간적인 것은 삶의 모든 과정을 순리에 따라 받아들이는 것임. • 생명은 존엄하고 신성하며 침해할 수 없는 것임.	• 극심한 고통 속에서 죽음을 기다리는 것보다 죽음을 선택하는 것이 더 인간적임. • 존엄한 죽음을 선택할 권리가 있음.

글쓴이의 입장	• 앞으로 의학 기술의 발달로 질병으로 인한 고통에서 벗어날 가능성이 있으므로, 안락사 허용은 자살을 방조하고 권장하는 일이 될 수 있음. • 인간다움의 가치를 더 잘 실현할 수 있는 방향으로 안락사 허용에 대한 사회적 논의가 있어야 함.

주제 안락사 허용에 대한 논쟁

어휘 수준 ★★★★★   글감 수준 ★★★★★   글의 길이 1,543자

1 이 글 어디에도 경제적 여건에 따라 안락사의 허용 여부가 결정된다는 내용은 제시되어 있지 않습니다.

2 이 글에서는 '안락사 허용'이라는 하나의 주제에 대해 찬성하는 입장과 반대하는 입장의 주장을 제시하고 있습니다.

3 〈보기〉에서 △△△ 박사가 개발하는 '안락사 기계'는 전문 의학 지식 없이 언제 어디서든 조립하여 쓸 수 있으므로, 자살을 부추길 수 있고 악용될 여지도 많습니다. 그런데 이러한 안락사 기계를 만드는 데 제지를 받지 않는다는 것은, 그 사회에서 안락사 허용에 대해 긍정적인 검토가 이루어지고 있음을 의미합니다. 따라서 안락사가 허용된 나라에서 이 기계를 사용할 가능성이 있음은 짐작할 수 있습니다. 하지만 안락사는 인간의 존엄성, 죽음의 선택권 등과 관련된 것으로, 안락사 기계가 있다고 해서 안락사가 허용되는 것이 아니라 사회적 논의와 합의에 의해 그 허용 여부가 결정될 수 있습니다.

4 '인간다움, 나다움을 잃고 고통 속에서 삶을 이어 가는 것보다 죽음을 택하는 것이 더 낫다.'라고 생각하는 '현우'는 안락사 허용에 대해 찬성하는 입장입니다. 그리고 '삶의 모든 과정을 순리에 따라 받아들이며 자신에게 주어진 최후의 길을 가는 것이 정말 인간다운 것'이라고 생각하는 '현진'은 안락사에 대해 반대하는 입장입니다. 따라서 두 입장을 종합해 볼 때, 죽음에 대한 가치와 생각은 사람마다 다를 수 있다는 것을 알 수 있습니다.

5 ⓛ은 '시간이 흐름에 따라 오는 어떤 때를 대하다.'라는 뜻이므로, 이와 유사한 의미로 쓰인 것은 ②입니다.

오답 피하기 ① '오는 사람이나 물건을 예의로 받아들이다.'의 의미입니다.

③ '점수를 받다.'의 의미입니다.

④ '적이나 어떤 세력에 대항하다.'의 의미입니다.

⑤ '자연 현상에 따라 내리는 눈, 비 따위의 닿음을 받다.'의 의미입니다.

1 ③　　　　**2** ④　　　　**3** (1) ○

4 ①　　　　**5** ⑤

6 성악설, 법치주의, 중앙 집권 체제

● **독해력을 기르는 어휘**

❶ 집대성　　❷ 부여　　❸ 본성

❹ ⓑ　　　❺ ⓒ　　　❻ ⓐ

❼ 측면　　❽ 수집

한비자의 사상에 대해 설명한 글입니다. 한비자의 사상이 나오게 된 배경과 그 내용, 사상의 등장에 영향을 준 순자 사상과의 비교, 한비자 사상의 의의를 순서대로 나열하여 전달하고 있습니다.

● **글의 특징**

– 한비자 사상과 관련된 내용을 배경, 내용, 다른 사상과의 비교 등 여러 측면에서 설명하고 있습니다.

– 한비자 사상이 가지는 의의(후대에까지 영향을 준 의미)에 대해 설명하고 있습니다.

● **글의 구조**

1문단	전국 시대 말 한나라의 어려움으로 한비자 사상이 나오게 됨.	한비자 사상의 탄생 배경
2문단	국가 부강을 위해서는 군주가 '법', '세', '술'의 세 가지로 나라를 다스려야 함.	한비자의 법가 사상
3문단	순자의 성악설에서 영향을 받았으며 인간의 본성 측면에서 유사한 관점을 가지나, 교화 가능성에 대해서는 견해의 차이를 보임.	순자의 '성악설'과의 비교
4문단	한비자 사상은 진나라가 최초의 통일 국가가 되는 데 기여하고 후대의 중앙 집권 체제 강화에도 이바지함.	한비자 사상의 의의

주제 한비자 사상의 내용과 의의

어휘 수준 ★★★★★　　글감 수준 ★★★★★　　글의 길이 1,390자

---

1 지문에서 한비자는 전제 군주가 국가를 운영하기 위해서는 '법', '술', '세'가 필요한데, 이 중 '법'은 누구에게나 공평하게 예외 없이 적용되어야 한다고 했습니다. '세'는 군주라는 자리가 가지는 절대적인 힘을 의미하므로, 누구에게나 예외 없이 적용되는 것은 아님을 알 수 있습니다.

2 1문단에서 한비자의 법가 사상이 나오게 된 시대적 상황이 제시되고, 2문단에서 한비자의 '법', '술', '세'의 법가 사상을 구체적으로 설명하고 있습니다. 그리고 3문단에서 한비자 사상과 순자 사상의 공통점과 차이점을 밝히고, 4문단에서는 한비자의 사상이 중국의 통일 왕조에서 갖는 의의를 제시하고 있습니다. 이처럼 한비자 사상의 내용과 그 의의를 역사적 사실과 연결지어 설명하고 있습니다.

오답 피하기 ① 한비자 사상의 핵심 용어인 '법', '술', '세'를 설명하고는 있지만, 사전적 의미를 밝히고 있지는 않습니다. ⑤ 진나라 이후 통일 왕조에서 한비자의 사상 대신에 유가 사상을 택하였다는 내용은 나오지만, 두 사상의 특징을 비교하는 내용은 제시되지 않았습니다.

3 [A]의 두 번째 문장에 진나라가 융통성 없이 법 적용을 한 탓에 일찍 몰락하게 되었다는 내용이 담겨 있습니다. 이 내용으로 보아 국가 유지를 위해서는 법 적용에 어느 정도의 융통성은 필요하다고 추론할 수 있습니다.

4 2문단에서 '법'은 지키면 상을 받고 어기면 처벌을 받도록 하는 엄격한 형법의 성격이 강하며 누구에게나 예외 없이 적용되는 것이라고 하였으므로, 제갈량이 자신이 아끼던 마속의 목을 벤 것은 '법'이 적용된 것으로 볼 수 있습니다.

5 ㉠의 '기여하다'는 '도움이 되게 하다.'라는 의미이므로, 이와 바꾸어 쓸 수 있는 말은 '이바지하다'가 적절합니다.

오답 피하기 ①, ② '기부하다', '기증하다'는 '돈이나 물건 등을 대가 없이 제공함으로써 도움을 주는 것'을 말합니다. 한비자가 국가에 물질적인 도움을 준 것은 아닙니다. ③ '부여하다'는 '사람에게 권리·의무를 주거나, 사물에게 가치를 붙여 주는 것'을 의미합니다. ④ '공급하다'는 '물품'을 필요에 따라 누군가에게 주는 것'을 뜻합니다.

본문 28~31쪽

1 ④

2 양혜왕: 이, 맹자: 인, 의

3 [A]: ㉡, [B]: ㉢, [C]: ㉠

4 ⑤

5 ①

6 맹자, 인의

● 독해력을 기르는 어휘

❶ 사상　　　❷ 교화　　　❸ 논쟁

❹ 근거

고대 중국의 춘추 전국 시대에 나타난 유가 사상에 대해 설명한 글입니다. 맹자는 유가 사상의 대표적인 학자로서, 그의 사상을 담은 책인 『맹자』에는 위나라의 혜왕과 대화를 나눈 「양혜왕」이 실려 있습니다. 「양혜왕」을 통해 맹자가 중시하는 가치가 무엇이며, 맹자는 어떤 근거를 들어 자신의 주장을 혜왕에게 펼치고 있는지 살펴보고 있습니다.

● **글의 특징**

– 유가 사상의 핵심 내용을 설명하였습니다.

– 혜왕과 맹자가 주고받은 말을 인용하여 그 안에 담긴 의도와 목적을 해설하였습니다.

● **글의 구조**

1문단	춘추 전국 시대에는 뛰어난 사상가를 등용하여 나라를 발전시키고자 함.	→ 유가 사상의 등장
2문단	유가 사상은 모든 사람이 인격을 수양하고 도덕적인 행위를 실천해야 한다고 봄.	→ 유가 사상의 개념과 목표
3문단	유가를 발전시킨 맹자는 『맹자』를 통해 그의 사상을 드러냄.	→ 맹자의 사상이 담긴 『맹자』
4문단	『맹자』의 「양혜왕」 편에서 '이'를 추구하는 양혜왕의 질문에 맹자는 '인'과 '의'를 내세움.	→ 「양혜왕」에 담긴 인과 의 사상 ①
5문단	맹자는 '이'를 추구했을 때 벌어지는 상황을 가정하여 '인'과 '의'의 중요성을 강조함.	→ 「양혜왕」에 담긴 인과 의 사상 ②

⬇

주제 『맹자』의 「양혜왕」에서 알 수 있는 맹자의 '인'과 '의' 사상

어휘 수준 ★★★★★　　글감 수준 ★★★★★　　글의 길이 1,552자

1 3문단에서 맹자가 공자의 유가 사상을 계승하고 발전시킨 것은 맞지만, 맹자가 공자를 직접 스승으로 모신 것은 아니라고 하였습니다.

2 양혜왕과 맹자가 중시하는 가치는 4, 5문단에 나타나 있습니다. 양혜왕이 "역시 장차 내 나라를 이롭게 함이 있을는지요?"라고 건넨 인사말에서 양혜왕이 이로움, 즉 이(利)를 중시함을 알 수 있습니다. 이에 맹자가 "왕은 하필 이(利)를 말하십니까? 인(仁)과 의(義)가 있을 뿐입니다."라고 하였으므로 '인'과 '의'를 중시함을 알 수 있습니다.

3 5문단에서 맹자는 나라 사람들이 모두 자신의 이익만을 최고로 여기는 상황을 가정한 다음, 사람들이 서로가 서로를 공격하는 혼란 상태가 되면(㉡), 나라의 기강이 무너지고(㉢), 나라도 없어지게 된다(㉠)고 말했습니다.

4 맹자는 왕의 질문을 듣고 왕이 '이'를 중시한다고 생각하였습니다. 그래서 왕에게 '이'가 아니라 '인의'를 중시해야 한다고 주장한 다음, '이'만 추구했을 때 생기는 문제점으로 나라의 기강이 무너지고 나라가 없어진다는 점을 근거로 들었습니다. 즉 맹자는 양혜왕의 질문을 듣고 대답하기 전에, 왕이 '이'를 중시하고 있다고 판단한 다음, '이'만 추구했을 때 생길 수 있는 문제점을 말해 주어 '이'보다 '인의'가 더 중요하다는 것을 알려 주고자 한 것입니다.

5 4문단에서 맹자가 제시한 '인'과 '의'는 각각 '어진 마음'과 '옳음'을 의미한다고 하였습니다. 그런데 ㉮에서는 어진 사람은 부모를 버리지 않고, 의로운 사람은 왕을 버리지 않는다고 하였으므로, 결국 '인'과 '의'를 강조한 것입니다. 따라서 맹자가 ㉮와 같이 말한 이유는 왕에게 '인'과 '의'라는 도덕적 가치에 기초한 정치가 필요하다는 것을 말하기 위해서입니다.

1 ②　　　　**2** 가설　　　　**3** ③

4 (1) ⓛ　(2) ⓒ　(3) ⓔ　(4) ⓙ　　　**5** 시장

6 귀납법, 우상

● 독해력을 기르는 어휘

❶ 일반적　　　❷ 가설　　　❸ 선입견

❹ 기여　　　　❺ 권위　　　❻ 현상

근대 철학자 베이컨의 귀납법과 그가 제시한 네 가지 우상을 설명한 글입니다. 귀납법의 의미와 귀납법을 사용하여 새로운 지식을 형성하는 절차를 설명한 다음, 연역법을 부정하기 위해 제시한 네 가지 우상을 사례를 들어 설명하였습니다.

● **글의 특징**

– 귀납법, 우상 등 철학 용어의 개념을 정의하고 있습니다.

– 귀납법을 사용하여 새로운 이론을 형성하는 과정을 절차에 따라 설명하고 있습니다.

● **글의 구조**

귀납법	• 근대 서양 과학이 발전하는 데 크게 기여함. • '사례 수집 → 가설 설정 → 관찰과 실험 → 이론 인정'의 순서로 이루어짐.

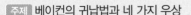

베이컨이 제시한 네 가지 우상

종족의 우상	동굴의 우상
인간 이성의 한계로 인해 인간 중심적으로 생각하는 선입견	자신만의 경험과 기준으로 세상을 판단하는 선입견

시장의 우상	극장의 우상
실제 모습은 알지 못한 채 대상에 붙여진 이름만으로 가지는 선입견	기존의 권위나 전통을 무비판적으로 받아들여서 생기는 선입견

↓

주제 베이컨의 귀납법과 네 가지 우상

어휘 수준 ★★★★★　　글감 수준 ★★★★★　　글의 길이 1,442자

1 1문단에서 "베이컨이 주장한 귀납법은 이후에 대표적인 과학 연구 방법이 되어 근대 서양 과학이 발전하는 데 큰 기여를 하였다."라고 하였습니다.

오답 피하기 ③ 베이컨은 연역법을 비판하고 새로운 사고의 방법을 제시하기 위해 귀납법을 만들었습니다.

2 2문단에서 실험과 관찰을 통해 수집한 사례들이 일반적인 현상으로 판단되면 이성적인 사고의 과정을 거쳐 그 현상을 설명할 수 있는 원리를 만드는데, 이때의 원리를 '가설'이라고 부른다고 하였습니다. 그 후 관찰과 실험을 반복하여 그 가설이 옳은지 확인하고, 가설에 맞는 사례들만 확인되면 이론으로 인정, 어긋나는 사례가 발견되면 가설을 포기한다고 하였습니다.

3 '모든 백조는 흰색이다.'라는 규정은 하나의 '가설'에 해당한다고 볼 수 있으며, 이 가설은 유럽에서 오랜 세월 관찰한 결과를 통해 만들어진 것입니다. 그런데 오스트레일리아에서 발견된 검은색 백조는 이 가설에 어긋나는 사례이며, 이로 인해 유럽인들은 이 가설을 포기하게 되었습니다. 따라서 '모든 백조는 흰색이다.'라는 규정(가설)은 확실한 이론이 아니라, 포기하게 된 가설에 해당합니다.

4 '시장의 우상'은 실제 모습은 알지 못한 채 그 대상에 붙여진 이름만으로 판단하여 갖게 된 선입견을 의미한다고 하였습니다. '동굴의 우상'은 새로운 지식을 받아들일 때 자신의 경험만을 기준으로 세상을 판단하는 선입견을 의미한다고 하였습니다. '극장의 우상'은 기존의 권위나 전통을 무비판적으로 받아들일 때 생기는 선입견을 의미한다고 하였습니다. 마지막으로 '종족의 우상'은 인간 중심적으로 생각하는 선입견을 의미한다고 하였습니다.

5 일본이 침략한 실상은 알지 못한 채 일본이 선전한 말(이름)만 듣고 판단한 것이므로, 이는 6문단에서 설명한 '시장의 우상'에 해당한다고 볼 수 있습니다.

1 ①　　　2 ②　　　3 ④

4 ④　　　5 ②

6 모방, 본질

● 독해력을 기르는 어휘

❶ 모방　　❷ 본질　　❸ 관점

❹ 학습

❺ 준비 운동 → 수영 → 정리 운동

철학적 개념인 '미메시스'에 대해 설명한 글입니다. 먼저 모방을 아주 잘한 사례를 들어 독자의 흥미를 불러일으킨 다음, 글의 중심 소재인 미메시스의 개념을 설명하고, 아리스토텔레스가 말한 미메시스의 긍정적인 가치와 그 의의를 제시하며 글을 마무리하고 있습니다.

● **글의 특징**

– 재미있는 일화를 소개하여 독자들의 흥미를 유발하고 있습니다.

– 구체적인 사례를 활용하여 용어의 의미를 설명하고 있습니다.

– 아리스토텔레스의 견해를 중심으로 설명을 전개하고 있습니다.

● **글의 구조**

미메시스의 사례	통일 신라 시대 솔거의 소나무 그림, 고대 그리스 제욱시스의 포도송이 그림
미메시스의 개념	진짜를 원본 삼아 진짜처럼 보이는 가짜를 만들어 내는 일
미메시스의 가치	• 미메시스를 통해 기쁨을 얻음. • 미메시스를 통해 학습하며 세상을 배움.
예술에서의 미메시스 과정	대상의 본질을 파악하여 이를 표현함으로써 예술 작품을 창작함.
미메시스의 영향	서양에서 예술을 바라보는 기본 관점이 됨.

주제 미메시스의 개념과 가치

어휘 수준 ★★★★★　　글감 수준 ★★★★★　　글의 길이 1,568자

1 2문단에서 '미메시스(mimesis)'는 흔히 '모방(模倣)'이라고 하며, "진짜를 원본으로 삼아 진짜처럼 보이는 가짜를 만들어 내는 일"이라고 하였습니다. 그러므로 진짜 대상(실제 대상)을 모방하여 진짜인 것처럼 보이는 가짜를 만드는 것이 바로 미메시스입니다.

오답 피하기 ② 미메시스는 진짜를 원본으로 하여 진짜처럼 보이는 가짜를 만들어 내는 것이지, '가짜처럼 보이는 진짜'를 만드는 것은 아닙니다.

2 지문에서는 고대 그리스 철학자인 아리스토텔레스의 관점에서 미메시스의 특징을 설명하고 있습니다. 하지만 미메시스의 종류에 대한 내용은 제시되어 있지 않습니다.

3 2문단에서 고대 그리스 사람들이 '미메시스(mimesis)'라고 한 것을, 우리나라에서는 '모방(模倣)'이라고 한다고 하였습니다. 즉 두 단어는 같은 의미를 지니고 있으면서 언어에 따라 다르게 표현된 것입니다. 이와 유사한 관계에 있는 것은 우리말의 '선생님'과 영어의 '티처(teacher)'입니다.

오답 피하기 ② '손 글씨'와 '활자'는 모두 '글자'를 가리킵니다. 그런데 두 단어는 같은 의미를 가졌지만 언어에 따라 다르게 표현된 것이 아니라, '글자'를 어떻게 표현했는지 그 기술의 차이에 따라 다르게 표현된 것입니다.

4 어린아이들이 어른들의 말을 흉내 내며 말을 배우는 것, 인사, 숟가락질, 젓가락질을 모방을 통해 배우는 것 모두 미메시스를 통해 학습하는 것입니다. 따라서 인간이 미메시스를 통해 학습하며 세상을 배울 수 있다는 것에서 미메시스의 가치를 확인할 수 있습니다.

5 아리스토텔레스는 예술가가 어떤 대상을 보고 본질을 파악한 다음 그 대상의 본질을 표현함으로써 예술 작품을 창작한다고 보았습니다. 따라서 아리스토텔레스가 말한 예술 작품의 창작 과정은 '대상을 봄. → 대상의 본질을 파악함. → 대상의 본질을 표현함(예술 작품 창작).'이라고 할 수 있습니다.

1 ⑤   2 ③   3 ③
4 ④   5 ③

6 관심, 정보, 노하우, 경제력

● 독해력을 기르는 어휘
❶ 구애   ❷ 선도자   ❸ 동향
❹ 대량 생산

유명인들이 패션 리더가 되는 사회 현상을 분석한 글입니다. 어떤 사회적 현상에 대해서는 다양한 해석이 따를 수 있습니다. 이러한 해석은 기본적으로 자신의 주장과 이를 뒷받침할 수 있는 근거로 구성되어야 설득력이 있습니다. 글쓴이는 유명인들이 패션 리더가 될 수 있는 이유는 선천적인 감각 때문이 아니라, 직업의 특성상 갖게 되는 외모에 대한 관심과 패션에 대한 정보력, 그리고 상대적으로 높은 경제력 때문이라고 설명하고 있습니다.

● **글의 특징**
– 사회 현상을 이야기하고, 그 이유를 분석하고 있습니다.
– 사회 현상에 대한 이유를 세 가지로 나누어 설명하고 있습니다.

● **글의 구조**

유명인은 선천적으로 패션 감각이 뛰어난 사람이 아님.

↓

유명인이 패션 리더가 되는 이유	첫째, 패션과 자신을 꾸미는 일에 관심이 많음.
	둘째, 최신 유행에 대한 정보가 많고, 이를 활용해 자신을 꾸미는 노하우가 있음.
	셋째, 유행의 초기 단계에 소량 생산된 비싼 제품의 가격을 감당할 수 있는 경제력이 있음.

주제 유명인이 패션 리더가 될 수밖에 없는 이유

어휘 수준 ★★★★★   글감 수준 ★★★★★   글의 길이 1,631자

1 글쓴이는 유명인들이 패션 리더가 되기 쉬운 이유를 첫째, 직업의 특성상 외모를 꾸미는 일에 관심이 많고, 둘째, 주변에 패션 전문가가 많아 관련 정보를 쉽게 습득할 수 있으며 이 정보를 활용하여 자신의 외모를 꾸미는 능력이 뛰어나기 때문이라고 하였습니다. 그리고 마지막으로 일반인들보다 경제적 여유가 있음을 전제로 하여, 대량 생산되기 이전의 비싼 옷 가격을 부담할 수 있기 때문이라고 하였습니다.

2 글쓴이는 1문단에서 "왜 항상 유명인들만이 패션의 선도자 역할을 하는 걸까요? 태어날 때부터 아주 뛰어난 패션 감각을 가지고 있기 때문일까요? 아닙니다."라고 하였습니다.

3 '패션 혁신자'는 '대중 소비자'보다 먼저 유행하는 옷을 입는 사람입니다.
오답 피하기 ⑤ 유행이 지나기 전에 유행을 선도하는 사람이 패션 혁신자입니다.

4 4~6문단에서 유행 초기 단계에 소량으로 생산되어 비쌌던 옷의 가격이 유행이 진행될수록 대량 생산이 이루어져 점점 낮아지고, 유행의 끝에는 원가에도 미치지 못하는 가격이 된다고 설명하고 있습니다.
오답 피하기 ① 유행이 진행될수록 가격이 올라간다는 뜻입니다.
② 유행과는 상관없이 비싼 가격이 유지된다는 뜻입니다.
⑤ 초기에 높았던 가격이 점점 낮아지다가 유행의 말기에 다시 상승한다는 뜻입니다.

5 유명인이 패션 리더가 될 수 있는 세 번째 요소를 분석한 내용의 결론 부분입니다. 글쓴이는 유행의 단계에 따라 제품의 소량 생산에서 대량 생산으로 변화하는 과정을 보여 주면서, 제품의 가격이 매우 높았다가 점점 떨어지는 현상을 설명하고 있습니다. 따라서 유행을 따르거나 선도할 경우, 다른 사람들에 비해 비싼 가격에 물건을 구매할 수밖에 없습니다.

1 ②	2 ⑤	3 ③
4 ⑤	5 ④	6 집단, 시의성

● 독해력을 기르는 어휘

❶ 발행   **❷ 협업**   **❸ 공생**

❹ 시의성   **❺ 고착화**   **❻ 확장**

❼ 협력   **❽ 선별**

다수의 지식을 모아 더 큰 지식에 도달하고자 하는 집단 지성과, 집단 지성을 기반으로 한 성공 모델인 위키피디아에 대해 설명한 글입니다. 위키피디아로 대표되는 인터넷 백과사전은 다수의 사람이 서로 협력하거나 경쟁하는 집단 지성에 의해 얻은 결과물입니다. 새로운 디지털 기술의 발달은 집단 지성이 확장되는 데 도움을 주었고, 이로 인해 전문가들의 소유였던 정보와 지식이 대중에게 개방되고 공유되면서 많은 일반인이 지식 생산에 참여할 수 있게 되었습니다.

● 글의 특징

– 집단 지성을 기반으로 한 성공 모델로서 위키피디아를 소개하고 있습니다.
– 집단 지성의 의미를 정의한 뒤, 집단 지성이 확장되는 과정과 집단 지성의 장단점을 설명하고 있습니다.

● 글의 구조

다수의 지식을 결합한 '집단 지성'	• 디지털 기술의 발전으로 확장됨. • 장점: 다양한 정보를 쉽게 전달, 시의성을 갖춘 정보 제공 가능 • 단점: 부정확한 내용 등 개인의 의견 선별 어려움, 의견 충돌 시 모순된 내용이 고착화될 수 있음.

↓

집단 지성의 성공 모델인 '위키피디아'	• 누구나 참여하여 문서를 수정하고 발전시킬 수 있음. • 모든 문서의 복사, 수정, 배포가 자유롭고 상업적으로 이용 가능함.

주제 집단 지성과 집단 지성의 성공 사례인 위키피디아

어휘 수준 ★★★★★   글감 수준 ★★★★★   글의 길이 1,535자

1 새로운 디지털 기술의 발달은 집단 지성이 확장되는 결과를 낳았는데, 이러한 디지털 기술의 발달이 뒷받침되지 않는다고 해서 집단 지성이 불가능한 것은 아닙니다. 오프라인에 모인 사람들끼리도 집단 지성을 이룰 수 있습니다.

2 3문단에서 '집단 지성'은 다른 말로 '대중의 지혜', '협업 지성', '공생적 지능'으로 불린다고 하였습니다. '전문가 지식'이 집단 지성의 일부로 작용할 수 있기는 하지만, 집단 지성이 일반인의 협력과 다양한 경험을 중시한다는 점에서 전문가 지식과 차이를 보입니다.

3 위키피디아는 전문가뿐만 아니라 일반 사용자 누구나 그 내용을 서술할 수 있으며, 자발적인 참여자들의 협업을 통해 내용이 계속해서 확장되는 것이 특징입니다.
오답 피하기 ①, ② 2문단에서 위키피디아는 중립적이고 검증 가능한 자유 콘텐츠를 제공하는 백과사전으로, 누구나 참여하여 문서를 수정하고 발전시킬 수 있다고 하였습니다. ⑤ 2문단에서 위키피디아의 모든 문서는 복사, 수정, 배포가 자유롭고 상업적 목적의 사용도 가능하다고 하였습니다.

4 '정의'란 어떤 말이나 사물의 뜻을 풀이하여 설명하는 방법으로, 〈보기〉처럼 '~은 ~을 뜻한다.', '~은 ~이다.' 등의 구조로 이루어집니다. 이러한 정의의 설명 방법이 사용된 문장은 ⑤의 '위키피디아는 ~ 백과사전을 뜻한다.'입니다.

5 5문단에서 집단 지성의 장점이 많지만 전문가의 지식을 무시할 수 없다고 하였습니다.
오답 피하기 ① 위키피디아는 웹을 기반으로 하기 때문에 누구나 내용 수정과 추가가 가능합니다. 이렇게 많은 사람들이 참여할 수 있는 환경은 집단 지성이 확장되는 결과를 낳았습니다.

1 ③　　　　　　**2** (2) ○ (3) ○

3 ㉠ − ㉢ − ㉡ − ㉣ − ㉤

4 연해주, 중앙아시아

5 (2) ○ (3) ○　　**6** 고려인, 한민족

● 독해력을 기르는 어휘

❶ 거주　　　　❷ 이주　　　　❸ 국경

❹ 황무지　　　❺ 동화　　　　❻ ⓒ

❼ ⓑ　　　　　❽ ⓐ

옛 소련의 독립 국가 연합 내에 거주하는 고려인의 삶에 대해 서술한 글입니다. 고려인이라는 명칭을 사용하게 된 이유, 연해주에서 살다가 중앙아시아로 강제 이주하여 새로운 생활 터전에 뿌리내리게 된 과정, 고려인 젊은이의 특징까지 고려인의 다양한 삶의 역사를 보여 주고 있습니다.

● **글의 특징**

− 고려인의 삶의 역사를 시간의 순서에 따라 서술하고 있습니다.

− 고려인도 우리와 같은 한민족이라는 당위성을 역사적 배경을 통해 설명하고 있습니다.

● **글의 구조**

1문단	1993년 소련 조선인 대표자 회의 이후 정식 명칭으로 불리게 된 '고려인'	→	고려인이라는 명칭 사용 배경
2문단	황무지를 일구며 연해주에서 자리 잡고 살았던 고려인	→	고려인의 연해주로의 이동
3문단	소련 당국에 의해 중앙아시아로 강제로 내쫓겨 어렵게 삶을 개척한 고려인	→	고려인의 중앙아시아로의 강제 이주
4문단	한민족의 정체성을 가지고 있는 고려인	→	고려인의 정체성

⬇

주제 고려인의 삶의 역사와 정체성

어휘 수준 ★★★★☆　　글감 수준 ★★★★★　　글의 길이 **1,391자**

1 1문단에서 고려인은 "1988년 서울 올림픽이 열릴 때쯤 자신들을 스스로 고려인이라고 부르기 시작하였다."라고 하였습니다.

오답피하기 ② 고려인이라는 명칭에 고려 시대를 계승한다는 역사적 의미가 담겨 있는지는 이 글에서 알 수 없습니다. ⑤ 고려인이 연해주 지방에서 중앙아시아로 이주한 이유는 소련 당국의 강제적인 정책 때문이었습니다.

2 (2) '고려인'이라는 명칭에 북한 사람도 아니고 대한민국 사람도 아니라는 의도가 담겨 있다는 것은 둘 중 어느 한쪽으로 치우치지 않았음을 의미합니다. 따라서 북한에 대해서 나쁜 감정을 가지고 있지 않았을 것이라고 짐작할 수 있습니다.

(3) 본래 '조선인'이라고 불렸으나 1988년 서울 올림픽이 열릴 때쯤 자신들을 스스로 '고려인'이라고 부르기 시작한 것은 대한민국이 올림픽을 개최할 정도로 세계적으로 알려졌기 때문입니다.

3 19세기 후반부터 한반도 북부 지방에 살던 주민들이 연해주 지역으로 이주하였고, 일제 강점기가 되자 일본을 피해 연해주로 온 이주민이 더욱 증가하였습니다. 그 후 국경 근처에서 조선인들이 집단으로 거주하는 것을 우려한 소련 당국에 의해 고려인들은 중앙아시아로 강제 이주하였는데, 그곳에서 목숨을 걸고 황무지를 일구었습니다. 이후 1988년 서울 올림픽이 열릴 즈음 스스로를 '고려인'이라고 부르기 시작하였고, 1993년 모스크바에서 열린 소련 조선인 대표자 회의에서 정식으로 옛 소련 땅에 사는 조선인의 명칭을 고려인이라고 정하였습니다.

4 고려인은 블라디보스토크를 중심으로 한 연해주 지방에서 중앙아시아의 황량한 반사막 지대로 강제 이주하였습니다.

5 (2) '종착점'은 '마지막으로 도착하는 지점.'의 의미이고, '도착점'은 '길을 가는 데 도착하는 지점.'의 의미이므로 뜻이 서로 비슷합니다.

(3) '척박하다'는 '땅이 기름지지 못하고 몹시 메마르다.'의 의미이고, '황량하다'는 '황폐하여 거칠고 쓸쓸하다.'의 의미이므로 뜻이 서로 비슷합니다.

1 ⑤	2 ④	3 ②
4 (2) ○	5 (2) ○	6 디지털 맵, 플랫폼

● 독해력을 기르는 어휘
❶ 관계　　　❷ 조작　　　❸ 의식
❹ 비치는　　❺ 일상　　　❻ 밀착

최근에 많이 사용되고 있는 스마트폰용 '디지털 맵'에 대해 설명한 글입니다. 디지털 맵의 출현이 갖는 의미와 의의 등을 밝히고, 디지털 맵의 발전과 전망, 기대 등을 드러내며 글을 마무리하고 있습니다.

▶ 글의 특징
– 지도가 일상화된 현실을 예를 나열하여 설명하고 있습니다.
– 디지털 맵의 전망과 사용자의 역할을 강조하며 글을 마무리하고 있습니다.

▶ 글의 구조

디지털 맵	• 지도의 상식을 바꾸는 획기적인 도구임. • 공간 표현과 사회 인식의 새로운 지평을 엶.

↓

지도 보는 방법의 개인화	• 사용자의 조작에 따라 화면에 비치는 모습이 다양하게 변화됨. • 사용자의 조작에 따라 세계를 넓게 또는 좁게 볼 수 있음.

+

지도의 신체화	• 사용자는 다양한 장소의 지도 정보가 담긴 검색 가능한 지도를 몸에 지니게 됨. • 디지털 맵이 사용자의 현재 위치를 지도에 표시하여 신체적 이동을 도움.

↓

디지털 맵의 전망	다양한 웹 프로그램들과의 연결을 통해 광범위하게 활용되는 거대한 플랫폼이 될 것임.

주제 디지털 맵의 등장과 사용자에 의한 활용 가능성

어휘 수준 ★★★★★　　글감 수준 ★★★★★　　글의 길이 1,332자

1 2문단 두 번째 문장에서 "지리에 약한 사람이 스마트폰에 내장된 디지털 맵을 가지고 있는 것만으로 안도감을 느끼고 경쾌하게 현실의 도시를 이동"한다고 하였으므로, 지리에 밝지 않은 사람이 디지털 맵을 가지고 있어도 불안해한다는 설명은 적절하지 않습니다.

2 이 글에서는 디지털 맵의 특징과 전망에 대해 제시하고 있는데, 특히 디지털 맵으로 인해 지도를 보는 방법이 개인화되고, 지도를 신체에 밀착해 가지게 되었음을 설명하고 있습니다. 그러나 이 글에서 디지털 맵의 구성 요소에 대해서는 설명하고 있지 않습니다.
오답 피하기 ① 3문단의 첫 번째 문장과 두 번째 문장에서 디지털 맵의 출현이 갖는 의의를 '~ 때문이다.'라고 하며 인과적으로 설명하고 있습니다.

3 1문단 세 번째 문장에서 "지도는 주변에 널리 존재하기 때문에 의식하지 못할 때가 많다."라고 하였고, 4문단 마지막 문장에서 "사용자가 디지털 맵을 사용하고 있다는 사실 자체도 크게 인식하지 못하는 상황을 만들고 있다."라고 하였습니다. 이를 "일상에 녹아들어"라는 표현과 연결 지어 이해했을 때, ㉠에는 '당연시하게 되었다'는 내용이 들어가는 것이 가장 자연스럽습니다.

4 4문단에서 "디지털 맵은 스마트폰과 연결되어 지도를 '신체화'시켰다."라고 하였으므로, 사용자의 신체와 지도의 방향을 일치시킨 것은 '신체화'에 해당한다고 볼 수 있습니다.
오답 피하기 디지털 맵에서 위치를 나타내는 아이콘에는 사용자가 향하는 방향을 나타내는 화살표가 표시된다고 하였습니다. 즉 위치 아이콘은 스마트폰 사용자의 움직임과 관련된 것으로, 제작자가 이를 정해 놓은 것이 아닙니다.

5 '좁다'는 '면이나 바닥 따위의 면적이 작다.'라는 의미를, '넓다'는 '바닥 따위의 면적이 크다.'라는 의미를 각각 갖고 있습니다. 따라서 '좁다'와 '넓다'는 서로 의미가 반대되는 말입니다.

1 ④　　　2 ③　　　3 ③

4 ㉠: 위험, ㉡: 감수　　　5 기대 효용, 전망

● 독해력을 기르는 어휘
❶ 효용　　　❷ 전망　　　❸ 접목
❹ 감수　　　❺ 해석　　　❻ 기꺼이

사람들의 경제적 선택에는 어떤 특징이 있는지를 분석한 두 가지 이론을 소개하고, 이 중 전망 이론에 대해 구체적으로 설명한 글입니다. 사람들이 항상 합리적으로 선택한다는 '기대 효용 이론'을 먼저 설명한 다음, 실제 실험 연구의 사례를 자세하게 소개하면서 '전망 이론'의 내용을 자세히 설명하고 있습니다.

● **글의 특징**

– 두 이론의 차이점을 중심으로 서술하고 있습니다.
– 구체적인 실험의 내용을 자세하게 소개하고 있습니다.
– 실험의 결과와 전망 이론의 내용을 연결지어 전망 이론에 대한 독자의 이해를 돕고 있습니다.

● **글의 구조**

기대 효용 이론	사건이 일어날 확률을 계산한 후, 이를 근거로 자신에게 유리한 방향으로 합리적으로 판단하여 의사를 결정함.

↕

전망 이론	사람들이 위험이 따르는 선택을 할 경우 항상 합리적으로만 판단하는 것은 아님.

이익을 볼 수 있는 경우
• 위험을 피하는 선택을 함.
• 기대 효용 이론으로 설명됨.

+

손해를 볼 수 있는 경우
• 위험을 기꺼이 감수하는 선택을 함.
• 기대 효용 이론으로 설명되지 않음. → 전망 이론으로 설명됨.

⬇

주제 '기대 효용 이론'과 다른 '전망 이론'의 특징

어휘 수준 ★★★★★　　　글감 수준 ★★★★★　　　글의 길이 **1,665자**

1 5문단에서 '전망 이론'이 경제학에 심리학을 접목함으로써 이후 '행동 경제학'이라는 새로운 경제학 연구의 흐름을 만드는 데 기여하였다고 하였습니다.

2 4문단에서 〈질문 2〉에 대해 C라고 답한 사람들은 전체 실험 참가자들 중에서 65%라고 하였습니다.

오답 피하기 ① 2문단에서 실험 참가자들에게 주어진 질문은 두 가지 중 하나를 선택하도록 구성되었다고 하였습니다. 따라서 〈질문 1〉에 대해 B를 선택한 사람이 80%이므로, A를 선택한 사람은 20%임을 알 수 있습니다.

④ 4문단의 끝 문장에서 '기대 효용 이론'의 관점에서 보면 100만 원만큼 손해를 덜 보는 D를 선택하는 것이 더 합리적이라고 하였습니다.

3 〈보기〉의 설문지에서 '손해'와 관련하여 선택할 수 있는 항목은 C와 D입니다. 만일 손해가 발생한다면, C를 선택할 경우 400만 원이 손해이고, D를 선택할 경우 300만 원이 손해입니다. 즉 D보다 C를 선택하는 것이 100만 원 더 손해입니다.

오답 피하기 ② 설문지에서 '이익'과 관련하여 선택할 수 있는 항목은 A와 B입니다. B의 경우 이익이 발생할 확률이 100%이므로, 이익이 발생하지 않았다면 A를 선택한 것입니다.

④ 설문지에서 '손해'와 관련된 선택 항목은 C와 D인데, 만일 손해가 발생하지 않는다면 C를 선택하든 D를 선택하든 모두 손해가 없습니다.

4 5문단에서 실험에 참여한 사람들의 대답을 분석한 결과, 사람들은 이익을 볼 수 있는 경우에는 위험을 피하려고 하고 손해를 볼 수 있는 경우에는 위험을 기꺼이 감수하는 선택을 한다는 결론을 얻게 되었다고 하였습니다.

1 ②　　　　**2** 보통 또는 민간

3 (1) ⓒ　(2) ⓔ　(3) ⓛ　(4) ㉠　(5) ⓜ

4 ③　　　　**5** ①

6 보험, 비례 보상 원칙

● 독해력을 기르는 어휘

❶ 치유　　❷ 자발적　　❸ 보상

보험의 개념과 필요성, 보험의 종류, 보험금 계산의 원칙과 방법 등을 설명한 글입니다. 특히 보험과 관련된 복잡한 용어들을 하나씩 정의하여 내용을 전개하고 있으며, '비례 보상 원칙'에 따라 보험금을 계산하는 방법을 구체적 사례를 들어 제시하고 있습니다.

● **글의 특징**

－ 어렵고 생소한 용어의 개념을 정의하고 있습니다.

－ 예시를 통해 독자의 이해를 돕고 있습니다.

－ 분류의 방법으로 보험의 종류를 나누어 제시하고 있습니다.

● **글의 구조**

1문단	보험은 미래에 발생할 수 있는 위험에 대비하여 미리 준비하는 금전적 보상 장치임.	→	보험의 정의
2문단	보험은 크게 국가에서 운영하여 자신의 의사와 상관없이 가입되는 '사회 보험'과 위험에 대비하여 자발적으로 가입하는 '보통(민간) 보험'으로 나뉨.	→	보험의 종류
3문단	'보험 가입자, 보험자, 보험 계약, 보험료, 보험금' 등 보험에는 여러 용어가 존재함.	→	보험 용어
4문단	보험금은 '비례 보상 원칙'에 따라 정해짐.	→	보험금 계산 원칙

⬇

주제 보험의 개념과 보험금 계산의 원칙

어휘 수준 ★★★★★　　글감 수준 ★★★★★　　글의 길이 1,842자

---

1 1문단에서 '보험'은 미래에 발생할 수 있는 위험에 대비하기 위해 일정 정도의 돈을 거두어 두었다가 실제로 그 위험이 발생했을 때 금전적으로 보상해 주는 제도라고 하였습니다. 따라서 보험은 예상하지 못한 미래의 위험에 대비해 미리 가입하는 것으로 보는 것이 적절합니다.

2 2문단에서 보험은 '사회 보험'과 '보통 보험'으로 나누어진다고 하였습니다. 그리고 보통 보험은 '민간 보험'이라고도 하는데, 여기에는 생명 보험, 자동차 보험, 화재 보험 등이 속한다고 하였습니다.

3 위험에 대비하기 위해 보험에 가입하는 사람을 '보험 가입자', 보험을 운영하는 회사 또는 기관을 '보험자'라고 합니다. 보험 가입자는 보험자와 계약을 맺고 보험에 가입하게 되는데, 이때의 계약을 '보험 계약'이라고 합니다. 또한 보험 계약에 따라 보험 가입자가 보험자에게 매달 일정 정도 내는 돈을 '보험료'라고 하고, 실제로 사고가 났을 때 보험자가 위험을 당한 보험 가입자에게 지급하는 돈을 '보험금'이라고 합니다.

4 4문단에서 알 수 있듯이 '보험 가입 금액'과 '보험 가액'은 사고가 났을 때 다시 정하는 것이 아니라, 보험 계약을 맺을 때 미리 정해 둡니다.

[오답 피하기] ② 사고로 받을 수 있는 보험금의 최대 금액을 보험 가입 금액이라고 하는데, 〈보기〉에서 짱구는 보험 가입 금액을 2,000만 원으로 정했다고 하였습니다.

⑤ 사고가 났을 때 보험 가입자가 입을 수 있는 피해의 최대 금액을 보험 가액이라고 하는데, 〈보기〉에서 짱구는 보험 가액을 자동차를 산 가격 전체로 정했다고 하였습니다.

5 4문단에서 실제로 사고가 났을 때 보험 가입자에게 지급되는 보험금은 '(실제 손해액) × $\dfrac{\text{보험 가입 금액}}{\text{보험 가액}}$'으로 계산한다고 하였습니다. 〈보기〉에서 실제 손해액은 자동차 수리에 든 비용인 1,000만 원이고, 피해의 최대 금액인 보험 가액은 자동차 가격인 4,000만 원이며, 보험금의 최대 금액인 보험 가입 금액은 2,000만 원입니다. 따라서 짱구가 받게 되는 실제 보험금은 '1,000만 원 × $\dfrac{2{,}000\text{만 원}}{4{,}000\text{만 원}}$ = 500만 원'입니다.

1 ①	2 ④	3 ①
4 ②	5 ㉠ 소비자, ㉡ 구매	

6 묶어 팔기, 선호, 유보 가격, 혼합

● 독해력을 기르는 어휘
① 이윤   ② 극대화   ③ 탱고

이 글은 묶어 팔기를 통해 판매자의 이윤이 커지는 이유를 설명하는 글입니다. 묶어 팔기 및 유보 가격의 개념을 정의하고, 묶어 팔기를 통한 이익 증가의 사례를 제시한 뒤, 혼합 묶어 팔기에 대해 설명하고 있습니다.

● 글의 특징

– 용어를 알기 쉽게 풀어 독자의 이해를 돕고 있습니다.
– 사례를 들어 대상을 구체적으로 설명하고 있습니다.
– 물음의 형식으로 독자의 관심을 유발하고 있습니다.

● 글의 구조

1문단	'묶어 팔기'는 서로 다른 상품을 한꺼번에 묶어 파는 전략임.	→	묶어 팔기의 정의
2문단	상품에 대해 지불할 마음이 있는 최대한의 가격을 '유보 가격'이라고 함.		유보 가격의 정의
3문단	개별 상품에 대한 선호가 각기 다를 때 묶어 팔면 이익이 증가함.	→	묶어 팔기를 통한 이익 증가 사례
4문단	개별 상품에 대한 유보 가격의 합이 소비자마다 다를 때는 '혼합 묶어 팔기' 전략을 사용할 수 있음.		혼합 묶어 팔기의 정의

주제 묶어 팔기를 할 때 판매자의 이윤이 커지는 이유

어휘 수준 ★★★★☆   글감 수준 ★★★★☆   글의 길이 1,302자

---

1 1문단의 "그렇다면 여러 상품들을 ~ 더 커지는 이유가 무엇일까?"에서 중심 화제에 대한 물음을 제시함으로써 독자의 관심을 유도하고 있습니다.

2 '유보 가격'은 어떤 상품을 사기 위해 낼 마음이 있는 최대한의 가격을 의미하므로, 유보 가격이 높다는 뜻은 그만큼 그 상품의 가치를 높게 평가한다는 뜻입니다. 즉 그 상품에 대한 선호가 높은 것이라고 이해할 수 있습니다.

3 유보 가격은 상품에 대해 지불할 마음이 있는 최대한의 가격이므로, 상품의 가격이 유보 가격과 같거나 유보 가격보다 낮아야 구매로 이어지게 됩니다. 은성의 커피에 대한 유보 가격은 5,000원인데 커피의 실제 가격도 5,000원이므로 커피는 구매할 가능성이 있습니다. 따라서 A 카페의 그 어떤 상품도 구매할 마음이 생기지 않을 것이라는 설명은 적절하지 않습니다.

오답 피하기 ③ 영수가 개별 상품을 산다고 가정하면, 커피는 실제 가격이 유보 가격보다 높아 사지 않을 것이고, 케이크는 실제 가격이 유보 가격보다 낮으므로 살 가능성이 있습니다.

④, ⑤ 〈보기 2〉를 보면 '커피＋케이크 세트'의 가격이 10,000원으로 정해져 있습니다. 따라서 유보 가격의 합이 10,000원보다 높은 영수에게는 세트를 판매할 수 있습니다. 만약 세트가 없이 개별 상품만 있었다면 영수는 케이크만 구매할 것이므로 수익이 6,000원이지만, 영수가 세트를 구매하면 10,000원이 되므로 판매자의 수익이 높아지게 됩니다. 반면 은성은 유보 가격의 합이 8,000원으로 실제 세트 가격보다 낮기 때문에 세트를 구매하지 않을 것입니다. 대신 유보 가격과 같은 가격으로 팔고 있는 커피는 구매할 수 있으므로, 판매자는 은성과 같은 소비자에게는 개별 상품을 판매하려고 할 것입니다.

4 ㉡에서 ○○ 과자를 먹기 위해서는 다른 과자를 함께 구입해야만 한다고 했습니다. ○○ 과자만 구매하길 원하더라도 선택의 여지가 없는 상황이므로, 소비자의 자유로운 선택이 보장된다는 설명은 적절하지 않습니다.

5 '판매자'와 뜻이 반대되는 낱말은 '소비자'이고, '판매'와 뜻이 반대되는 낱말은 '구매'입니다. '소비자' 대신 '구매자'라는 말도 쓸 수 있지만, '구매자'는 이 글에 쓰이지 않았습니다.

1 ③　　　　　**2** ②

3 ㉠: ㉯, ㉰, ㉡: ㉮, ㉱

4 ④　　　　　**5** ⓒ → ⓐ → ⓑ → ⓓ

6 대체 불가능성, 규모, 쏠림 현상, 스타 시스템

● 독해력을 기르는 어휘

❶ 스타　　　❷ 캐스팅　　　❸ 주인공

❹ 대체　　　❺ (2) ○

대중문화의 스타 시스템이 왜 발생하게 되는지 설명한 글입니다. 경제학적인 관점에서 수요 측면과 공급 측면으로 나누어 문화 상품의 특성을 살펴보고, 소비자와 공급자의 입장을 제시하며 스타 시스템이 발생한 이유를 설명하고 있습니다.

● 글의 특징

– 용어의 뜻을 설명한 다음, 이를 바탕으로 내용을 전개하고 있습니다.

– 대상의 특성을 두 가지 측면으로 나누어 다루고 있습니다.

– 현상이 발생하는 이유를 구체적인 예를 들어 상세하게 설명하고 있습니다.

● 글의 구조

스타 시스템의 개념	스타를 중심으로 문화 산업이 유지되는 구조를 말함.

↓

수요적 측면	문화 상품의 경우에 스타에 대한 수요는 대체 불가능성을 가짐.
공급적 측면	문화 상품은 대량 생산과 대량 공급이 가능하며 대량으로 유통되는 '규모의 경제'에 해당함.

↓

스타 시스템 발생	• 소비자: 문화 상품에 가격 차이가 없는 경우 스타로의 쏠림 현상이 나타남. • 공급자: 같은 비용에 더 많은 이익을 낼 수 있는 스타를 활용함.

주제 문화 산업에서 스타 시스템이 발생하는 이유

1 이 글에서는 문화 산업은 스타를 중심으로 유지되는 스타 시스템을 가지고 있다며, 이 스타 시스템이 발생하는 이유를 문화 상품의 수요와 공급 측면으로 나누어 설명하고 있습니다. 따라서 이 글의 제목으로는 이러한 내용을 모두 포함하는 ③이 가장 적절합니다.

2 이 글은 ㉮에서 문화 산업에 나타난 스타 시스템의 개념을 제시한 다음, ㉯~㉱에서 문화 상품의 특성과 관련지어 스타 시스템이 생겨나는 이유를 설명하고 있습니다. 일단 ㉯에서는 수요 측면에서의 문화 상품의 특징을, ㉰에서는 공급 측면에서의 문화 상품의 특징을 설명하고 ㉱에서 공급과 관련지어 스타 시스템이 만들어진 이유를 밝히고 있습니다. 따라서 이러한 문단 간의 관계를 가장 잘 나타낸 것은 ②가 됩니다.

3 ㉠의 '대체 불가능성'은 어떤 물건을 사지 못할 경우 다른 물건으로 대체하지 못하는 성질입니다. 그래서 본래 사려고 했던 물건이 없으면 다른 물건을 대신 사지 않고 구입 자체를 포기하게 됩니다. ㉯와 ㉰의 사례가 여기에 해당합니다. ㉡의 '대체 가능성'은 어떤 물건을 사지 못할 경우 비슷한 성질이나 가격의 물건으로 대체할 수 있는 성질로, ㉮와 ㉱의 사례가 여기에 해당합니다.

4 ㉰에서 문화 상품은 대량으로 생산되고 공급될 수 있는 '규모의 경제'에 해당한다고 했습니다. 그리고 문화 상품은 일반적인 상품들과 달리 추가적으로 생산하는 데 비용은 더 들어가지 않지만, 초기에 많은 생산 비용이 필요하다고 했습니다. 따라서 문화 상품은 대량 공급이 가능하지만 초기 생산 비용이 많이 필요합니다.

5 ㉰에서 문화 상품은 대량 생산이 가능하고 대량 공급이 가능한 특성(ⓒ)이 있다고 했습니다. 그리고 ㉱에 따르면 문화 상품은 소비자의 입장에서 가격 차이가 없기 때문에 (ⓐ), 소비자들은 자신이 좋아하는 스타의 문화 상품을 소비하게 됩니다(ⓑ). 그리고 문화 상품의 공급자들은 더 많은 이익을 내기 위해 스타를 활용(ⓓ)함으로써 스타 시스템이 만들어지게 됩니다.

1 ④　　　　**2** ③　　　　**3** ①

4 ②　　　　**5** 심방, 심실, 동맥, 정맥, 모세 혈관

● 독해력을 기르는 어휘

❶ 수축　　　❷ 혈관　　　❸ 역류

❹ 방지　　　❺ 수행　　　❻ 구분

❼ 순환

심장과 혈관의 구조에 대해 설명한 글입니다. 심장의 구조, 판막의 역할, 혈관의 종류와 역할을 각각 문단별로 나열하여 그 특징을 살펴보고 있습니다.

● **글의 특징**

– 심장의 역할과 구조 및 각 부분의 특징을 설명하고 있습니다.

– 혈관을 모세 혈관, 정맥, 동맥으로 구분한 뒤 각각의 특징을 비교하고 있습니다.

– '수도꼭지 호스'에 비유해 혈액의 속도를 설명하고 있습니다.

● **글의 구조**

1문단	심장은 생명 유지의 중요한 역할을 함.	심장의 역할
2문단	심장은 두 개의 심방과 두 개의 심실로 이루어져 있음.	심장의 구조
3문단	심방과 심실 사이, 심실과 동맥 사이에 있는 판막은 혈액의 역류를 방지함.	판막의 역할
4문단	혈관은 모세 혈관, 동맥, 정맥으로 구분됨.	혈관의 종류
5문단	모세 혈관에서는 물질 교환이 이루어지며, 혈액의 흐름이 느려짐.	모세 혈관의 특징
6문단	동맥은 높은 압력과 빠른 속도를 견딜 수 있도록 혈관벽이 두꺼우며, 정맥은 압력을 거의 받지 않아 혈관벽이 얇음.	동맥과 정맥의 특징

⬇

주제 심장과 혈관의 구조

어휘 수준 ★★☆☆☆　　　글감 수준 ★★★☆☆　　　글의 길이

1 2문단의 두 번째 문장에서 심방은 "비교적 얇은 근육으로 둘러싸여 있다."라고 하였으므로 심방에 두꺼운 근육층이 발달해 있다는 설명은 적절하지 않습니다.

오답 피하기 ① 5문단에서 모세 혈관은 "하나의 세포층으로 이루어져" 있다고 하였습니다. 반면 6문단에서 "동맥과 정맥의 혈관벽은 모두 세 층으로 이루어져 있다."라고 하였습니다.

② 3문단에서 "판막은 한 방향으로만 열리는 구조"라고 설명하며, "심장 소리는 바로 이 판막이 닫힐 때 나는 소리"라고 하였습니다.

2 2문단의 세 번째 문장에서 "'심실'은 심장에서 나가는 혈액이 흐르는 동맥과 연결되어 있으며"라고 하였으므로 혈액은 심실에서 나감을 알 수 있습니다. 또한 6문단의 세 번째 문장 "'동맥'은 정맥에 비해 훨씬 두꺼운 혈관벽을 갖는다."와 여섯 번째 문장 "'정맥'은 ~ 압력을 거의 받지 않는다."를 통해 혈관벽이 받는 압력은 정맥보다 동맥이 더 강함을 알 수 있습니다. 또한 6문단의 네 번째 문장에서 동맥은 "심장이 뿜어낸 혈액의 높은 압력과 빠른 속도를 견딜 수 있고"라고 하였으므로, 혈액의 속도 역시 정맥보다는 동맥이 더 빠르다는 것을 알 수 있습니다.

3 ⊙의 '높다'는 '수치로 나타낼 수 있는 온도, 습도, 압력 따위가 기준치보다 위에 있다.'의 의미로 쓰였습니다.

오답 피하기 ②는 '어떤 의견이 다른 의견보다 많고 우세하다.', ③은 '지위나 신분 따위가 보통보다 위에 있다.', ④는 '이름이나 명성 따위가 널리 알려진 상태에 있다.', ⑤는 '아래에서 위까지의 길이가 길다.'의 의미로 쓰였습니다.

4 1문단의 첫 번째 문장에서 심장은 "온몸의 조직 세포에 끊임없이 혈액을 공급"한다고 하였고, 마지막 문장에서 심장은 "혈액이 혈관을 따라 흐를 수 있도록 하는 것이다."라고 설명하였습니다. 즉 〈보기〉에서는 '펌프'가 따뜻한 물을 집 안 전체에 공급하는 역할을 하므로, 심장과 가장 유사한 기능을 한다고 볼 수 있습니다.

오답 피하기 ① '가열된 물'은 집 안을 따뜻하게 흐르고 있으므로 '혈액'과 유사합니다.

④ '배관'은 가열된 물이 흐르는 통로이므로 '혈관'과 유사합니다.

1 ①   **2** ⑤   **3** ⑤
4 ⑤   **5** 머피, 선택적, 확률

● **독해력을 기르는 어휘**
❶ 곰곰이   ❷ 일쑤   ❸ 재수
❹ 한파   ❺ 우스갯소리   ❻ 동반
❼ 심보

재수 없는 일이 반복적으로 일어나는 '머피의 법칙'에 대해 과학적으로 설명한 글입니다. 과학자들은 머피의 법칙이 우연이나 착각의 영역이라고 생각하고, 또 '선택적 기억' 때문이라고 여기기도 하였습니다. 하지만 글쓴이는 확률을 통해 머피의 법칙을 과학적인 관점에서 볼 수도 있음을 증명하고 있습니다.

● **글의 특징**
– 사람들이 '머피의 법칙'이라고 생각하는 사례를 예시로 들고 있습니다.
– 마트에서 줄을 서는 구체적인 상황을 통해 '머피의 법칙'이 실은 확률의 문제임을 증명하고 있습니다.

● **글의 구조**

'머피의 법칙'의 의미	잘될 수도 있고 잘못될 수도 있는 일은 반드시 잘못됨.
과학적인 증명 ① – 선택적 기억	부정적인 기억이 긍정적인 기억보다 더 또렷하게 기억에 남음.
과학적인 증명 ② – 확률	줄 서기의 사례로 볼 때 불행한 일이 일어나는 것은 확률적으로는 자연스러운 일임.

주제 '머피의 법칙'은 재수의 문제가 아니라 자연스러운 현상임.

어휘 수준 ★★★★☆   글감 수준 ★★★★☆   글의 길이 1,733자

1 2문단에서 "안 추우면 이상한 11월 중순에 수능 시험 날짜를 정해 놓고, 비가 안 오고 날씨가 따뜻하기를 바라는 심보는 또 뭔가!"라고 하였습니다. 즉 수능을 보는 날에 추운 것은 자연스럽다는 글쓴이의 생각이 드러나 있습니다.

2 '선택적 기억'이란 "공교롭게도 일이 잘 안 풀린 경우나 아주 재수가 없다고 느끼는 일은 아주 또렷하게 기억에 남는" 것을 의미합니다. 즉 일상적인 일은 쉽게 잊어버리지만 부정적인 일은 더 또렷하고 오래 기억에 남는다는 뜻입니다. 따라서 부모님께 야단맞은 날이 아무 일 없이 지나간 날보다 더 오래 기억에 남는다는 ⑤는 선택적 기억의 예가 됩니다.

3 글쓴이는 내가 선 계산대가 유독 말썽을 일으키거나 사람들이 물건을 많이 사서 계산이 유독 느리게 진행될 수도 있지만, "평균적으로는 다른 줄과 별 차이가 없다."라고 하였습니다. 따라서 어느 줄에 서든 평균적으로 기다리는 시간은 비슷하므로 고민할 필요가 없다는 조언이 적절합니다.

4 ㉠의 뒤에 이어지는 문장에서 머피의 법칙에 대해 과학자들이 그동안 별다른 관심을 보이지 않은 이유를 밝히고 있습니다. 과학자들은 머피의 법칙을 우스갯소리로 여기고 어쩌다 머피의 법칙이 들어맞는 경우도 우연 또는 착각이라고 생각하였습니다.

오답 피하기 ⑤ 과학적 증명의 어려움 때문에 연구하지 않았던 것이 아니라, 머피의 법칙이 일어나는 것을 우연, 착각, 우스갯소리로 여겼기 때문에 과학적 연구 대상이 아니라고 생각한 것입니다.

1 ④　　　2 ④　　　3 ⑤
4 ③　　　5 ⑤
6 철새, 조류 독감, 건강

● 독해력을 기르는 어휘
❶ 자전　　　❷ 감염　　　❸ 치명적
❹ 뚜렷한　　　❺ 적응　　　❻ 퍼뜨려
❼ 빙글빙글　　　❽ 머무르면서

지구의 자전과 공전, 그리고 자전축에 대한 설명을 시작으로 겨울 철새와 조류 독감(AI)의 관계에 대해 설명한 글입니다. 글쓴이는 철새에게 조류 독감의 책임을 전가하는 일부의 견해에 대해 비판의 목소리를 내며, 그 원인과 해결책을 우리가 찾아야 함을 당부하고 있습니다.

● **글의 특징**
– 시각 자료와 통계 자료 등을 활용하여 내용의 신뢰성과 주장의 타당성을 높이고 있습니다.
– 의문문을 활용하여 독자의 주의를 환기하고 있습니다.

● **글의 구조**

1문단	자전과 공전을 동시에 하는 지구의 자전축은 기울어져 있음.	→	자전과 공전의 개념
2문단	기운 자전축 덕분에 우리나라는 사계절이 나타나며 이로 인해 많은 생물들이 우리나라를 찾아옴.	→	계절을 따라 우리나라를 찾는 철새들
3문단	많은 철새들이 우리나라를 찾는데, 요즈음에는 조류 독감으로 인해 철새를 반기기 어려움.	→	우리나라 AI의 원인으로 의심받는 겨울 철새
4~5문단	조류 독감으로 인한 피해가 큰 이유는 감염 개체의 건강 상태에 있음.	→	AI와 감염 개체의 건강 상태의 관계
6문단	조류 독감의 책임을 철새들에게 묻기보다 우리가 할 수 있는 선에서 해결책을 찾아야 함.	→	AI의 원인과 해결책에 대한 고민과 노력

↓

주제 조류 독감(AI)으로 인한 피해의 책임과 해결책에 대한 고민

어휘 수준 ★★★★★　　　글감 수준 ★★★★★　　　글의 길이 1,727자

1 이 글에서는 전문가들의 견해를 인용하고 있지 않습니다. 5문단에서 '전문가'라는 말이 언급되었으나, 이들은 철새에게 AI의 책임을 지우려고 하는 사람들로 글쓴이가 비판하는 견해는 가지고 있습니다.

2 지구가 태양을 중심으로 1년에 한 번씩 원을 그리며 움직이는 것은 자전이 아니라 '공전'이라고 합니다.
오답 피하기 ① 철을 따라 자리를 옮기지 않고 거의 한 지방에서만 사는 새를 '텃새'라고 합니다. 사계절 모두를 우리나라에 사는 텃새가 70여 종이라는 내용은 3문단에 제시되어 있습니다.

3 5~6문단을 통해 이 글의 주제, 핵심 논지를 파악할 수 있습니다. 글쓴이는 조류 독감으로 인한 피해의 책임을 철새에게 돌리려 하는 견해를 비판적으로 바라보며 "사람이 독감에 걸렸다고 해서 모두 죽는 것은 아닌 것처럼, 새들도 AI에 걸렸다고 해서 모두 죽는 것이 아니다. AI의 감염 여부보다는 감염된 생명의 건강 상태가 더 중요하다."라고 하였습니다. 이런 내용으로 보아, 조류 독감의 책임은 건강하지 못한 환경에서 가금류를 키우는 우리에게 있다는 내용이 담긴 ⑤가 핵심 논지라고 할 수 있습니다.

4 5문단을 보면, 글쓴이는 조류 독감의 책임을 겨울 철새에게 지우는 일부 전문가들의 견해에 "겨울 철새들 중 10~20%가 우리나라에서 생을 마감하는데, 그들 중 AI에 걸려 죽는 경우는 0.001%도 되지 않는다."라는 통계 자료를 통해 반박하고 있습니다. 그러므로 글쓴이가 조류 독감으로 인한 피해의 원인을 철새에게서 찾고 있다는 내용은 적절하지 않습니다.
오답 피하기 ① 4문단의 "AI에 걸린 닭이나 오리가 발견되면, 발견 지점으로부터 반경 3km 안에 있는 닭, 오리 등을 모조리 죽여 땅에 묻어야 한다."라는 내용과 5문단의 "철새가 AI를 퍼뜨리지 않는다고 보기는 어렵다."라는 내용을 통해, 조류 독감은 감염된 개체가 다른 개체에 옮길 수 있는 전염병임을 짐작할 수 있습니다.

5 ㉠과 ⑤의 '지우다'는 '책임이나 의무를 맡게 하다.'의 의미입니다.
오답 피하기 ① '일정한 기간이 지날 때까지 시간을 보내다.', ② '감정이나 표정 따위를 사라지게 하다.', ③ '쓴 글씨나 그린 그림, 흔적 따위를 지우개나 천 따위로 보이지 않게 없애다.', ④ '물건을 짊어서 등에 얹게 하다.'의 의미입니다.

1 (1) ⓓ (2) ⓒ (3) ⓐ (4) ⓑ   **2** ③

3 ②   **4** ④   **5** ③

6 운석, 기온, 화산, 해수면

● 독해력을 기르는 어휘

❶ 설득력   ❷ 유력   ❸ 화산

❹ 멸종   ❺ 운석   ❻ 퇴적층

❼ 심부

공룡 멸종의 원인을 밝힌 학설들을 소개한 글입니다. 대운석이 지구에 충돌하여 지구 생물계에 대사건을 일으켰다고 보는 '운석 충돌설', 중생대 말기에서 신생대 초기에 걸쳐 기온이 점점 떨어졌다는 '기온 저하설', 이리듐은 운석 충돌에 의한 것이 아니라 화산 활동의 결과물이라고 주장하는 '화산 활동설', 해수면이 내려갔을 때 공룡의 멸종이 일어난다는 '해수면 저하설'의 의미를 각각 밝히고 있습니다.

● **글의 특징**

– 공룡 멸종 학설을 네 가지로 구분하여 나열하고 있습니다.

– 학설을 뒷받침하는 근거를 들어 설득력을 높이고 있습니다.

● **글의 구조**

공룡 멸종의 원인을 설명하는 학설들

운석 충돌설	기온 저하설
운석이 지구와 충돌할 때 발생한 대량 먼지로 인해 지구에 핵겨울이 찾아와 공룡이 멸종됨.	중생대 말기에서 신생대 초기에 기온이 저하되어 공룡이 멸종됨.
화산 활동설	**해수면 저하설**
화산 활동이 태양 복사를 막고 분화로 인해 산성비가 내리면서 공룡이 멸종됨.	해수면이 내려갔을 때 기후 변동이 일어나 공룡이 멸종됨.

어떤 원인도 정확하게 밝혀지지 않음.

⬇

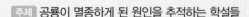 주제 공룡이 멸종하게 된 원인을 추적하는 학설들

어휘 수준 ★★★★★   글감 수준 ★★★★★   글의 길이 1,449자

1 '운석 충돌설'은 운석이 지구와 충돌할 때 발생한 대량 먼지로 인해 지구에 핵겨울이 찾아와 공룡이 멸종했다고 보는 학설입니다. '기온 저하설'은 중생대 말기에서 신생대 초기에 기온이 점점 떨어져서 공룡이 멸종했다고 보는 학설입니다. '화산 활동설'은 화산 활동이 태양 복사를 막고 분화로 인해 산성비가 내리게 되면서 공룡이 멸종했다는 학설입니다. 마지막으로 '해수면 저하설'은 해수면이 내려가며 기후 변동이 발생해 공룡이 멸종했다고 보는 학설입니다.

2 이리듐은 우주에 있는 운석에 많이 포함된 요소입니다. '운석 충돌설'에서는 특정 지역의 퇴적층에서 유난히 고농도의 이리듐이 발견되는 것을 보고, 이리듐을 많이 포함한 대운석이 지구에 충돌하여 지구 생물계에 대사건을 일으켰다고 주장합니다. 한편 '화산 활동설'에서는 이리듐은 운석 충돌에 의한 것이 아니라 화산 활동에 의해 지구 심부에서 나온 것이라고 주장합니다. 즉 이리듐의 발견과 관련 있는 학설은 '기온 저하설'이 아니라, '운석 충돌설'과 '화산 활동설'입니다.

3 '크레이터'는 행성, 위성 따위의 표면에 보이는, 접시 모양의 움푹 파인 큰 구덩이를 말합니다. 〈보기〉에서 크레이터는 주로 행성 등이 천체 표면에 충돌하여 발생한다고 하였으므로, 이와 가장 관련 있는 문단은 운석 충돌설을 다루고 있는 나입니다.

4 나에서 운석 충돌설은 "1980년 알베레스 등이 주장한 것으로 이리듐의 발견에 근거한다. 이리듐은 우주에 있는 운석에 많이 포함된 요소이다."라고 하였습니다.

5 〈보기〉는 모두 기후 변화와 관련된 내용입니다. (ㄱ)은 중생대 말기에서 신생대 초기에 기온이 저하되었다는 것, (ㄴ)은 해수면의 변동이 기후 변동을 가져온다는 것, (ㄷ)은 운석이 지구와 충돌하면서 그 영향으로 지구에 핵겨울이 찾아왔다는 내용입니다. '현주, 병철, 민수, 혜영'은 모두 이와 관련하여 이야기하고 있지만, '주희'는 이리듐의 출처와 관련된 반응을 보이고 있습니다.

1 ⑤ **2** ㉠: 신분, ㉡: 아치, ㉢: 볼트

3 (1) 부채 볼트 (2) 원통형 볼트 **4** ④

5 ③ **6** 콜로세움, 아치, 볼트

● 독해력을 기르는 어휘

❶ 해상 ❷ 견고 ❸ 검투사

❹ 웅장 ❺ 결정체 ❻ ⓑ

❼ ⓒ ❽ ⓓ ❾ ⓐ

콜로세움이 오랫동안 웅장함을 간직할 수 있는 이유를 건축 기술의 측면에서 설명한 글입니다. 콜로세움의 규모와 기능, 층별 자리, 아치와 볼트라는 주요 건축 기술 등이 간결하게 설명되어 있습니다.

● **글의 특징**

– 핵심 정보를 간결하고 집약적으로 설명하고 있습니다.

– 일반인들이 가질 수 있는 의문을 제기하고 그에 대한 답을 제시하는 방식으로 글을 전개하여 흥미를 유발하고 있습니다.

● **글의 구조**

1문단	콜로세움은 당대 최대의 건축물로 격투나 사냥 시합 등이 치러짐.	→ 콜로세움의 규모와 기능
2문단	1층부터 4층까지 신분과 성별에 따라 자리가 정해졌음.	→ 콜로세움의 층별 사용
3문단	콜로세움의 아치 형태의 문은 콜로세움을 강하고 아름답게 만듦.	→ 콜로세움의 견고함의 비결
4문단	아치는 수직으로 내려오는 힘을 골고루 분산시켜 무거워질수록 더 견고해짐.	→ 콜로세움의 건축 구조 ① : 아치
5문단	볼트는 아치의 확장된 구조로, 대형 공간을 기둥 없이 만들 수 있음.	→ 콜로세움의 건축 구조 ② : 볼트
6문단	콜로세움은 로마 시대의 건축 기술을 대표함.	→ 콜로세움의 가치

⬇

주제 콜로세움의 건축 기술과 건축학적 가치

어휘 수준 ★★★★★ 글감 수준 ★★★★★ 글의 길이 1,490자

---

1 이탈리아 로마에 있는 콜로세움은 원형 경기장으로, 70년 경에 건설되기 시작하여 약 10년 후인 80년에 완성되었습니다. 80년에 걸쳐 지어진 것이 아닙니다.

2 나에서 콜로세움은 '신분'과 '성별'에 따라 층별 자리가 정해져 있다고 하였습니다. 라에서는 2000년 동안 거대한 4층 높이의 무게를 견디어 낸 콜로세움의 건축학적 비밀로, 80여 개에 이르는 '아치' 형태의 문에 대해 이야기하고 있습니다. 그리고 마에서는 아치를 수평이나 수직으로 늘어뜨린 '볼트' 구조의 개념과 종류에 대해 이야기하고 있습니다.

3 (1) 구조적으로 힘을 보강하면서도 장식적인 요소까지 고려하여 볼트에 부채꼴 모양으로 보강재를 설치한 '부채 볼트'에 해당합니다.

(2) 연속된 아치들로 이루어진 반원통 모양의 '원통형 볼트'에 해당합니다.

4 〈보기〉는 아치 구조가 가진 힘의 분산과 관련된 또 다른 예입니다. 이는 지문의 내용과 앞뒤의 맥락을 고려할 때, 아치의 구조에 대해 설명하고 있는 라의 뒤에 들어가는 것이 적절합니다.

5 콜로세움은 당대의 관점에서는 시민들의 스트레스 해소 공간이자 단결심과 애국심을 고취시키는 공간이었으나, 오늘날의 관점에서 보았을 때는 폭력을 부추기고 사람을 차별하는 비인간적인 공간이라고 볼 수 있습니다.

오답 피하기 ① 성당에 가면 흔히 볼 수 있듯이, 아치와 볼트는 현대에 이르기까지 계속 발전하며 사용되고 있는 건축 기술입니다.

④ 오늘날의 관점에서 비판적으로 접근한 내용이 아닙니다.

1 ③ **2** ① **3** ①

4 ㉠ → ㉢ → ㉤ → ㉡ → ㉣

5 (1) ㉢ (2) ㉠ (3) ㉡

6 리그닌, 셀룰로오스, 코팅

● 독해력을 기르는 어휘

❶ 복원력 ❷ 표백 ❸ 과소평가

❹ 섬유 ❺ ③ ○ ❻ ② ○

일상생활에서 늘 사용하는 종이가 만들어지는 과정을 설명한 글입니다. 종이는 평평하고 부드러우며 연속된 물결처럼 보이지만 사실은 복잡한 구조로 이루어져 있습니다. 나무에서 셀룰로오스 섬유를 추출하는 과정, 하얗고 매끄러운 종이를 만들기 위한 표백, 종이 표면의 코팅까지 종이가 만들어지는 과정을 순서대로 제시하였습니다.

● **글의 특징**

- 나무로부터 종이가 만들어지는 과정을 차례대로 설명하였습니다.

- 다양한 비유적 표현을 사용하여 독자가 대상을 쉽게 이해할 수 있도록 도왔습니다.

● **글의 구조**

가	종이는 우리 일상에서 많은 부분을 차지함.	→	종이의 다양한 활용
나	종이를 현미경으로 관찰하면 작고 얇은 섬유로 되어 있으며 울퉁불퉁함.	→	종이의 복잡한 구조
다	복잡한 과정을 거쳐 리그닌에서 셀룰로오스 섬유를 추출함. → 나무 펄프를 평평한 표면에 놓고 말림.	→	종이를 만드는 과정 ①
라	기본 종이를 표백하여 하얗게 만들고, 잉크가 배어 나오지 않도록 코팅을 함.	→	종이를 만드는 과정 ②
마	종이는 복잡한 과정을 거쳐 만들어짐.	→	종이의 중요성

▼

주제 종이가 만들어지는 과정

어휘 수준 ★★★★★ 글감 수준 ★★★★★ 글의 길이 1,384자

1 나에서 종이는 짚으로 만든 가마니처럼 작고 얇은 섬유로 되어 있다고 하였습니다.

2 셀룰로오스의 색깔은 이 글을 통해 알 수 없습니다. 다만 라에서 "기본 종이는 거칠고 갈색빛을 띤다. 이것을 희고 매끄러우며 빛나는 종이로 만들려면, 화학적으로 표백을 하고"라고 하였으므로, 종이를 하얗게 만들기 위해서는 표백이 필요함을 알 수 있습니다.

오답 피하기 ② 다에서 "셀룰로오스는 대단히 단단하고 복원력이 좋은, 수백 년을 지탱할 수 있는 합성 구조"라고 하였습니다.

④ 셀룰로오스는 리그닌이라는 유기물에 의해 단단히 붙어 있기 때문에, 셀룰로오스만 추출하기 위해서는 여러 공정이 필요합니다.

3 제시된 내용은 종이 냅킨과 종이 라벨처럼 일상에서 종이가 사용되는 예를 든 것입니다. 따라서 일상에서 종이가 많은 부분을 차지하고 있음을 설명한 가에 활용하는 것이 적절합니다.

4 나무에서 리그닌을 제거하는 과정은 다에 자세히 설명되어 있습니다. 우선 나무를 작은 조각으로 자르고(㉠) 높은 온도와 압력을 가하며 화학 약품과 함께 끓입니다(㉢). 이 과정을 통해 리그닌 안에 있던 결합이 끊어지고 셀룰로오스 섬유가 풀려납니다(㉤). 이 과정이 다 끝나면, 나무 펄프라고 하는 엉킨 섬유가 남고(㉡) 이 펄프를 평평한 표면에 놓은 뒤 말리면(㉣) 종이가 됩니다.

5 (1) 다에서 엉킨 섬유, 즉 '액체가 된 나무'를 현미경으로 관찰해 보면 이 섬유가 "소스에 잠긴 불어터진 스파게티 면을 닮았다는 사실을 알게 될 것"이라고 하였습니다.

(2) 나에서 "종이는 짚으로 만든 가마니처럼 작고 얇은 섬유로 되어" 있다고 하였습니다.

(3) 다에서 "리그닌으로부터 셀룰로오스 섬유를 추출해 내는 것은 쉬운 일이 아니라서 마치 머리카락에 붙은 껌을 떼어내려 애쓰는 것과 비슷"하다고 하였습니다.

1 ①　　　　**2** ⑤　　　　**3** ④

4 ⓑ　　　　**5** 저층화, 테라스

● 독해력을 기르는 어휘

1 ⓛ　　　　**2** ⓒ　　　　**3** ⊙

4 고층　　　　**5** 조상

건축가의 시선에서 학교 건물의 문제점과 그 해결책을 제시한 글입니다. 앞부분에서 학교 건축의 문제점을 제시한 후, 중간 부분에서 해결책을 제시하고, 뒷부분에서 학생들은 변화하는 자연 속에서 살아가야 함을 주장하고 있습니다. 현대인들이 텔레비전을 많이 보고 학생들이 가상 공간에 몰두하는 이유를 '마당'이 없다는 건축적인 관점에서 찾고 있는 독특한 시각의 글입니다.

● **글의 특징**

– '문제점 제시 – 해결 방안 제시 – 이유 설명 – 다시 강조'의 구조를 가지고 있습니다.
– 문제점의 원인과 해결책 모두 건축적인 관점에서 찾고 있습니다.

● **글의 구조**

문제	학교 건물의 고층화로 인해 학생들의 운동장(자연) 접근성이 떨어짐.
해결 방안 제시	학생들이 자연에 접근할 수 있는 환경을 만들어 주어야 함. ① 빈 교실을 테라스로 만듦. ② 옥상을 개방함. ③ 야외 공간과 가장 접근성이 좋은 1층을 아이들의 공간으로 만듦.
이유 설명	자연의 변화를 추구하고 누릴 수 있는 외부 공간이 없으므로 아이들이 스마트폰과 전자 게임에 빠짐.
주장 강조	아이들이 생활하는 공간에 자연을 느낄 수 있는 환경을 만들어 주어야 함.

↓

주제 자연과 접할 수 있는 학교 공간의 필요성

어휘 수준 ★★★★★　　글감 수준 ★★★★★　　글의 길이 1,707자

---

1 가 에서 학교 건물의 고층화로 인해 학생들이 쉬는 시간에 운동장까지 가기 어렵다고 하였습니다. 또 나 에서는 "1층 교무실이라도 꼭대기 층으로 올려 보내고 1층은 아이들의 공간으로 만들어야 한다."라고 하였습니다. 즉 글쓴이는 ①과 같이 학교 건물에서 1층을 학생들에게 양보하게 되면 학생들이 더 자주, 더 쉽게 자연을 접할 수 있다고 말하고 있습니다.

2 우선 가 에 나타난 글쓴이의 주장을 파악한 다음, 적절한 근거를 가지고 이를 비판한 선택지를 찾아야 합니다. 가 에서 글쓴이는 학생들이 쉬는 시간에 운동장을 쓰기 어렵다는 점을 지적하고 있습니다. 하지만 쉬는 시간 외에 체육 시간이나 방과 후 시간에 운동장을 이용할 수 있기 때문에, 마치 쉬는 시간 외에는 운동장을 사용할 기회가 없는 것처럼 표현한 것에 대해 비판할 수 있습니다.

오답피하기 ② 1문단에서 학생 1인당 사용하는 실내 면적이 늘어난 이유는 "각종 특별 활동실 ~ 도서관 같은 시설들이 늘어났기 때문이다."라고 하였습니다.

④ 글쓴이는 쉬는 시간에 충분히 자연을 즐길 수 없다고 지적했지만, 그 해결책으로 쉬는 시간을 늘려야 한다고 말하지는 않았습니다.

3 나 에 의하면 '마당'은 변화하는 자연을 즐길 수 있는 공간이지만, 현대인들이 살고 있는 곳에는 마당이 거의 없기 때문에 대신 '텔레비전'을 많이 본다고 하였습니다. "마찬가지 이유로 우리 아이들은 스마트폰과 전자 게임에 빠진다."라는 문장으로 볼 때, '마당–텔레비전'과 유사한 관계는 '자연'과 자연을 대신하게 되는 '스마트폰'이라고 할 수 있습니다.

4 〈보기〉에 제시된 그래프는 가로축이 증가할수록 세로축이 낮아지는 반비례 관계에 있습니다. 즉 ⊙이 증가할수록 '자연과의 접근성'이 낮아진다는 의미입니다. 이 글에서는 학교 건물이 고층화되자 교실에서 운동장까지의 거리가 멀어져 학생들이 자연을 접하기 어렵다고 하였습니다. 따라서 자연과의 접근성을 떨어뜨리는 원인은 '교실의 층'이 높아지거나, '교실과 운동장과의 거리'가 멀어지는 것입니다. '교실의 면적'이 넓어지는 것과 자연과의 접근성이 관련 있다고 보기는 어렵습니다.

1 ①   **2** ③   **3** (2) ○ (3) ○

4 (3) ○   **5** ①

6 위치, 전자 지도, 길 안내

● 독해력을 기르는 어휘

❶ 작동   ❷ 수신   ❸ 탐색

❹ 원리   ❺ 신호   ❻ 안내

❼ 목적지

이 글은 내비게이션이 어떻게 길을 안내할 수 있는지 그 작동 원리를 설명하고 있습니다. 먼저 내비게이션이 GPS를 바탕으로 작동함을 이야기한 뒤, GPS 위성과 GPS 수신기가 신호를 주고받으며 현재 위치를 알아내는 과정을 설명하고, 이 신호를 받아 길 안내를 하기까지의 과정과 전자 지도의 특징을 언급하며 내비게이션의 길 안내 원리를 제시하고 내비게이션의 업데이트가 필요한 이유를 밝히고 있습니다.

● **글의 특징**

– 물음을 통해 독자의 관심을 끌어내고 있습니다.

– 내비게이션과 GPS의 뜻을 풀이하여 설명하고 있습니다.

– 내비게이션의 원리를 작동 과정에 따라 제시하고 있습니다.

● **글의 구조**

GPS 위성	2만km 상공에 있는 여러 GPS 위성에서 지상의 GPS 수신기에 신호를 보냄.

↓

GPS 수신기	3~4개 이상의 GPS 위성에서 보낸 신호들의 시간 차이를 이용해 현재 위치를 알아냄.

↓

내비게이션의 경로 탐색	GPS가 알아낸 위치 정보를 받아, 실시간 이동 방향, 거리, 속도 등을 확인하여 지도에 연결함.

↓

경로 안내	전자 지도에 점, 화살표, 자동차의 모습 등을 표시하고 길을 안내함.

⬇

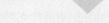 **주제** 내비게이션이 길 안내를 하는 원리

어휘 수준 ★★★★★   글감 수준 ★★★★★   글의 길이 1,520자

1 이 글에서 내비게이션이 발전해 온 과정에 대해서는 설명하지 않았습니다.

2 4문단의 "우리나라에서 만들어진 내비게이션용 전자 지도는 모두 국토지리정보원에서 5년마다 갱신하는 지형도를 원본으로 한다."와 "원본 종이 지도를 디지털 정보로 바꾸어 전자 지도를 만드는데"로 보아 국토지리정보원에서 5년마다 갱신하는 지형도는 전자 지도가 아님을 알 수 있습니다.

3 (2) 3문단에서 내비게이션의 데이터 처리 장치는 GPS가 알아낸 위치 정보를 바탕으로, 자동차의 실시간 위치, 이동 방향, 속도, 거리를 확인하고 전자 지도와 연결한다고 하였습니다.

(3) ㈃에서는 ㈂에서 얻어 낸 정보를 바탕으로 전자 지도 위에 현재 위치가 표시되며 길 안내를 합니다.

오답 피하기 (1) 2문단의 "GPS는 인공위성을 이용하여 자신의 위치를 정확히 알아낼 수 있는 시스템"이라는 것에서 알 수 있듯이 GPS 수신기가 위치를 알아낼 수는 있지만, 목적지까지 가는 길은 ㈃를 거쳐야 알 수 있습니다.

4 ⓐ의 전자 지도는 업체들이 주기적으로 변화되는 정보를 반영하므로 이용자가 내비게이션을 업데이트하는 노력을 해야 합니다. 그런데 ⓑ의 전자 지도는 서버에 저장된 것을 연결하여 사용하는 것이므로, 전자 지도 업데이트는 서버에서 이루어지는 것이지 이용자가 하는 것이 아닙니다.

오답 피하기 (1) ⓐ에 전자 지도 자료가 들어 있지만, ⓑ에는 휴대 전화 기기가 아닌 인터넷 서버에 자료가 있습니다.

(2) 3문단의 내용을 따를 때 ⓐ는 GPS 신호 수신이 어려운 지하에서 길 안내가 제대로 되지 않지만, ⓑ는 인터넷 서버와 연결되므로 인터넷 연결이 가능한 곳이라면 길 안내가 가능하다고 볼 수 있습니다.

5 ㉠은 '사람이나 물자 따위가 일정한 자리에 알맞게 나뉘어 놓이다.'라는 뜻입니다. 그런데 '벌리다'는 단순히 '둘 사이를 넓히거나 멀리 하다.'의 뜻이므로 ㉠과 바꾸어 쓰기에는 알맞지 않습니다.

1 ③   2 ②   3 ⑤
4 ②   5 ③   6 호칭어, 의사소통

● 독해력을 기르는 어휘
❶ 교류   ❷ 부인   ❸ 주의
❹ 웬만하면   ❺ 지칭   ❻ 또래

이 글은 우리 사회에서 사용되는 호칭어와 지칭어를 구체적인 예를 통해 알기 쉽게 설명하고 있습니다. 호칭어와 지칭어가 무엇인지에 대해 설명한 후 '부모'에 대한 호칭과 관련하여 '아버지'와 '아버님'을 상황에 따라 구분해서 써야 함을, 2인칭 대명사 호칭어인 '너', '너희', '자네', '당신' 등도 구분해서 사용해야 함을 설명하며 호칭어와 지칭어의 올바른 사용을 강조하고 있습니다.

● 글의 특징
– 호칭어와 지칭어의 뜻을 풀어서 설명하고 있습니다.
– 구체적인 예를 들어 상황에 맞는 호칭어와 지칭어를 구별하고 있습니다.
– 적절한 호칭어를 사용하면 언어 예절과 의사소통에 도움이 된다는 점을 강조하고 있습니다.

● 글의 구조

호칭어		지칭어
사람을 부르는 말	+	사람을 가리켜 이르는 말

↓

부모에 대한 호칭어·지칭어	• 아버지, 어머니: 자기 부모를 직접 부르거나 남에게 말할 때 쓰임. • 아버님, 어머님: 며느리나 사위가 각각 시부모나 처부모를 부를 때, 남의 부모를 높여 부를 때, 돌아가신 부모를 가리킬 때, 자기 부모에게 보내는 편지 글에서 쓰임.

↓

그 외	• 부인: 남의 아내를 높여 가리킬 때 쓰임. • 2인칭 대명사: 나이나 높임 관계에 따라 '너', '너희', '자네', '당신' 등으로 쓰임이 다름.

↓

주제 언어 예절에 맞는 호칭어와 지칭어 사용의 필요성

어휘 수준 ★★★★★   글감 수준 ★★★★★   글의 길이 1,457자

1 이 글은 우리말에 발달된 호칭어와 지칭어를 언어 예절에 맞게 상황에 따라 달리 사용해야 함을 '부모'와 '부인', 2인칭 대명사라는 구체적인 예시를 통해 설명하고 있습니다. 이렇게 구체적인 예시를 활용하는 이유는 독자들에게 쉽게 설명하기 위함입니다.

2 4문단에서 2인칭 대명사 호칭어인 '너', '너희', '자네', '당신' 등을 구분해서 사용하는 예를 구체적으로 보여 주고 있습니다. 그런데 이들 대명사는 나이의 많고 적음 또는 높임의 정도에 따라 구분한 것으로 볼 수 있습니다. 단순히 친밀감의 정도가 구분의 기준이 된다는 설명은 적절하지 않습니다.

3 2문단에서 "며느리나 사위가 각각 남편의 아버지나 아내의 아버지를 부를 때" '아버님'이라고 한다고 하였습니다. 그리고 '어머니', '어머님'도 똑같은 기준에서 구별해 쓸 수 있다고 하였습니다. 따라서 아내의 어머니에게 말을 하는 상황은 사위가 말을 하는 것이므로, '어머니'가 아니라 '어머님'이라고 해야 언어 예절에 맞습니다.

오답피하기 ③ 2문단에서 "남의 아버지를 높여 부"를 때, '아버님'이라고 한다고 했습니다. '어머님'도 마찬가지이므로, 친구에게 말하는 상황에서 친구의 어머니는 '어머님'이라고 해야 합니다. 따라서 '너희 어머님'은 맞는 표현입니다.

4 ⓐ는 '어떤 말이나 언어를 사용하다.'라는 의미로 사용되었는데, ②도 같은 의미로 사용되었습니다.

오답피하기 ①의 '쓰다'는 '우산이나 양산 따위를 머리 위에 펴 들다.'의 의미를, ③의 '쓰다'는 '어떤 일에 마음이나 관심을 기울이다.'의 의미를, ④의 '쓰다'는 '머릿속에 떠오른 곡을 일정한 기호로 악보 위에 나타내다.'의 의미를, ⑤의 '쓰다'는 '어떤 일을 하는 데에 재료나 도구, 수단을 이용하다.'의 의미를 각각 드러내고 있습니다.

5 발달된 우리말의 호칭어가 우리 사회를 지배하고 있는 유교 문화와 밀접한 관련이 있다는 것은 언어가 문화 또는 사회상과 밀접한 관련이 있다는 의미로 이해할 수 있습니다. 따라서 우리말의 호칭어는 우리나라 유교 문화와 친족 관계를 중시하는 사회상을 반영한 것이라는 이해는 적절합니다.

| 1 ③ | 2 ⑤ | 3 ⑤ |
| 4 ⑤ | 5 ④ | 6 하다, 주체 |

● 독해력을 기르는 어휘

❶ 유익 ❷ 개발 ❸ 의도

❹ 존칭 ❺ 주어 ❻ 존댓말

❼ 응대 ❽ 명심 ❾ 올바른

이 글은 일상생활에서 범할 수 있는 잘못된 우리말 표현을 구체적 사례를 활용해 설명하고 있습니다. 친근한 방송 사례를 통해 화제를 제시하고, 잘못된 '-시키다'의 표현, 존댓말의 표현, 높임법을 중심으로 일상에서 범하는 잘못된 언어 표현을 설명하면서 국어 규범을 파괴하는 문제점을 지적하고, 올바른 언어 사용의 필요성을 강조하며 글을 마무리하고 있습니다.

● **글의 특징**

– 일상 사례를 통해 화제를 제시하여 잘못된 언어 표현에 대한 독자의 관심을 유도하고 있습니다.

– 잘못된 언어 표현과 이를 고친 올바른 표현을 함께 제시하여 독자가 올바른 언어를 사용할 수 있도록 돕고 있습니다.

● **글의 구조**

잘못된 언어 표현 1	'-하다'를 붙여야 할 자리에 '-시키다'를 붙임. ⑩ 소개시키다(×) → 소개하다(○), 개발시키다(×) → 개발하다(○)
잘못된 언어 표현 2	주체 높임을 잘못 사용함. → '계시다'는 주체를 직접 높일 경우에만 사용하며, 간접 높임일 때는 '있으시다'의 형태로 씀.
잘못된 언어 표현 3	사물을 높이는 잘못된 표현을 사용함. → 사람과 관련 없는 사물은 '-습니다', 관련된 것은 '-시-'를 붙여 높임.

↓

| 올바른 언어 사용의 필요성 | 올바른 언어를 사용해야 말하는 의도를 보다 정확하게 전달할 수 있음. |

⬇

주제 잘못된 언어 표현 사례와 올바른 언어 사용 촉구

어휘 수준 ★★★★★   글감 수준 ★★★★★   글의 길이 1,512자

1 4문단 첫 번째 문장에서 "일상에서 잘못된 높임이나 비정상적인 존칭 표현을 사용하면 말하는 사람을 우스꽝스럽게 만들 뿐 아니라 말하는 사람의 격을 크게 떨어뜨리게 된다."라고 하였습니다.

오답 피하기 ① '-하다'가 붙을 자리에 '-시키다'를 붙이는 것은 잘못된 표현임을 말하고 있을 뿐, '시키다'가 붙은 말을 사용하지 말라는 것은 아닙니다.

② 말하는 이의 의도를 파악하며 들어야 한다는 것은 이 글에서 다룬 내용이 아닙니다.

2 이 글을 시작하는 1문단에서 물음을 던지는 의문형 문장이 사용되지 않았으므로 ⑤의 설명은 적절하지 않습니다.

3 '계시다'는 문장의 주어를 직접 높일 때에만 사용됩니다. '교장 선생님'을 직접 높이는 것이 아니라 '말씀'을 간접적으로 높이는 상황이므로 '있다'를 '있으시다'라고 해야 올바른 표현이 됩니다. 따라서 '교장 선생님의 말씀이 있으시겠습니다.'가 올바른 표현입니다.

4 [A]를 보면, '-시키다'는 주어가 누군가에게 '~을 하게 하다'라는 의미를 가지고 있다고 했습니다. 〈보기〉의 ㄴ과 ㄷ은 '-하다'를 사용해야 할 문장에 '-시키다'를 붙인 잘못된 표현임을 알 수 있습니다. 따라서 ㄴ과 ㄷ의 '-시키다'는 '-하다'로 바꾸어야 올바른 표현이 됩니다. 그러나 ㄱ의 의미는 '내가 아들을 학원에 등록하게 하는 것'이므로 '-하다'로 바꾸면 오히려 문장이 어색해집니다.

5 3문단 끝부분에서 듣는 사람과 밀접한 연관이 있는 것에 대해 존댓말을 사용할 때 '-시-'를 붙이는 것은 자연스럽다고 했습니다. 따라서 ④에서 상대방의 '손'에 대해 '부드러우시네요.'라고 한 것은 올바른 표현입니다.

오답 피하기 ①, ② 사물에 높임의 '-시-'를 붙인 잘못된 높임 표현에 해당합니다. '고객님, 모터가 망가졌습니다.'와 '손님, 주문하신 차가 나왔습니다.'가 올바른 표현입니다.

③ '계시다'를 잘못 사용한 표현입니다. 따라서 '요즘, 어머니께서 걱정이 있으시다.'로 수정해야 합니다.

⑤ '-시키다'를 잘못 사용한 경우로, '너 거짓말하지 마.'라고 해야 올바른 표현입니다.

1 ①　　　2 ③　　　3 ①

4 ③　　　5 세계 언어, 볼라퓌크, 영어

● 독해력을 기르는 어휘

❶ 보다　　　❷ 쓰다　　　❸ 인공

❹ 만만　　　❺ 원칙　　　❻ 논의

❼ 정기적

이 글은 슐라이어 신부가 만든 '볼라퓌크'를 중심으로 세계 언어에 대해 설명하고 있습니다. 세계 언어의 필요성에 대한 고민과 슐라이어 신부가 만든 세계 언어인 '볼라퓌크'를 소개한 후, 그것의 문제점과 사라진 이유를 제시하고 세계 언어에 대한 논의와 관심이 이어지고 있음을 밝히며 글을 마무리하고 있습니다.

● **글의 특징**

– 의문문을 활용하여 독자의 관심을 이끌어내고 있습니다.

– 세계 언어에 대한 관심을 시대의 흐름에 따라 제시하고 있습니다.

● **글의 구조**

가	모든 사람들과 어려움 없이 의사소통을 할 수 있는 방법에 대한 고민들이 있음.	→	세계 언어의 필요성
나	슐라이어 신부가 세계 언어의 필요성을 느끼고 그에 대한 고민을 함.	→	세계 언어를 만들려는 계획
다	슐라이어 신부가 '볼라퓌크'라는 세계 언어를 만듦.	→	세계 언어인 '볼라퓌크'의 탄생
라	볼라퓌크는 단어를 만드는 방법, 문법 등이 지나치게 어렵다는 문제가 있었음.	→	볼라퓌크의 문제점
마	볼라퓌크는 모습을 감추고 영어가 그 역할을 하지만 세계 언어에 대한 논의와 고민은 계속되고 있음.	→	계속되는 세계 언어에 대한 논의

⬇

 주제 슐라이어 신부가 만든 '볼라퓌크'와 세계 언어

어휘 수준 ★★★★★　　　글감 수준 ★★★★★　　　글의 길이 1,547자

1 마에서 현재에도 세계 언어에 대한 관심과 논의가 이어지고 있다고 하였습니다.

오답 피하기 ⑤ 다에서 슐라이어 신부는 영어와 독일어에서 많은 부분을 가져와 인공 언어를 만들었다고 하였을 뿐, 영어, 독일어, 프랑스어 등을 하나로 만든 것이 아닙니다.

2 〈보기〉에서는 슐라이어 신부 이전에도 세계 언어가 있어야 한다는 주장이 있었음을 밝히고, 슐라이어 신부가 세계 언어라는 인공 언어를 만들기 시작했음을 이야기하고 있습니다. 슐라이어 신부와 세계 언어에 대한 이야기는 나와 다에 제시되어 있습니다. 그런데 슐라이어 신부가 인공 언어를 만들기 시작했다고 하는 내용에 이어 그 언어가 무엇인지를 구체적으로 밝히는 내용이 나오는 것이 자연스러우므로 나와 다 사이에 〈보기〉의 내용이 들어가는 것이 가장 적절합니다.

3 라에는 볼라퓌크의 문제점이 제시되어 있습니다. 볼라퓌크의 문제점은 단어를 만드는 규칙도, 문법도 너무 어렵다는 것이었습니다. 그리고 마에서는 현대에서 세계 언어와 같은 역할을 영어가 하고 있는데, 이는 많은 나라가 공식 언어로 인정하고, 학교에서 배우도록 했기 때문이라고 하였습니다. 하지만 영어도 쉽게 배우고 쓸 수 있는 언어가 아니어서 완벽한 세계 언어가 되기는 어려움을 밝히고 있습니다. 이를 통해 볼 때, 세계 언어가 되기 위한 조건은 배우고 쓰기 쉬워야 함을 짐작할 수 있습니다.

4 라에서 볼라퓌크의 기반이 되는, 단어를 만드는 원칙이 매우 복잡하고 어려웠다고 하며 "문법 또한 전 세계의 사람들이 쉽게 익히고 쓰기에는 지나치게 어려웠다."라고 볼라퓌크의 문제점을 지적하고 있습니다.

1 ③ **2** ② **3** ⑤
4 ⑤ **5** ④ **6** 유추, 비교, 필요

● 독해력을 기르는 어휘

❶ 비교 ❷ 오류 ❸ 현상
❹ 폄하 ❺ 부합 ❻ 짐작
❼ 가능성 ❽ 판단 ❾ 선정
❿ 도출 ⓫ 선택

이 글은 인간의 사고 방법 중 하나인 유추에 대해 설명하고 있습니다. 유추의 개념을 정의하고, 구체적인 사례를 통해 유추의 과정을 설명한 뒤, 유추의 한계와 극복법, 의의를 밝히고 있습니다.

● **글의 특징**
– 유추의 개념을 명확하게 규정짓고 있습니다.
– 유추의 과정을 세 단계로 나누어 설명한 뒤, 구체적인 사례를 통해 유추의 과정을 보여 주고 있습니다.

● **글의 구조**

가	유추는 어떤 사물을 그와 비슷한 다른 사물에 기초하여 짐작하는 방법임.	유추의 개념
나	유추는 '알고자 하는 대상과 그 대상의 특성 확정 → 알고 있는 대상과의 비교 → 결론 내리기'의 과정으로 이루어짐.	유추의 과정 (단계)
다	유추를 통해 '백조는 날 수 있는가'를 판단하는 과정.	유추의 과정을 보여 주는 사례
라	유추를 통해 도출한 결론이 항상 옳다는 보장은 없음.	유추의 한계
마	'범위 좁히기'의 과정을 통해 옳은 결론을 내릴 가능성을 높임.	유추의 한계를 극복하는 방법
바	옳지 않은 결론을 내릴 가능성이 있다는 한계에도 유추는 필요함.	유추의 필요성과 의의

⬇

주제 유추의 개념과 과정 및 유추의 필요성

어휘 수준 ★★★★★   글감 수준 ★★★★★   글의 길이 1,474자

1 가에서 유추의 개념을 소개하고, 나~다에서 사례를 들어 유추의 과정을 설명하고 있습니다. 그 후 바에서 유추와 같은 사고 방법을 통해 인간이 많은 지식을 가지게 되었다며 유추의 필요성을 서술하고 있습니다.

2 가의 마지막 문장에서 유추는 학문 또는 예술 활동에서뿐 아니라 일상생활에서도 흔히 활용된다고 하였습니다.

3 마의 두 번째 문장을 바탕으로 〈보기〉에서 참인 결론을 도출할 가능성을 높이려면, '비둘기'보다는 타조와 더 많은 공통점[B]을 갖고 있는 '닭'을 비교 대상으로 선택해야 합니다.

오답 피하기 ① 어린아이에게 '백조'의 특성은 알고자 하는 대상의 특성이므로 [C]에 해당합니다.
② 알고자 하는 '백조'와 알고 있는 '비둘기'의 공통적 특성은 [B]에 해당합니다.
③ 라로 보아, 두 대상 간의 공통점인 [B]가 존재한다고 해서 옳은 결론이라고 단정할 수는 없습니다.
④ '타조'와 '비둘기' 사이에도 '깃털이 있다.', '다리가 두 개이다.' 등의 공통점인 [B]가 존재합니다.

4 알고자 하는 대상인 '화성'과 이미 알고 있는 대상인 '지구'를 비교한 결과 두 행성에 모두 '물의 흔적이 존재한다.'라는 공통점을 찾을 수 있었습니다.

오답 피하기 ① 알고자 하는 대상은 '화성'입니다.
② 비교할 대상(이미 알고 있는 대상)은 '지구'입니다.
③ 확정된 대상의 알고자 하는 특성은 '화성에 생명체가 존재하는가'입니다.
④ 유추를 통해 도출한 결론은 '화성에 생명체가 존재한다.'입니다.

5 ㉠의 '발견하였다'는 '미처 찾아내지 못하였거나 아직 알려지지 아니한 사물이나 현상, 사실 따위를 찾아내다.'라는 의미입니다. 이는 '찾아내었다.'와 바꾸어 쓸 수 있습니다.

오답 피하기 ②의 '발명하였다'는 '아직까지 없던 기술이나 물건을 새로 생각하여 만들어 내었다.', ③의 '적발하였다'는 '숨겨져 있는 일이나 드러나지 아니한 것을 들추어내었다', ⑤의 '발굴하였다'는 '땅속이나 큰 덩치의 흙, 돌 더미 따위에 묻혀 있는 것을 찾아서 파내었다.' 혹은 '세상에 널리 알려지지 않거나 뛰어난 것을 찾아 밝혀내었다.'라는 의미입니다.

1 ⑤　　　**2** ③　　　**3** ⑤

4 ⑤　　　**5** ③

6 밀접, 총체적, 문화

● 독해력을 기르는 어휘

❶ 의지　　　**❷** 총체적　　　**❸** 발전

❹ 과도기　　　**❺** 밀접한　　　**❻** 붕괴

❼ 위계질서　　　**❽** 해체

이 글은 문화를 바라보는 총체적 관점에 대해 설명하고 있습니다. 문화를 이루는 인간 생활의 모든 측면을 서로 관련지어 살펴보아야만 인간 사회의 다양한 문화 현상을 바르게 이해할 수 있다고 총체적 관점의 필요성과 의의를 밝혔습니다.

● **글의 특징**

– 문화를 바라보는 총체적 관점의 개념을 정의하고 있습니다.

– 구체적 사례를 통해 총체적 관점의 의의를 제시하였습니다.

● **글의 구조**

1문단	문화의 일부분에 주목하여 문화 현상을 이해하려는, 19세기 인류학자들의 관점은 비판을 받았음.	일부로 전체를 이해하는 관점에 대한 비판
2문단	사회를 구성하는 거의 모든 부분에 주목하여 문화 현상을 바라보려는 관점을, 문화를 바라보는 총체적 관점이라고 함.	문화를 바라보는 총체적 관점의 의미
3문단	쇠도끼의 유입으로 인해 여요론트 부족 사회는 문화 해체 현상을 겪게 되었음.	문화를 총체적 관점에서 이해해야 하는 이유
4문단	문화가 단계적으로 발전한다는 관점에서는 여요론트 부족의 문화 해체 현상을 제대로 이해하기 어려움.	문화가 단계적으로 발전한다는 관점이 지닌 문제점
5문단	문화를 바라보는 총체적 관점은 인간 사회의 다양한 문화 현상을 이해하는 데 중요한 역할을 했음.	문화를 바라보는 총체적 관점의 역할과 의의

⬇

주제 문화를 바라보는 총체적 관점의 의의

어휘 수준 ★★★★★　　　글감 수준 ★★★★★　　　글의 길이 1,450자

1 이 글은 여요론트 부족과 관련된 구체적인 사례를 바탕으로 문화를 바라보는 '총체적 관점'의 필요성과 의의를 설명하고 있습니다.

2 여요론트 부족이 쇠도끼를 받아들인 이유가 문명사회로 나아가기 위해서인지는 이 글에서 확인할 수 없습니다.

3 A는 19세기 일부 인류학자들로, 그들은 문화의 일부분에 주목하여 전체 문화 현상을 바라보고 이해하려고 하였습니다. 민족이나 인간 집단을 연구할 때 역사와 지리, 자연환경, 가족 제도, 경제 체제 등 다양한 측면을 서로 관련지어 생각하고 판단해야 한다는 것은 B 20세기 인류학자들의 관점입니다.

4 5문단에서는 문화를 바라보는 총체적 관점을 통해 인간이 처한 여러 가지 상황을 바라볼 때 문제가 생기더라도 바람직한 해결 방향을 찾을 수 있다고 하였습니다. 이와 관련하여 〈보기〉의 풍습에 나타나는 '인명이나 재산 피해'라는 문제를 해결하기 위해 전체적인 삶의 모습을 고려해 봐야겠다는 이해는 적절합니다.

오답 피하기 ① 편싸움은 다른 나라와 달리 A국에서만 찾아볼 수 있는 풍습이므로, 농사를 짓는 어느 국가에나 존재할 것이라는 이해는 적절하지 않습니다.

③ Ⓐ는 문화를 바라보는 총체적 관점이므로, A국의 문화를 이해할 때에는 지역, 법률 등에 대해서도 종합적으로 고려해야 합니다.

④ 편싸움은 A국에만 존재하는 것이므로, B국과의 공통점이 아니라 차이점을 찾아봄으로써 확인할 수 있습니다.

5 ㉠의 '맺다'는 '관계나 인연 따위를 이루거나 만들다'의 의미입니다.

1 ⑤	2 ①	3 (2) ○
4 ③	5 ②	6 책쾌, 서점

● 독해력을 기르는 어휘

❶ 숭상	❷ 전유물	❸ 열풍
❹ 암암리	❺ 맞먹는다	❻ 끊이지
❼ 벌어지고	❽ 꿰고	

이 글은 조선 시대에 책의 매매를 중개하는 상인이었던 책쾌에 대해 설명하고 있습니다. 당시에는 정부의 통제로 서점이 널리 생기지 않았는데, 책쾌 덕분에 책이 백성들 사이에 널리 유통될 수 있었습니다.

● 글의 특징

– 자문자답의 형식을 활용하여 내용을 전개하고 있습니다.
– 책쾌와 관련된 역사적 사실을 제시하고, 책쾌가 지닌 문화적·역사적 의의를 밝히고 있습니다.

● 글의 구조

1문단	책쾌는 책을 구해 와 책을 필요로 하는 사람에게 파는 상인임.	→	책쾌의 의미
2문단	조선 시대에는 책을 구할 수 있는 곳이 많지 않았고, 책값도 비쌌음.	→	조선 시대에 귀중품인 책
3문단	책쾌는 문장을 읽을 줄 알아야 했고 신용과 대인 관계도 중요했음.	→	책쾌가 갖추어야 할 자질
4문단	상공업의 발달로 독서 인구층이 넓어졌고, 책쾌의 역할도 커짐.	→	책쾌의 전성기
5문단	조정에서는 정보의 독점과 통제를 위해 많은 사람들이 다양한 책을 읽는 것을 바라지 않음.	→	조선 시대에 서점이 생기지 않은 이유
6문단	금서로 지정된 『명기집략』을 유통한 책쾌들이 처벌당함.	→	책쾌에 대한 조정의 탄압
7문단	책쾌를 통해 지식이 전달되고 문화의 흐름이 활발해졌음.	→	책쾌가 지닌 역사적 의의

⬇

주제 **책쾌의 의미와 역할 및 역사적 의의**

어휘 수준 ★★★★★   글감 수준 ★★★★★   글의 길이 1,714자

1 2문단과 5문단에서 조선 시대에는 책값이 비쌌고, 책은 귀중품으로서 양반의 전유물이었으며, 조정에서는 많은 사람들이 다양한 책을 읽는 것을 바라지 않았다고 하였습니다. 또한 4문단에서 17세기 후반에 상공업이 발달하면서 독서 인구층이 넓어져 여성들 사이에 독서 열풍이 불었고 이들은 주로 한글 소설을 읽었다고 하였습니다. 이를 통해 신분이나 성별에 따라 선호하는 책이 달랐음을 짐작할 수 있지만, 신분에 따라 읽을 수 있는 책의 종류가 정해져 있었다고 짐작할 만한 내용은 제시되어 있지 않습니다.

2 마지막 문단에서 책쾌의 문화적·역사적 의의를 서술하고 있지만, 책쾌라는 직업에 대한 장점과 단점을 나열한 부분은 찾을 수 없습니다.

오답 피하기 ② 1문단에서 '책쾌'라는 용어의 의미를 풀어서 설명하고 있습니다.

③ 영조 때 『명기집략』이라는 금서를 유통시켰던 책쾌가 처벌당했던 역사적인 사례를 제시하고 있습니다.

④ 1문단, 5문단에서 글쓴이 스스로 묻고 대답하는 자문자답의 형식이 활용되었습니다.

⑤ 1문단에서 현재 우리가 책을 구매하는 과정을 제시하여 독자의 경험을 상기하고, 앞으로 나올 내용에 대한 호기심을 유발하며 내용을 전개하고 있습니다.

3 6, 7문단으로 보아, 책쾌는 『명기집략』으로부터 시작된 조정의 탄압에 의해서 사라진 것이 아니라, 근대에 인쇄기의 유입에 따른 정착형 서점이 생기자 점차 역사 속으로 사라진 것으로 볼 수 있습니다.

오답 피하기 (1) 5문단에서 확인할 수 있듯이 당시 조정에서 『삼강행실도』와 같은 책만 읽기를 바란 이유는 유교적 이상향을 실현하기 위해서가 아니라 정보를 독점하고 백성들을 통제하여 권력 유지의 수단으로 이용했기 때문입니다.

4 이 글이나 〈보기〉를 통해서 당시 책쾌가 큰 재산을 모을 수 있었는지는 확인할 수 없습니다.

5 ㉠에는 문맥상 '오래도록'이라는 의미의 사자성어가 들어가야 합니다. 따라서 '오래도록 내려오는 여러 대'를 뜻하는 '대대손손(代代孫孫)'이 적절합니다.

1 ④　　　　　**2** ②　　　　　**3** ④

4 ④　　　　　**5** 행복, 소확행, 마케팅

● 독해력을 기르는 어휘

❶ 주목　　　　**❷** 관점　　　　**❸** 사소

❹ 진열　　　　**❺** 비롯된　　　**❻** 카페

❼ 다르다　　　**❽** 슈퍼마켓　　**❾** 달구었다

❿ 못지않게

이 글은 '행복'에 대한 사람들의 인식이 달라졌음을 '소확행'이라는 말로 설명하고 있습니다. '소확행' 트렌드에 대한 구체적인 사례를 제시하고, '소확행' 소비 트렌드로 인해 기업들의 마케팅 전략도 변화되고 있음을 밝히고 있습니다.

● **글의 특징**

– 질문의 형식을 통해 독자의 흥미를 유발하고 있습니다.

– 구체적인 사례를 통해 '소확행' 트렌드의 소비 양상을 설명하고 있습니다.

● **글의 구조**

가	다양한 매체를 통해 '소확행'이라는 표현이 자주 등장함.	→	'소확행'이라는 표현의 등장
나	'소확행'은 '소소하지만 확실한 행복'의 줄임말로, '행복'에 대한 사람들의 인식이 달라졌음을 단적으로 보여 줌.	→	'소확행'의 개념과 행복에 대한 사람들의 인식 변화
다	작은 원룸이라도 저렴하면서도 예쁘게 꾸미는 데에서 행복을 추구함.	→	'소확행' 트렌드의 사례 ①
라	집 주변에서의 사소한 소비를 통해 행복을 누릴 수 있다고 인식함.	→	'소확행' 트렌드의 사례 ②
마	'소확행' 트렌드로 소비자들의 활동 범위가 집 주변으로 좁아지면서 기업의 마케팅 전략도 변화됨.	→	'소확행' 트렌드에 따른 마케팅 전략의 변화

⬇

주제 '소확행' 트렌드에 따른 행복에 대한 인식 변화와 소비 양상의 변화

어휘 수준 ★★★★★　　글감 수준 ★★★★★　　글의 길이 1,425자

1 다와 라에서는 '소확행' 트렌드의 사례를 각각 소개하고 있습니다. 다에서는 작은 집을 저렴하면서도 예쁘게 꾸미는 데에서, 라에서는 '집 주변'에서의 사소한 소비를 통해 '소확행'을 느끼는 모습을 보여 주고 있습니다.

오답 피하기 ① 가에서 '소확행'이라는 표현이 요즘 다양한 매체를 통해 자주 등장하고 있다고 하였습니다.

⑤ 마에서 '소확행' 트렌드와 함께 집 주변으로 소비자들의 활동 범위가 좁아지면서 기업들의 마케팅 전략도 달라지고 있다고 하였습니다.

2 나에서 '소확행'은 '소소하지만 확실한 행복'의 줄임말로, 행복에 대한 사람들의 인식이 달라졌음을 '소확행'이라는 표현을 통해 알 수 있다고 했습니다. 행복에 대한 관점이 '소확행'으로 변화되었음을 드러내야 하므로 ⓐ에는 '큰 성취에서 매일의 작은 성과로'라는 말이 들어가야 합니다. 라의 마지막 문장의 "가까운 곳에서의 사소한 소비"라는 구절을 통해 소비자들의 활동 범위가 좁아졌음을 짐작할 수 있으므로 ⓑ에는 '좁아지면서'가 들어가야 합니다.

3 나에서 행복에 대한 사람들의 인식과 기준이 미래에서 현재로 바뀌어 간다고 하였습니다. 또 다에서 "오늘날에는 작은 원룸이라도 저렴하면서도 예쁘게 꾸미는 데에서 행복을 느끼는 것"이 '소확행' 트렌트라고 하였습니다. 그러므로 ⓓ와 같이 "언젠가 더 큰 집으로 이사해서 그곳을 내 마음대로 꾸미겠다."라고 하는 것은 '소확행'의 사례로 보기 어렵습니다.

4 나에서 '행복'에 대한 사람들의 인식과 기준이 "특별한 것에서 평범한 것으로" 바뀌어 간다고 하였습니다. 또한 '소확행'은 크게 무언가를 이루어 내지 않아도 누릴 수 있는, "작지만 확실한 자신만의 행복"을 뜻하는 것이므로, 일부 특정한 사람들만이 행복을 누릴 수 있다고 생각한 ④의 반응은 적절하지 않습니다.

1 ⑤   **2** (2) ○   **3** ③
4 ④   **5** ④   **6** 케이팝, 경제적

● 독해력을 기르는 어휘
1 편향   **2** 교류   **3** 경계
4 주목   **5** 비결   **6** 저력

한류의 개념과 변천 과정, 그로 인한 효과 및 나아가야 할 방향을 제시한 글입니다. 드라마에서 시작하여 케이팝으로 이어진 한류 문화 콘텐츠는 광범위한 영역에 대해 경제적 효과를 낳고 있는데, 반(反)한류 정서로 흐르지 않도록 바람직한 방향으로 유지해 나가려는 노력이 필요함을 이야기하고 있습니다.

● **글의 특징**
– 드라마에서 케이팝에 이르는 한류의 변천 과정을 제시하고 있습니다.
– 한류의 경제적 파급 효과에 대해 구체적인 설문 조사 결과를 근거로 들어 설득력을 높이고 있습니다.

● **글의 구조**

가	한류는 드라마를 시작으로 케이팝에 이르고 있음.	→	한류의 개념과 변천 과정
나	디지털 공간의 특성을 살려 붐을 일으킨 케이팝의 인기는 앞으로도 식지 않을 것임.	→	케이팝의 인기 비결과 전망
다	한류 문화 콘텐츠는 관광과 유통을 넘어 제조업에 이르기까지 실질적인 도움을 줌.	→	한류 문화 콘텐츠의 경제적 효과
라	한류의 경제적인 측면만 강조하거나 편향적 태도를 보이면 반(反)한류로 이어질 수 있음.	→	반(反)한류에 대한 우려
마	우리 문화의 고유성과 장점을 파악하여 지속 가능한 발전을 이루도록 노력해야 함.	→	한류의 바람직한 방향

⬇

주제 전 세계적인 한류의 유행과 바람직한 발전 방향

어휘 수준 ★★★★★   글감 수준 ★★★★★   글의 길이 1,364자

1 가의 첫 번째 문장에서 한류의 개념을 설명하였고, 두 번째 문장에서 한류는 드라마에서 시작해 현재는 케이팝이 이끌고 있다고 하였습니다. 그리고 다에는 한류의 경제적 효과가 크다는 내용이 언급되어 있고, 마에는 한류가 지속 가능한 발전을 이룰 수 있도록 올바른 방향으로 힘써야 한다는 내용이 제시되어 있습니다.

2 〈보기〉의 첫 번째 문장에서 '문화가 국가 정체성과 관련된 것이어서, 한류의 유행이 누군가에게는 타국의 문화에 침투당했다는 피해 의식을 일으킬 수 있다.'라고 하였으므로, 반(反)한류 정서는 한류의 유행에 거부감을 느끼고 한류로부터 국가 정체성을 지키고자 하는 사람들이 갖는 인식이라고 볼 수 있습니다.
⑤ '어려움이나 고비 따위를 겪어 지나다.'의 의미입니다.

3 ⓐ는 다의 마지막에 놓인 문장이므로, 문단 전체의 핵심 내용을 반영하면서 앞 문장과의 흐름이 자연스럽게 연결되어야 합니다. 다는 한류 문화 콘텐츠가 관광·유통 산업을 넘어 제조업 분야에까지 미치는 경제적 효과가 매우 크다는 것을 핵심 내용으로 하고 있고, ⓐ의 바로 앞 문장에서 한류로 인한 제품 이미지 상승과 매출 상승 효과에 대해 언급하고 있습니다. 따라서 ⓐ에 들어갈 내용으로는 ③이 가장 적절합니다.

4 〈보기〉에서 '유럽에서 열린 한류 스타의 케이팝 공연에 열광하는 현지 팬들의 반응에 대한 뜨거운 관심과 고마움'을 언급한 것과 '동남아시아에 불고 있는 한류의 인기를 대수롭지 않게 여기거나 무시하는 이중적인 태도'를 언급한 것은 라의 마지막 문장에서 언급한 편향적 태도와 이어지는 내용입니다. 따라서 〈보기〉는 라의 뒤에 들어가는 것이 가장 적절합니다.

5 ㉠은 '일정한 기준이나 한계 따위를 벗어나 지나다.'의 의미를 지니는 것으로, 이와 같은 의미로 쓰인 것은 ④입니다.
오답 피하기 ①은 '일정한 시간, 시기, 범위 따위에서 벗어나 지나다.'의 의미로, ②는 '높은 부분의 위를 지나가다.'의 의미로, ③은 '일정한 곳에 가득 차고 나머지가 밖으로 나오다.'의 의미로, ⑤는 '어려움이나 고비 따위를 겪어 지나다.'의 의미로 쓰였습니다.

1 ⑤	2 ⑤	3 (2) ○
4 ③	5 ①	

6 정치적, 블랙리스트, 예술

● 독해력을 기르는 어휘
❶ 채광   ❷ 청산   ❸ 망명
❹ 만개   ❺ 몰수   ❻ 붙여
❼ 짓밟고   ❽ 거둔

나치가 주도한 '퇴폐 미술전'의 목적과 당시 독일의 사회적·정치적 배경에 대해 설명한 글입니다. 글쓴이는 블랙리스트 예술가들의 행보를 밝히며 그들을 높이 평가하였습니다.

● **글의 특징**
– '퇴폐 미술전'이 열린 목적과 시대적 배경이 제시되었습니다.
– 블랙리스트 예술가들이 미국 미술에 미친 영향을 밝혔습니다.

● **글의 구조**

1문단	'퇴폐 미술전'은 히틀러의 명령 아래 행해진 전시회로 흥행을 거둠.	→	나치에 의한 '퇴폐미술전'
2문단	히틀러는 독일의 아방가르드 예술품을 몰수하고, 예술을 정치적 선전 도구로 이용함.	→	예술을 정치적 선전 도구로 이용한 히틀러
3문단	'퇴폐 미술전'은 나치 사상을 주입하는 도구가 되었고, 전시회 이후 블랙리스트 예술가들은 감시당함.	→	'퇴폐 미술전'이 열린 목적과 나치의 탄압
4문단	전시 이후 나치의 탄압을 피해 블랙리스트 예술가들은 망명함.	→	블랙리스트 예술가들의 망명
5문단	나치는 표현주의 예술가들의 길들여지지 않는 시선과 표현을 두려워했음.	→	나치가 표현주의 예술가들을 탄압한 이유
6문단	나치의 탄압에도 독일 예술가들은 예술을 향한 열정을 저버리지 않음.	→	블랙리스트 예술가들의 열정과 의지

↓

[주제] 예술에 대한 억압과 예술가들의 열정과 의지

어휘 수준 ★★★★★   글감 수준 ★★★★★   글의 길이 1,518자

---

1 4문단에서 블랙리스트 예술가들은 '퇴폐 미술전'이 끝난 후에 나치의 탄압을 피해 조국인 독일을 떠나 유럽과 미국으로 망명했다고 하였습니다.

[오답 피하기] ② 2문단에서 히틀러가 독일 아방가르드 예술가들의 작품들을 완전히 없애 버렸다고 하였습니다.

2 3문단에서 전쟁 이후 독일 사회와 국민들이 처한 상황을 밝히며 나치가 '퇴폐 미술전'을 연 목적과 예술가들을 억압한 배경을 설명하였습니다. 4문단에서 그로 인해 수많은 독일 예술가들이 유럽과 미국으로 망명을 떠났다고 하였습니다.

[오답 피하기] ② '퇴폐 미술전'이 끝난 이후에 블랙리스트 예술가들은 나치의 탄압을 피해 유럽과 미국으로 망명했다고 4문단에 언급되어 있지만 그러한 상황에 대한 다양한 관점은 드러나 있지 않습니다.

3 히틀러는 순수한 독일 정신에 어긋난다는 이유로 예술 작품을 몰수하고, 나치는 길들여지지 않은 화가의 눈으로 세상을 바라본 그림을 처단하였습니다. 이를 통해 나치는 자신들의 독일 정신에 어긋나거나 다른 생각을 지니고 삶을 살아가는 사람들을 수용하지 않았음을 짐작할 수 있습니다.

4 문제에서 바실리 칸딘스키는 나치를 피해 독일에서 미국으로 망명했다고 밝혔습니다. 따라서 칸딘스키는 나치가 감시하고 탄압한 블랙리스트 예술가로 볼 수 있습니다. 예술을 정치적 선전 도구로 이용한 사람은 블랙리스트 예술가들이 아니라 나치이므로 정치적 목적이 담겨 있다고 한 ③의 반응은 적절하지 않습니다.

5 ㉠ '유토피아'는 '인간이 생각할 수 있는 최선의 상태를 갖춘 완전한 사회'라는 의미이고, ㉡ '디스토피아'는 '현대 사회의 부정적인 측면이 극단화한 암울한 미래상'이라는 의미이므로 ㉠과 ㉡은 서로 뜻이 반대되는 관계입니다. ①의 '남자'와 '여자'도 반의 관계에 해당합니다.

[오답 피하기] ④의 '상어'는 '물고기'의 한 종류이므로 '물고기'에 '상어'가 포함되는 관계라고 할 수 있습니다.

1 ④	2 ②	3 (다), (라)
4 ④	5 (2) ○	6 열린, 조화, 놀이

● 독해력을 기르는 어휘
❶ 대화 ❷ 인상적 ❸ 둘레
❹ 갈증 ❺ 돋우는 ❻ 유래
❼ 개성

이 글은 '오광대놀이'라는 명칭의 유래, 고성 오광대놀이의 특징과 문화유산으로서의 가치를 설명하고 있습니다. 고성 오광대놀이는 무대를 따로 마련하지 않아 연희자, 악공, 관객이 함께 즐길 수 있고, 모든 춤사위들이 활기차고 조화를 이루는 춤 위주의 탈놀이라고 특징을 제시하였습니다.

● **글의 특징**
– '오광대놀이'라는 명칭의 유래를 설명하였습니다.
– 고성 오광대놀이는 특별한 무대 없이 열린 공간에서 공연한다는 점을 서양 연극과 대조하여 설명하였습니다.

● **글의 구조**

1문단	'오광대놀이'는 다섯 광대가 연희하는 놀이, 또는 다섯 과장으로 구성된 놀이라는 뜻에서 유래함	→	'오광대놀이'의 유래와 구성
2문단	고성 오광대놀이는 특별한 무대 없이 열린 공간에서 연희자, 악공, 관객이 함께 즐김.	→	특징 ① – 열린 공간
3문단	고성 오광대놀이는 예능적인 요소를 갖추고, 대사보다 춤 위주의 탈놀이임.	→	특징 ② – 예능적인 요소
4문단	고성 오광대놀이는 관객과 연희자가 춤사위로 함께 어우러질 수 있음.	→	특징 ③ – 조화로운 춤사위
5문단	고성 오광대놀이는 우리나라를 대표하는 문화유산으로서 사람들의 사랑을 받을 것임.	→	고성 오광대놀이의 가치

⬇

주제 '오광대놀이'의 유래와 고성 오광대놀이의 특징과 가치

어휘 수준 ★★★★★   글감 수준 ★★★★★   글의 길이 1,300자

1 1문단 첫 번째 문장에서 "고성 오광대놀이는 19세기 말 경부터 연희되기 시작하여 현재까지 전해지고 있는 탈놀이"라고 하였으며, 5문단 두 번째 문장에서 고성 오광대놀이는 고성 지역을 중심으로 지금까지도 꾸준히 연희되고 있다고 했으므로, 고성 오광대놀이가 지금은 이름만 전해진다고 한 설명은 적절하지 않습니다.

2 [A]의 핵심 내용은 고성 오광대놀이가 관객과 연희자가 함께 춤을 추면서 하나가 되는 탈놀이라는 점, 그리고 이러한 춤사위가 민중들의 놀이 욕망을 충족시켜 주었다는 점입니다. 이러한 내용을 모두 포함하는 것을 기사문의 제목(표제)과 덧붙이는 말(부제)로 정해야 하므로 ②가 가장 적절합니다.

3 2문단에서 "야외의 열린 공간에서 함께 즐겼다"고 했으므로 (다)의 설명이 적절합니다. 2문단에서 놀이마당에서 연희자가 탈놀이를 하고 무대 한편에 악공들이 앉아서 장단을 맞추었으며, 관객들은 그 둘레에 앉거나 서서 구경하였다고 했으므로 (라)의 설명도 적절합니다.
오답 피하기 (가) 2문단에서 고성 오광대놀이는 특별한 무대를 따로 마련하지 않는다고 했으므로 적절하지 않습니다. (나) 고성 오광대놀이는 야외의 열린 공간에서 연희자, 악공, 관객이 함께 즐겼다는 점에서 연희 무대가 연희자들에게만 허용되는 공간이라는 설명은 적절하지 않습니다.

4 ㉠의 '주고받다'는 반의 관계에 있는 '주다'와 '받다'가 결합하여 '주고받다'라는 낱말이 만들어진 것입니다. ④의 '사고팔다' 역시 반의 관계인 '사다'와 '팔다'가 결합되었다는 점에서 ㉠과 유사한 결합 방식입니다.

5 〈보기〉의 제2과장 오광대놀이의 시작과 끝에 등장인물 일동이 함께 춤을 추는 장면이 나오고, 끝부분에는 양반들이 '비비'에게 위협을 받으며 퇴장하는 장면이 나옵니다. 이후에 제3과장인 '비비 과장'이 이어진다는 점에서 제2과장의 시작과 끝에서 등장인물 일동이 함께 추는 춤은 과장과 과장을 나누어 주는 구실을 하면서 주제가 다른 각 과장을 연결하는 구실을 겸한다고 할 수 있습니다.
오답 피하기 (2) 양반과 말뚝이의 대화에서 말뚝이가 양반을 말로 조롱하기도 하지만 양반의 눈치를 살피고 있다는 점에서 평등한 사회 분위기가 되었다고 볼 수는 없습니다.

1 ②   **2** (1) ○   **3** ⑤

4 ③   **5** 음악, 냉전 시대, 웅장

● 독해력을 기르는 어휘

❶ 고조   ❷ 명목   ❸ 실상

❹ 손꼽을   ❺ 인지   ❻ 가라앉은

❼ 벌였다   ❽ 꿋꿋하게

이 글은 영화 〈붉은 10월〉을 예로 들어 영화에서 음악이 하는 역할에 대해 설명하고 있습니다. 〈붉은 10월〉의 시대적 배경과 줄거리를 간략히 소개하고, 영화의 메인 테마곡인 '들판'이 영화의 강한 성격을 드러내는 역할을 한다고 설명하며 영화를 감상할 때 영화 음악에도 귀를 기울여 보기를 권하고 있습니다.

● **글의 특징**

– 〈붉은 10월〉이라는 영화를 예로 들어 영화에서 음악이 하는 역할을 설명하고 있습니다.

– 〈붉은 10월〉이라는 영화의 시대적 배경과 줄거리를 요약하여 제시하고 있습니다.

● **글의 구조**

가	영화에 삽입된 음악은 영화의 분위기를 고조시키는 역할을 함.	→	영화 속 음악의 역할
나	영화 〈붉은 10월〉은 냉전 시대를 다시 떠올리게 한다는 점에서 의미가 있음.	→	영화 〈붉은 10월〉에 대한 소개
다	소련의 핵잠수함인 '붉은 10월'의 미국 망명 시도와 그에 따른 미국과 소련의 대립을 그림.	→	영화 〈붉은 10월〉의 줄거리 소개
라	〈붉은 10월〉에 삽입된 음악 중 붉은군대 합창단의 '들판'은 영화의 강한 느낌을 잘 살려 줌.	→	삽입 음악 소개 및 '들판'의 역할
마	영화 음악 소리에도 귀를 기울이면 영화를 더 깊이 있고 재미있게 즐길 수 있음.	→	영화 음악 소리에 대한 경청 제안

⬇

주제 영화 속 음악의 역할과 영화 음악에 대한 경청 제안

어휘 수준 ★★★★★ · 글감 수준 ★★★★★   글의 길이 1,450자

1 는 영화 〈붉은 10월〉의 시대적 배경과 제작 상황 등 영화의 전반적인 정보를 소개하고 있습니다. 그렇기 때문에 소련 잠수함 사건이 진행되어 온 경과가 중심 화제라고 보기는 어렵습니다.

2 의 첫 문장에 제시되어 있듯이 영화 〈붉은 10월〉은 미국과 소련의 냉전 시대를 배경으로 하고 있습니다. 또한 영화 시작 전에는 소련 잠수함 사건과 관련된 문구가 제시되었다고 했습니다. 나의 마지막 문장에서는 이 영화가 실제 사건에 바탕을 두었는지 아닌지는 정확하게 알 수 없지만 이 작품은 의미가 있다고 했습니다. 이런 점들을 고려했을 때, Ⓐ에는 (1)과 같이 특정한 역사적 시대를 되돌아보게 한다는 내용이 들어가야 적절합니다.

오답 피하기 (2) 나에서 소련 잠수함 사건이 실제 일어난 사건인지 아닌지 정확하게 알 수 없다고 하였습니다.

(3) 나에서 다로 이어지는 흐름을 고려했을 때, 아직 〈붉은 10월〉에 삽입된 '음악'과 관련된 내용이 제시되지 않았으므로 영화 속 배경 음악의 역할에 대한 내용이 들어가는 것은 적절하지 않습니다.

3 영화 〈붉은 10월〉의 메인 테마곡은 붉은군대 합창단의 '들판'입니다. 우리나라에 테트리스 배경음악으로 잘 알려진 곡은 붉은군대 합창단의 '칼린카'라는 곡입니다.

4 글쓴이는 가에서 영화를 감상하면서 자신도 모르는 사이에 많은 음악들을 접하게 되는데 우리가 인지하지 못할 뿐 영화에는 생각보다 많은 음악들이 삽입되어 있다고 했습니다.(나) 또한 마에서 영화를 감상할 때 스토리 뒤편에서 흘러나오는 음악 소리에도 귀를 기울여 보면 영화를 한층 더 깊이 있고 재미있게 즐길 수 있다고 했습니다.(다)

오답 피하기 ㉠ 글쓴이는 영화 음악 중 핵심이 되는 것만 감상하라고 제안하고 있지는 않습니다.

㉣ 글쓴이는 영화 음악 소리에도 귀를 기울여 보라고 제안하고 있으므로, 영화를 볼 때 잘 들리지 않았던 음악들은 유의미하게 생각하지 않아도 된다는 반응은 적절하지 않습니다.

1 ⑤   **2** ③   **3** ④

4 ②   **5** ⑤

6 리얼리즘, 하이퍼리얼리즘, 현실성

● 독해력을 기르는 어휘

❶ 포착   ❷ 경향   ❸ 과잉

❹ 질감   ❺ 재현   ❻ 찰흙

❼ 매체   ❽ 매몰

이 글은 대상을 실제 존재하는 것처럼 정확히 재현하는 예술 양식인 하이퍼리얼리즘에 대해 설명하고 있습니다. 핸슨의 작품을 예로 들어 사람의 형태와 크기를 실제와 똑같이 나타내고, 실제 사물을 그대로 사용하여 사실성을 높인, 하이퍼리얼리즘의 표현 기법을 설명하고 있습니다.

● **글의 특징**

– 실제 작품을 예로 들어 주요 기법에 대해 설명하였습니다.

– '하이퍼리얼리즘'과 '팝 아트'를 비교·대조하였습니다.

● **글의 구조**

1문단	현실에 있는 대상을 실제로 존재하는 것처럼 재현하는 예술 양식을 '하이퍼리얼리즘'이라고 함.	→ '하이퍼리얼리즘'의 정의
2문단	자본주의 사회의 일상을 담았다는 공통점이 있지만, 팝 아트는 대중과의 소통에 중점을 둔 반면 하이퍼리얼리즘은 대상의 정확한 재현을 추구함.	→ '하이퍼리얼리즘'과 '팝 아트'의 공통점과 차이점
3문단	핸슨의 〈쇼핑 카트를 밀고 가는 여자〉는 물질적 풍요 속에 지나치게 소비하는 성향을 보여 줌.	→ 〈쇼핑 카트를 밀고 가는 여자〉의 작품 속 의미
4문단	〈쇼핑 카트를 밀고 가는 여자〉에 사용된 하이퍼리얼리즘의 표현 기법을 설명함.	→ 〈쇼핑 카트를 밀고 가는 여자〉에 쓰인 기법
5문단	리얼리즘 미술은 포착한 현실을 효과적으로 전달하는 것이 목적임.	→ 리얼리즘 미술의 목적

주제 하이퍼리얼리즘의 특징과 표현 기법

어휘 수준 ★★★★★   글감 수준 ★★★★★   글의 길이 1,528자

1 이 글에서 사진이나 그림, 도표 등과 같은 시각 자료는 사용하지 않았습니다.

오답 피하기 ④ 2문단에서 주요 개념인 '하이퍼리얼리즘'과 '팝 아트'를 비교하며 설명하였습니다.

2 2문단에서 "팝 아트는 주로 대상의 현실성을 추구하지만, 하이퍼리얼리즘은 대상의 현실성뿐만 아니라 표현의 사실성도 추구한다."라고 하였습니다. 즉 ㉠ 하이퍼리얼리즘은 대상의 현실성과 표현의 사실성을 추구하고, ㉡ 팝 아트는 대상의 현실성을 추구한다고 볼 수 있습니다.

3 〈쇼핑 카트를 밀고 가는 여자〉는 물질적 풍요로움 속에서 지나치게 소비하는, '과잉 소비' 성향을 보여 주는 작품이라고 하였습니다. 타인에게 자랑하기 위한 '과시 소비' 경향을 보여 준다는 내용은 이 글에서 확인할 수 없습니다.

4 ⓑ의 '들다'는 '어떤 범위나 기준, 또는 일정한 기간 안에 속하거나 포함되다.'의 의미이고, ②의 '들다'는 '어떤 일에 돈, 시간, 노력, 물자 따위가 쓰이다.'의 의미로 문맥적 의미가 다르게 쓰였습니다.

5 〈보기〉에서 론 뮤익은 '점토로 모델의 이미지를 구체화하고 그 위에 실리콘을 입힌 후 섬유 코팅으로 마무리하는 새로운 기법을 발견하여 이를 작품 제작에 반영하였다.'라고 하였습니다. 따라서 론 뮤익은 이미 새로운 기법을 찾아 작품 제작에 반영했으므로, 기존에 흔히 쓰이는 기법 대신 새로운 기법을 찾으라는 말은 적절하지 않습니다.

오답 피하기 ④ 〈보기〉에서 〈침대에서〉를 본 관람객들이 작품의 거대한 크기에 놀랐다고 하였습니다. 핸슨이 추구한 하이퍼리얼리즘은 대상의 현실성과 표현의 사실성을 추구합니다. 따라서 핸슨은 론 뮤익에게 실제보다 크게 표현한 작품은 표현의 사실성이 떨어져 실제로 존재하는 것처럼 보이지 않는다는 말을 할 수 있습니다.

1 ③　　　2 ⑤　　　3 (1) ○

4 ⑤　　　5 ②

6 재활용, 페트병, 쓰레기

● 독해력을 기르는 어휘

❶ 재활용　　❷ 분해　　❸ 추산

❹ 매립　　　❺ 수거　　❻ 서서히

❼ 추정　　　❽ 분석

이 글은 버려진 페트병들이 해양 동물들의 생명을 위협하는 상황을 구체적인 사례와 연구 결과를 통해 설명하였습니다. 또한 페트병이 쓰레기가 되지 않도록 하는 여러 방법을 활용하여 인류 전체가 페트병 쓰레기 문제를 해결하기 위해 노력할 것을 당부하고 있습니다.

● **글의 특징**

– 생산량과 재활용률 등 객관적인 통계 자료를 제시하였습니다.

– 재활용되지 않고 버려진 페트병이 바다로 유입되어 해양 생태계를 파괴하는 과정이 드러나 있습니다.

● **글의 구조**

1문단	엄청나게 생산된 페트병에 비해 재활용된 페트병의 비율은 저조함.	→	거의 재활용되지 않는 페트병
2문단	페트병은 재활용이 어려운 디자인이나 재질로 제작되어 있어 분리수거를 해도 일부만 재활용됨.	→	페트병이 재활용되기 힘든 이유와 폐해
3~5문단	전 세계에서 해양 동물들이 플라스틱을 먹고 죽어 가고 있으며 인간들도 수산물을 통해 많은 양의 미세 플라스틱을 먹고 있음.	→	미세 플라스틱의 폐해 및 미래에 대한 우려
6문단	페트병이 쓰레기가 되지 않게 하는 여러 방법이 있으며, 인류 전체가 페트병 쓰레기 문제를 해결하기 위해 노력해야 함.	→	페트병 쓰레기 문제를 해결하기 위한 노력의 필요성

주제 페트병 쓰레기로 인한 환경 오염과 페트병을 재활용하는 방법

어휘 수준 ★★★★★　　글감 수준 ★★★★★　　글의 길이 1,715자

1 3문단을 보면, 페트병이 쓰레기장에 매립된 경우는 "페트병이 완전히 분해되는 데에 약 450년이 걸리기는 하지만 어쨌든 분해는 된다."라고 제시되어 있습니다. 반면 4문단에서는 바다로 유입된 페트병은 더 작은 조각으로 쪼개지기는 하지만, 결코 사라지지 않는다고 하였습니다.

2 글쓴이는 객관적이고 구체적인 자료와 연구 결과를 통해 미세 플라스틱이 앞으로도 지속적으로 환경을 파괴할 것이고 인간을 포함한 동물들에게 피해를 입힐 것에 대한 우려와 전망을 드러내고 있습니다.

3 2문단에서 많은 페트병이 재활용되기 어려운 디자인이나 재질로 제작되어 아무리 열심히 분리수거를 해도 일부만 재활용된다고 하였습니다. 따라서 분리수거를 잘한다고 쓰레기 문제가 해결되는 것은 아닙니다.

오답 피하기 (2) 해양 쓰레기를 분석한 결과 플라스틱이 61%가 넘는다는 것은 해양 쓰레기 중에 플라스틱 쓰레기가 차지하는 양이 많다는 의미입니다. 하지만 플라스틱 쓰레기 문제만 해결된다고 해서 우리나라의 해양이 깨끗해질 수는 없습니다. 나머지 39%의 쓰레기가 남아 있기 때문입니다.

4 ⓒ은 사용한 페트병의 페트 성분으로 새 페트병을 만들어 재활용하는 것입니다. 그러나 ⓔ는 버려진 페트병을 사용하여 새로운 가치를 가진 다른 제품인 국가 대표의 유니폼을 만들었으므로 ⓒ이 아니라 ⓓ에 해당하는 예입니다.

오답 피하기 ④ 〈보기〉의 d는 생수가 담겨 있던 페트병을 매실 진액을 담아 먹는 용도로 재사용한 것이므로 ㉠에 해당합니다.

5 ⓐ~ⓒ 앞뒤의 문맥적 의미를 파악하면 정답을 파악할 수 있습니다. ⓐ에는 '짐작으로 미루어 셈함. 또는 그런 셈.'을 의미하는 '추산'이, ⓑ에는 '거두어 감.'을 의미하는 '수거'가, ⓒ에는 '우묵한 땅이나 하천, 바다 등을 돌이나 흙 따위로 채움.'을 의미하는 '매립'이 들어가야 합니다.

1 ② 2 ⑤ 3 (1) ○
4 (나) 5 (3) ○
6 천적, 안전, 친환경적

● 독해력을 기르는 어휘
❶ 천적 ❷ 살포 ❸ 오랫동안
❹ 골칫거리 ❺ 끄떡없다 ❻ 생태계
❼ 안전

이 글은 천적 관계를 이용하여 친환경적으로 농사짓는 방법을 설명하고 있습니다. 천적을 이용한 농사법은 그 대상 범위가 좁고 제조·보관·유통 방법이 기존 농약에 비해 복잡하다는 단점이 있지만, 자연적이고 친환경적인 방식입니다.

● **글의 특징**
– 천적 관계를 이용한 농사법의 원리에 대해 구체적인 예를 들어 설명하고 있습니다.
– 천적을 이용한 농사법의 장점과 단점에 대해 각각 언급하면서 앞으로의 전망을 제시하고 있습니다.

● **글의 구조**

1문단	농약의 사용으로 메뚜기뿐만 아니라 미꾸라지, 개구리 등도 사라짐.	→	농약 사용의 폐해
2문단	화학 농약의 독성이 농산물과 환경에 잔류하여 안전성이 우려됨.	→	화학 농약의 문제점
3문단	천적을 이용하면 화학 농약을 사용하지 않아도 됨.	→	천적을 이용한 농사법
4문단	감귤 보관 시 감귤에 생기는 곰팡이를 없애 줄 천적 균을 이용함.	→	천적을 이용한 농사법의 사례
5문단	천적을 이용한 농사법은 안전하게 오랫동안 사용할 수 있음.	→	천적을 이용한 농사법의 장점
6문단	천적을 이용한 농사법은 그 대상 범위가 좁고 제조·보관·유통 방법이 복잡함.	→	천적을 이용한 농사법의 단점과 전망

주제 천적을 이용한 친환경 농사법의 장단점과 필요성

어휘 수준 ★★★☆☆   글감 수준 ★★★★☆   글의 길이 1,310자

1 3문단에서 "천적이 없는 종은 무한 번식을 하기 때문에 생태계가 균형을 잃게 된다."라고 하였으므로, 천적을 이용하면 생태계가 균형을 잃게 된다는 설명은 적절하지 않습니다.
오답 피하기 ③ 1문단에서 우리나라는 경제협력개발기구(OECD) 국가 중에서 농약을 많이 쓰는 나라에 속한다고 하였습니다.
④, ⑤ 1문단에서 농약의 사용으로 과거 논농사를 짓는 농가의 골칫거리였던 메뚜기가 많이 줄어들었지만, 그와 함께 미꾸라지, 개구리 등도 찾아볼 수 없게 되었다고 하였습니다.

2 5문단에서 "천적을 이용하는 친환경 농사법의 가장 큰 장점은 다른 생물체에 전혀 해를 끼치지 않는다는 점이다."라고 하였습니다. 이를 통해 천적을 이용한 농사법을 안전하게 오랫동안 사용할 수 있는 이유를 알 수 있습니다.
오답 피하기 ① 6문단에서 천적을 이용하는 농사법은 살아 있는 생명체를 활용하는 방식이기 때문에 제조·보관·유통 방법이 기존 농약에 비해 복잡하다고 하였습니다.
③ 6문단에서 한 번 뿌리면 농작물을 제외한 모든 곤충이나 균들이 죽는 것은 기존의 화학 농약을 사용한 방식이라고 하였습니다.

3 화학 농약의 강한 독성이 농작물이나 환경에 잔류하는데, 농약을 너무 다량으로 살포하거나 그 농작물을 지속적으로 남용하면 문제가 발생하게 된다고 했으므로 사람들이 화학 농약의 안전성에 대한 우려를 하게 될 것입니다.

4 ㉠ '감귤을 창고에 보관할 때' 천적을 이용한 친환경 농사법을 적용한다면 없애야 할 대상은 감귤에 달라붙은 시커먼 곰팡이이므로, 이 시커먼 곰팡이의 천적은 곰팡이를 분해시키는 세균이라고 할 수 있습니다.
오답 피하기 ㈃ 감귤에 생긴 곰팡이를 제거하기 위해 농약을 꾸준히 뿌리는 것은 친환경 농사법에 해당된다고 볼 수 없습니다.

5 ⓐ '농산물'은 '농업에 의하여 생산된 물자(곡식, 채소, 달걀, 특용 작물, 화훼 따위)'를 뜻하므로 ⓑ '감귤'이 ⓐ '농작물'에 포함되는 관계라고 할 수 있습니다.

1 ①　　　**2** ④　　　**3** ⑤

4 ⑤　　　**5** ④

6 적란운, 비, 집중 호우

● 독해력을 기르는 어휘

❶ 발달　　　❷ 발생　　　❸ 형성

❹ 유입　　　❺ 충분　　　❻ 고도

❼ 쏟아부을　　❽ 생성　　　❾ 겹쳐졌다

이 글은 집중 호우가 발생하는 원리를 설명하고 있습니다. 앞부분에서 '집중 호우'의 의미를 정의한 후, 적란운에 의해 소나기와 집중 호우가 내린다고 하면서 적란운이 형성되는 과정을 서술하고, 적란운의 의미를 설명하고 있습니다. 그런 다음 두 개 이상의 적란운이 겹쳐지면서 특정한 지역에 많은 양의 비가 집중적으로 쏟아지게 되는, 집중 호우의 원리를 제시하고 있습니다.

● **글의 특징**

– 의문문을 사용하여 독자의 관심을 유도하고 있습니다.

– 특정 현상의 발생 원리를 단계적으로 설명하고 있습니다.

● **글의 구조**

1문단	'집중 호우'의 의미를 설명하고 짧은 시간 내에 많은 비가 내릴 수 있는가에 대한 의문을 제기함.	→ 집중 호우의 의미와 집중 호우에 대한 의문
2문단	따뜻하고 습한 공기가 상승하는 과정에서 생성된 구름들이 쌓여 형성된 적란운에 의해 소나기와 집중 호우가 내림.	→ 적란운의 형성 과정과 적란운의 의미
3문단	새로운 적란운과 기존의 적란운이 떨어져 있어 각각의 적란운 바로 아래 지역에 소나기가 내림.	→ 적란운에 의한 소나기 현상
4문단	적란운이 겹쳐질 때 특정 지역에 많은 양의 비가 집중적으로 쏟아지는 집중 호우 현상이 발생함.	→ 적란운에 의한 집중 호우 현상

⬇

주제 집중 호우가 발생하는 원리

어휘 수준 ★★★★★　　　글감 수준 ★★★★★　　　글의 길이 1,550자

1 2문단에서 '적란운'의 형성 원리를 설명하고 있습니다(ㄱ). 1문단과 4문단에서 의문문을 사용하여 독자의 관심을 유도하고 있습니다(ㄴ). 1문단에서 '집중 호우'의 의미를, 2문단에서 '적란운'의 의미를 설명하고 있습니다(ㄹ).

2 2문단과 4문단으로 보아, 두터운 구름층을 형성할 수 있는 것은 습도와 온도가 높은 공기입니다. 습도가 높다는 것은 수증기를 많이 가지고 있다는 것을 의미하므로, 수증기의 양이 적을수록 두터운 구름층을 형성할 수 있다는 내용은 이 글과 일치하지 않습니다.

3 2문단에서 적란운의 형성에 영향을 미치는 요소들을 확인할 수 있습니다. 상승하는 공기가 충분한 수분을 포함하고 있다면 공기 중의 수증기가 차가워져 작은 물방울이나 얼음 알갱이가 되면서 구름이 형성되고 이 과정에서 열을 외부로 내놓습니다. 이렇게 따뜻하고 습한 공기가 상승하는 과정에서 생성된 구름들이 쌓여 두터운 구름층이 형성된 것이 적란운입니다. ⑤는 관련이 없습니다.

4 4문단으로 보아, 매우 따뜻하고 습한 공기(ⓒ)가 차가워진 공기를 만나게 되면 기존의 적란운(ⓐ) 바로 가까이에 새로운 적란운(ⓑ)이 형성됩니다. 그러나 그로 인해 적란운(ⓐ)의 고도가 높아진다는 내용은 제시되지 않았습니다.

 ①, ②, ③ 4문단을 보면, 적란운(ⓐ)의 바닥과 지표 사이의 공간이 좁기 때문에 이 공간에 있는 공기의 양이 적어 비가 내려 차가워진 공기가 멀리 퍼지지 못하고, 이런 상황에서 매우 따뜻하고 습한 공기가 유입되면 공기가 상승하면서 기존의 적란운(ⓐ) 바로 가까이에 새로운 적란운(ⓑ)을 형성하게 되며, 이 과정이 반복되면서 기존의 적란운과 동일한 장소에 여러 개의 적란운들이 겹치기 때문에 집중 호우가 내린다고 했습니다.

④ 4문단을 보면, 집중 호우를 발생시키는 적란운을 형성하는 공기(ⓒ)는 일반적인 적란운을 형성하는 공기보다 온도와 습도가 높습니다.

5 ㉠과 ④의 '퍼지다'는 '어떤 물질이나 현상 따위가 넓은 범위에 미치다'의 의미로 쓰였습니다.

 ①은 '수효가 많이 붇거나 늘다.', ②는 '지치거나 힘이 없어 몸이 늘어지다.', ③는 '끓거나 삶은 것이 붇어서 커지거나 잘 익다.', ⑤는 '끝 쪽으로 가면서 점점 굵거나 넓적하게 벌어지다.'의 의미로 쓰였습니다.

1 ④   2 ②   3 ©
4 ⑤   5 열대성 저기압, 균형

● 독해력을 기르는 어휘
❶ 순환   ❷ 소멸   ❸ 차단
❹ 번성   ❺ 복구   ❻ 소용돌이

태풍의 개념, 발생 과정, 특징, 영향 등을 설명하고 있는 글입니다. 글쓴이는 태풍 '카트리나'를 예로 들어 태풍이 갖는 위험성에 대해 경고하기도 하고, 태풍이 태양 에너지를 지구 전체로 확산시켜 주고, 불안한 생태계의 균형을 복원시킨다고 태풍의 긍정적인 측면도 언급하였습니다.

● **글의 특징**
– 열대성 저기압의 하나인 태풍의 개념과 특징을 설명하였습니다.
– 태풍이 갖는 긍정적인 측면과 부정적인 측면을 아울러 제시하였습니다.

● **글의 구조**

가	열대성 저기압은 발생 지역에 따라 태풍, 윌리윌리, 허리케인 등으로 나뉨.	→	태풍의 개념 및 특징
나	태풍은 남반구와 북반구의 바람이 고온다습한 수증기를 포함하고 있는 바다 위에서 만나 발생하며 육지에 상륙하면서 소멸함.	→	태풍의 발생과 소멸
다	태풍은 인명 및 재산 피해를 끼칠 수 있으므로 위험함.	→	태풍의 부정적 측면
라	태풍은 태양 에너지를 지구 전체로 확산시키고, 지역적으로 깨진 생태계의 균형을 복원해 줌.	→	태풍의 긍정적 측면
마	기상 관측을 통해 태풍의 경로를 예측하고 위험에 대비한다면, 태풍은 인류에게 선물이 될 수 있음.	→	태풍의 위험에 대비하는 일의 필요성

⬇

주제 태풍의 두 가지 측면과 태풍 대비의 필요성

어휘 수준 ★★★★★   글감 수준 ★★★★★   글의 길이 1,585자

1 **가**에서 열대성 저기압은 발생하는 지역에 따라 이름이 달라진다고 하였습니다. 태풍은 북태평양 남서부에서 만들어진 것을 말하고, 허리케인은 대서양의 서쪽에 위치한 멕시코 만에서 발생하는 것을 말합니다.

2 **나**는 태풍이 발생하기 위해 필요한 조건 및 태풍이 발생하는 과정을 설명하고 있습니다. 그러나 태풍의 세기와 방향의 관계에 대한 내용은 제시되어 있지 않습니다.
오답 피하기 ① **나**의 마지막 문장에서 수증기가 차단되면 태풍 발생의 조건이 사라져 태풍의 힘이 약해진다고 하였습니다. 따라서 수증기는 태풍의 힘을 유지시키는 요소라고 할 수 있습니다.
④ 해수면 온도가 26℃ 이상이 되어 바다 위의 대기가 고온다습한 수증기를 포함하면, 이 수증기가 계속 상승하면서 적란운을 만들어 소용돌이가 존재할 경우 태풍이 만들어지는 것입니다.

3 ©는 태풍이 하는 일이 아니라 생태계의 균형이 깨지면서 생겨난 문제 상황에 해당합니다.

4 글쓴이는 **다**에서 허리케인 카트리나를 예로 들어 태풍이 가져오는 위험성에 대해 경고하고 있습니다. "태풍은 기본적으로 강한 바람과 많은 비를 포함하기 때문에 인류에게 위협적인 요소이다."라는 문장에서 태풍에 대한 글쓴이의 생각을 알 수 있습니다. 그런데 **라**에서는 태풍이 부정적인 것만은 아니며 오히려 꼭 필요한 중요한 자연 현상이라고 태풍을 긍정적으로 평가하고 있습니다. 즉 **다**와 **라**를 종합했을 때 글쓴이는 태풍이 긍정적인 면과 부정적인 면을 모두 지닌 존재라고 생각하고 있으며, 이러한 글쓴이의 관점으로 적절한 것은 ⑤입니다.
오답 피하기 ① 태풍이 생태계에 긍정적인 영향을 끼치는 고마운 존재라는 관점은 **라**를 통해서만 알 수 있습니다. **다**에 나타난 글쓴이의 관점은 담지 못했으므로 적절하지 않습니다.